SAS Y ÉGLOGAS

COLECCIÓN FUNDADA POR
DON ANTONIO RODRÍGUEZ-MOÑINO

DIRECTOR
DON FERNANDO LÁZARO CARRETER

Colaboradores de los volúmenes publicados:

Andrés Amorós. Farris Anderson. René Andioc. Joaquín Arce. Eugenio Asensio. Juan B. Avalle-Arce. Francisco Ayala. Hannah E. Bergman. Bernardo Blanco González. Alberto Blecua. José Manuel Blecua. María Josefa Canellada. José Luis Cano. Soledad Carrasco. José Caso González. Elena Catena. Biruté Ciplijauskaité. Evaristo Correa Calderón. Bruno Damiani. Cyrus C. deCoster. Albert Dérozier. Ricardo Doménech. John C. Dowling. Manuel Durán. José Durand. Rafael Ferreres. E. Inman Fox. Vicente Gaos. Salvador García. Luciano García Lorenzo. Yves-René Fonquerne. Joaquín González-Muela. Ernesto Jareño. R. O. Jones. A. David Kossoff. Teresa Labarta de Chaves. Carolyn R. Lee. Juan M. Lope Blanch. Francisco López Estrada. Luisa López-Grigera. Leopoldo de Luis. Felipe C. R. Maldonado. Robert Marrast. D. W. McPheeters. Guy Mercadier. Ian Michael. José F. Montesinos. Edwin S. Morby. Joseph Pérez. John H. R. Polt. Antonio Prieto. Jean-Pierre Ressot. Francisco Rico. Dionisio Ridruejo. Elias L. Rivers. Leonardo Romero. Juan Manuel Rozas. Fernando G. Salinero. Margarita Smerdou Altolaguire. Jean Testas. José Carlos de Torres. José María Valverde. Stanko B. Vranich. Frida Weber de Kurlat. Keith Whinnom.

LUCAS FERNÁNDEZ

FARSAS Y ÉGLOGAS

Edición,
introducción y notas
de
M.ª JOSEFA CANELLADA

Madrid

Zurbano, 39 - Tel. 4195857 - Madrid (10)

—

Impreso en España. Printed in Spain
por Artes Gráficas Soler, S. A. Valencia
Cubierta de Víctor Sanz
I.S.B.N. 84-7039-221-2
Depósito Legal: V. 1.369 - 1976

SUMARIO

Páginas

INTRODUCCIÓN
BIOGRÁFICA Y CRÍTICA

La única persona que ha estudiado de manera fehaciente la biografía de Lucas Fernández ha sido Ricardo Espinosa Maeso. Lo hace magistralmente, con detalles y conjeturas, y añade un Apéndice de los documentos encontrados en los archivos salmantinos.

Voy a dar una idea un poco abreviada de la vida de Lucas Fernández con las noticias que nos da el señor Espinosa.[1] Empieza centrando la genealogía de nuestro autor en los miembros de la familia Cantalapiedra.

Fue Cantalapiedra una de las villas más famosas de la región salmantina, y al tomar partido por doña Juana la Beltraneja se constituyó en fortaleza temible para las fuerzas reales de Castilla. De esta villa eran originarios los tíos de Lucas Fernández: Martín González de Cantalapiedra, Juan Martínez de Cantalapiedra, y Alonso González de Cantalapiedra.

En 1465 salía a oposición la cátedra de Música de la Universidad salmantina, vacante por fallecimiento de Fernando González de Salamanca, y la ganó tras reñida competencia Martín González de Cantalapiedra. La desempeñó hasta 1478, año de su muerte. Juan Martínez de Cantalapiedra abrazó la carrera eclesiástica, y poseyó desde antes de 1470 un beneficio en esta villa. Parece que había estudiado música con su hermano

1 BRAE, tomo X, 1923, pp. 386-424, y *Apéndices,* pp. 567-603.

Martín. En 1471 figura entre los canónigos de la Catedral de Salamanca, y luego fue vicario del Cabildo. Murió en 1486. Alonso González de Cantalapiedra, como su hermano Juan, fue sacerdote. Fue nombrado capellán de coro, y luego racionero. Poseía un beneficio en el lugar de Alaraz.

En Salamanca, allá por el año 1489, se desarrolla una epidemia de peste. El miedo se apodera de la ciudad. Hay un acuerdo capitular del 28 de septiembre de ese mismo año, en que se lee: "...dixjeron que por quanto esta çibdad se escomençava a dañar de pestilençia e se temja que seria mas adelante por nuestros pecados e que a esta cabsa algunos de los benefiçiados de la dicha yglesia se querrian absentar de la dicha çibdad. Por lo cual que davan e dieron liçençia general los vnos a los otros e los otros a los otros para se absentar". La peste hace sus estragos, y con intervalo de pocos meses fallece María Sánchez, esposa de Alfonso o Alonso González, y éste mismo, de oficio entallador y también carpintero, propietario de unas casas "a la cal de la Rua Nueva".

De este matrimonio había nacido nuestro autor Lucas, quizá en el mismo día de San Lucas (18 oct.), en Salamanca, en el año 1474. Tuvo Lucas dos hermanos: uno Martín González de Cantalapiedra, y otro, de nombre desconocido, que murió ahogado. Martín (y también Lucas) siguió la carrera eclesiástica, como era tradicional en esta familia, y parece que no pasó de la modesta categoría de capellán de coro. Era muy entendido en música y estaba a cargo de los órganos de la catedral por el año de 1500. Muertos sus padres, los tres hermanos se cobijaron al amparo de su tío Alonso González de Cantalapiedra. Hacia los años de 1490 y tantos, Lucas es estudiante en Arte en la Universidad y obtiene el grado de bachiller. Fueron sin duda sus maestros Fernando de Torrijos y Diego de Fermoselle, hermano de Juan del Encina.

En 1498 vaca la plaza de Cantor en la Catedral, por muerte de Fernando de Torrijos. Entre los varios pretendientes que tuvo esta plaza estaban Juan del Encina y Lucas Fernández, y a partir de este momento se establece gran enemistad entre ambos personajes. Las pretensiones de Encina no tuvieron buena acogida entre los señores capitulares. Queda registrada esta situación en una de las églogas de Encina:

Calla, calla ya, malsín,
que nunca faltas de ruin,
tú también como tu tío.
(*Teatro Comp.*, pp. 5-6)

y en la *Égloga de las grandes lluvias*:

Juan. — Y acuntió que en aquel día
era muerto un sacristán.
Rodrigacho. — ¿Qué sacristán era? Di.
J. — Un huerte canticador.
Antón. — ¿El de la igreja mayor?
J. — Ese mesmo.
R. — ¡Juro a mí
que canticaba muy bien!
Miguellejo. — ¡Oh, Dios le perdone, amén!
A. — Hágante cantor a ti.
R. — El diabro te lo dará,
que buenos amos te tienes;
que cada que vas e vienes,
con ellos muy bien te va.
M. — No están ya
sino en la color del paño;
más querrán cualquier extraño
que no a ti que sos d'allá.
R. — Dártelo han, si son sesudos.
J. — Sesudos e muy devotos,
mas hanlo de dar por votos.
R. — Por botos no, por agudos.
Aun los mudos
habrarán que te lo den.
J. — Mia fe, no lo sabes bien;
muchos hay de mí sañudos.

....

Los unos no sé por qué
e los otros no sé cómo,
ningún percundio les tomo,
que nunca lle lo pequé.
R. — A la fé;
unos dirán que eres lloco,
los otros que vales poco.
J. — Lo que dicen bien lo sé.[2]
(*Teatro Comp.*, pp. 144-147)

Uno de los valedores de Encina era don Bernaldino López, canónigo de Logroño, arcediano de Camases, que declara: "que si por aventura de fuera non se fallase persona que quisiese venir a tomar cargo del dicho ofiçio que él dava su voto a juan del ensina porque creya que hera para ello persona mas sufiçient de todas quantas oy Residen en la dicha çibdad".

2 Este verso hermético parece aludir a la supuesta condición de "cristiano nuevo" de Encina. También en la obra de L. F. hay atisbos de alguna situación alusiva a la misma condición. (V., por ejemplo, los versos A. 113-116:

No estemos más aquí yuntos;
que los campos tienen ojos,
llenguas y orejas rastrojos
y los montes mill varruntos.)

Américo Castro, que en otros casos ha tenido la extraordinaria intuición de apuntar el origen de *la casta* para varios personajes de la historia, bien puede ser que acierte plenamente cuando señala como determinante para el nacimiento de estas obras teatrales, la condición de converso: "El teatro de fines del siglo XV fue obra de conversos; el de fines del XVI se hizo portavoz de los problemas de la casta triunfante". (*De la edad conflictiva,* p. 41.) "En la *Comedia* de Lope de Vega se expresa la tensión honrosa de los hidalgos; en las *Representaciones* de Juan del Encina, Lucas Fernández y otros, sale a la luz la inquietud de quienes, salvados por la Natividad de Cristo y por el bautismo, se sentían socialmente en condición de inferioridad." (*Íd.*, pp. 63-64, n.) "En el teatro iniciado a fines del reinado de los Reyes Católicos, los cristianos nuevos se sirvieron de las representaciones de la Natividad y Pasión de Cristo para reclamar, fundándose en ellas, un derecho a ser tratados como cristianos salvados por el bautismo, y libertados de la esclavitud espiritual y material en que habían vivido antes de su conversión." (*Íd.*, p. 207, n.)

También son datos para que la familia de L. F. se haga sospechosa de tal linaje, el repetido número de miembros de ella dedicados a la Iglesia, así como el cambio de nombres, y el haberse dedicado el padre de Lucas a un oficio manual.

En cambio, el gran valedor de Lucas Fernández fue su tío Alonso González de Cantalapiedra, y también su otro pariente Francisco de Salamanca, racionero, persona de gran influencia. El cabildo nombró una comisión compuesta por Diego de Anaya, Francisco de Salamanca y el obispo fray Diego de Deza, los cuales acordaron que se repartiese dicha prebenda entre "tres moços contras baxos". De entre ellos destacábase Lucas, y los señores capitulares, contentos con sus servicios, le dan una renta de 4.500 maravedís por año. No disfruta en paz mucho tiempo de este beneficio, pues en 1502 se entabla un pleito "sobre los dichos sus ofiçios" entre Encina y Lucas cantor y el organista. No está claro cómo acaba el pleito. Pero la enemistad entre los dos autores ya está desatada.

Instituida por Urbano IV, en 1263, la fiesta del Corpus Christi, se celebra en toda la cristiandad con gran pompa. Estas fiestas del Corpus tuvieron un carácter especial en la Salamanca del comienzo del siglo XVI. Los balcones se engalanaban con reposteros bordados con las armas de sus dueños y con las más vistosas colgaduras. En la Catedral se adornaba la Capilla mayor con tapices de la misma Catedral y también con los que el Cabildo pedía prestados a la Casa de los Duques de Alba para tal menester. Se enarenaban y cubrían las calles con espadañas por donde iba a pasar la procesión. Ésta se componía no sólo de imágenes, sino también de cuadros plásticos compuestos por hombres caracterizados, que representaban escenas bíblicas o de santos y apóstoles, como, por ejemplo, el San Sebastián acompañado del verdugo, o el rey David tocando el arpa ante el Santísimo, etc. Había en el vistoso desfile cuadrillas ataviadas, encargadas de bailar y danzar, y que también tenían a su cargo las representaciones de los autos. Llegó a haber verdaderos especialistas en la organización de estos festejos. Quedan en los documentos las cuentas de los gastos para estas fiestas, con deliciosos datos. En algunos de estos primeros años del siglo, se representaron autos de Lucas

Fernández, por ejemplo, en 1501 y 1503. En el 1505 se interpretó la *Representatio Amoris* de Juan del Encina, escrita para ser representada ante el Príncipe Don Juan. En el año 1531 "se pago al valenciano por los juegos que hizo seys mill maravedís". Y así siguieron estas representaciones, hasta el año 1562, en que dos señores racioneros "contradixeron que no huvjese abtos el dia de corpus christi", "que no hiziesen abtos njngunos syno danças que sean buenas".

En el Corpus de 1501, en un rudimentario escenario hecho por un carpintero, se ejecutaron "los juegos que fiso lucas" de cinco personas, tres pastores y dos pastoras, para los que se compraron tres cabelleras y "çapatas y çapatos". Ésta fue la Comedia de Bras Gil y Beringuella (folios A de las obras). Veamos algunos de los apuntes de gastos. (En el *Apéndice*, BRAE, X, pp. 573 y ss.):

Iten se compraron para los pastores de corpus christi nueve varas de çintas de diversas colores costaron sesenta maravedis.
Iten tres cabelleras para los dichos pastores seys Reales.
Iten dos pares de çapatas para las que fueron labradoras costaron a sesenta cada par.
Iten seys cantaros de vino blanco Anejo a setenta e dos maravedis la cantara e de trasanejo dos cantaras.
Iten vna bestia que lo traxo costo dos Reales.
Iten gasto el moço con la bestia dos Reales.
Item se conpraron tres pares de çapatos para los pastores a quarenta el par.
Item dj A lucas tres Reales para pollos para los cantores que se le mandaron dar para almorzar.
Item costó vna saya de Alquiler para la vna labradora doze maravedis.
Iten se conpraron dos banastas de guindas costaron sesenta maravedis.
Item se gastaron trezientos e çinquenta e quatro maravedis de pan.
Iten traxo Alonso dorado ortolano dos carretadas de espadañas de a quatro mullas para la dicha fiesta costaron seys Reales.

... ...

Mas çinco ljbras de cañamo para las cavelleras a veynte maravedis la libra.
mas un Real para traer los Ramos y flores de tejares para el parayso.
mas dos Reales e medio de papellones para el parayso.
mas un Real de una bara de anjeo con el teñjr para los diablos.
mas seis Reales que dj a san sebastian porque saliese.
mas di por pintar la sierpe doss Reales y medio a juan de flandes.
mas di tres tarjas por traer las Ruedas.
mas di dos tarjas por bolberlas a sus dueños.
mas costo a tenjr el anjeo del toro tress Reales.
mas costaron las mascaras y lobas de los judios de Alquiler tress Reales.
mas se gasto en las colas de los bueyes para el ynfierno tres tarjas.
mas di alquiler por tress sabanas blancas para el parayso doss Reales.
mas que dj medio Real de alqujler por vn paramento Colorado (para el infierno).
mas se gasto vispera de Corpus christi en candelas y en vino y pan para la jente que andaba allj doss Reales.

Lucas Fernández sucedió a su tío Alonso González de Cantalapiedra en el beneficio de la villa de Alaraz. No está claro si residió en esta villa o no, quizá impedido por su cargo de cantor de la Catedral. Fue nombrado también beneficiado de Santo Tomás Cantuariense en Salamanca. En 1520 fue elegido Abad de la Clerecía. En 1522 falleció el maestro Diego de Fermoselle, catedrático de Música en el Estudio y Universidad de Salamanca, y en 31 de octubre de este mismo año "fue proveydo desta catedra el bachiller lucas hernandez" por oposición. En los Estatutos de este tiempo se ordena que el catedrático de música "lehera una parte de su hora de la Especulacion de la musyca, y otra parte exercite los oyentes en Cantar que asta el mes de março muestre canto llano y de allj a la fiesta de San Juan Canto de horgano y de allj a las bacaçjones el o su sostituto contrapunto les muestre". Además el catedrático estaba obligado a organizar y dirigir las fiestas de la Capilla de la Universidad. En el año 1522-23 fueron cinco fiestas: "santa cataljna san Niculas e sant Agustin de hebrero e san jeronjmo de mayo san jeronimo de septiebre e en cada vna dellas se gastaron 15 Reales que se dieron al Cantor". Asistió Lucas a los claustros de la Universidad desde 1527 hasta 1541, con grandes intermitencias hacia el final, debidas a su enfermedad. El 17 de setiembre de este año murió en Salamanca. Fue enterrado en la catedral en modesta sepultura de la que se desconoce el lugar. Lo mismo pasó con Encina, [3] de manera que hoy duermen la paz los dos rivales, ya que no bajo lujoso mausoleo, sí cubiertos por la pompa única de la hermosísima torre del Gallo.

[3] Covarrubias, *Tesoro,* fol. 322v: "Enzina . . . está sepultado en la iglesia vieja, debaxo del Coro".

OBSERVACIONES AL TEXTO

I. Erratas de la edición de 1514 (facsímil)

Dice . . . Debe decir . . . Localización

a) Letras emborronadas, caídas o rotas:

hasbonoo . . . . *hasbondo* . . . . . Aiiiijrb (v. 550)

(La *d* tiene el palo alto roto.)

sabeys os arrebato . . . . *sabeys* [*si*] *os arrebato* Biijvb (v. 438)

La *h* muy entintada puede parecer *b*, por ejemplo en D: *haze* (v. 192), *çahareño* (v. 216) y *hazienda* (v. 234).

bo uiendose . . . . *boluiéndose* . . . Ciiiiijvb (v. 935)
con o es nascido . . . . . *como es nascido* . . . Dj introduc.

(La *n* es una *m* rota.)

veys va su fuerça . . . . . *veys ya su fuerça* aiijvb (v. 447)

(La y de *ya* está rota por abajo.)

bablaua . . . . *hablaua* . . . . . . aiiiijrb (v. 705)

(Acaso la *h* inicial está emborronada, como lo está toda la línea.)

tulla. Forma incierta, acaso rehecha en el facsímil. Ciiiiijra (v. 792).

b) Letras invertidas:

bnrra	*burra*	Aiiijva (v. 420)
pnes	*pues*	Cjrb (v. 34)
cnelga	*cuelga*	Cjrb (v. 44)
sañndo	*sañudo*	Ciijra (v. 310)
qne	*que*	Ciiijrb (v. 507)
passapaues	*passapanes*	Ciiijrb (v. 529)
cousolar	*consolar*	Ciiijva (v. 554)
qne	*que*	Ciiiijra (v. 658)
cnytado	*cuytado*	Ciiiijrb (v. 668)
crnz	*cruz*	Ciiiiijra (v. 797)
par ui	*par ni*	Djva (v. 90)
olguemouos	*olguémonos*	fijra (v. 164)
brnçes	*bruces*	fijrb (v. 222)
Jn	*Ju*	fijvb (v. 268)
jnan	*juan*	fiijva (v. 418)
quau	*quan*	aijrb (v. 196)
Hen tibi, Hen tibi	*Heu tibi, Heu tibi*	aiiiijrb (v. 671 y 672)
diuiua	*diuina*	aiiiiijra (v. 803)

c) *c* por *e* y viceversa:

veneida	*vencida*	Aij introd.
eon	*con*	Aiiijvb (v. 436)
cereillos	*cercillos*	Aiiiijrb (v. 532)
eneella	*encella*	Aiiiijrb (v. 513)
scr	*ser*	Aiiiiijvb (v. 128)
euytada	*cuytada*	Biijrb (v. 382)
aborreseen	*aborrescen*	Cijrb (v. 208)
nucua	*nueua*	Cijvb (v. 271)
cscapan	*escapan*	Ciijvb (v. 436)
estc	*este*	Ciiiijra (v. 662)
tcnemos	*tenemos*	Djva (v. 72)
sanetos	*sanctos*	Diiijra (v. 516)
cssa	*essa*	fjva (v. 96)
cspritos	*espritos*	fjvb (v. 120)
espeeialmedte	*especialmente*	fjvb (v. 135)
dulcc	*dulce*	fijvb (v. 270)
estableseio	*establesció*	fijvb (v. 306)
denantcs	*denantes*	fiijra (v. 326)

eada qual	*cada qual*	fiijra (v. 337)
cs	*es*	fiijva (v. 419)
cran	*eran*	fiijvb (v. 434)
earillo	*carillo*	fiiijrb (v. 537)
mcjor	*mejor*	fiiijvb (v. 616)
rcpente	*repente*	aiiijrb (después del v. 536)

d) Letras cambiadas de sitio:

id quien son	*di quién son*	Dijva (v. 237)

e) Letra cambiada por otra:

quicas	*quiças*	Aijvb (v. 141)
Br. Es gujeta	*Be. ¿Es gujeta?* . . .	Aiijra (v. 165)
houear	*bouear*	Aiiiijrb (v. 526)
mangaz	*mangas*	Aiiiijrb (v. 537)
apite	*apito*	Aiiiijvb (v. 600)
parescer	*padescer*	Aiiiiijrb (v. 44)
fuezça	*fuerça*	Aiiiiijrb (v. 67)
buenaque	*buenafe*	Bijrb (v. 201)
ay dias	*ay Dios*	Biiijva (v. 574)
los fuerças	*las fuerças*	Biiijvb (v. 600)
ahorrigo	*aborrigo*	Cjra (v. 2)
morrales	*mortales*	Cjrb (v. 40)
cambres	*cumbres*	Cijra (v. 183)
praha	*praga*	Cijvb (v. 282)
mentiran	*mentiras*	Ciijra (v. 340)
vn garra	*vna gorra*	Ciiijvb (v. 605)
hu	*he*	Ciijva (v. 400)
tristuxa	*tristura*	Ciiiijra (v. 651)
pensanho	*pensando*	Ciiiijra (v. 651)
mixar	*mirar*	Ciiiijra (v. 654)
Anda trefe	*Ando trefe*	Ciiiijrb (v. 700)
ed	*es*	Ciiiijrb (v. 702)
sabiendo	*sabiondo*	Djra (v. 18)
pldes	*pides*	Djva (v. 74)
esçapa	*escapa*	Dijra (v. 179)
obra	*abra*	Dijvb (v. 290)
aprouecba	*aprouecha*	Diiijra (v. 481)
obedienten	*obedientes*	Diiijra (v. 520)
açuçenas	*açucenas*	Diiijrb (v. 554)

señdr	*señor*	fj introd. (l. 11)
parata	*parara*	fjva (v. 80)
si quien	*si quier*	fjvb (v. 101)
celleno	*relleno*	fjvb (v. 111)
salul entera	*salud entera*	fjvb (v. 114)
espeeialmedte	*especialmente*	fjvb (v. 135)
Pu. Es cosa	*Pa. Es cosa*	fijra (v. 145)
zagaleo	*zagales*	fijrb (v. 199)
vezes que salto	*verés qué salto*	fijva (v. 229)
por eo somo	*por en somo*	fiijva (v. 427)
soluz	*solum*	aiiiijrb (v. 670)
redemptorez	*redemptorem*	aiiiijrb (v. 677)

f) *S* alta (confundida con otra letra):

tranfformaste	*transformaste*	Bijra (v. 157)
pelsejo	*pellejo*	Cijvb (v. 284)
tranfformacion	*transformación*	Ciijrb (v. 361)
effuerça	*esfuerça*	Ciiijvb (v. 614)
efforçado	*esforçado*	Ciiijvb (v. 616)
delgreñado	*desgreñado*	Ciiiijra (v. 665)
diffraça	*disfraça*	Dj introd. (línea 5)
afbondo	*asbondo*	Dijrb (v. 202)
le	*se*	Fj introd. (línea 3)
blaffemando	*blasfemando*	Fj introd. (línea 5)
lsuego	*lluego*	fijrb (v. 203)
perlonas	*personas*	aj introd. (línea 3)
prosete	*profeté*	aiiijvb (v. 586)
blaffemador	*blasfemador*	aiiiiijrb (v. 819)

g) Una letra aparece cambiada por influjo de otra cercana:

dad de beber . . . . *dar de beber* . . . . Aiiijva (v. 429)

Catiua nos los sentidos
sojuzga nos los pensamientos. Bijrb (el *nos* copiado del renglón de arriba) (v. 226-227).

con congoxosos co tormentos . . . . *-con congoxosos tormentos* Bijva (v. 230)

anteq que . . . . *antes que* . . . . . . Biijva (v. 419)

—

afracasame . . . . *afrácaseme* . . . . . . Cjra (v. 23)
prrguntar . . . . *preguntar* o *perguntar* Cijvb (v. 298)
vesolo . . . . *véselo* . . . . Cijvb (v. 298)
huzia er perrigalgo . . . *huzia en perrigalgo* Cijvb (v. 304)
correr saltal luchar . . . *correr, saltar, luchar* Djrb (v. 41)
zugales curruchados . . . *zagales curruchados* Djrb (v. 48)
salul . . . . *salud* . . . . fjvb (v. 114)
unod dizen . . . . *unos dizen* . . . . . . fjvb (v. 136)
cos sus olores . . . . *con sus olores* . . . fijra (v. 150)
crucres . . . . *cruces* . . . . fijrb (v. 223)
y di quien di . . . . *y de quién, dí?* . . . fiijra (v. 331)
fuentn . . . . *fuente* . . . . fiijvb (v. 448)
boccdo . . . . *bocado* . . . . fiiijrb (v. 521)
infortunio repentinio . . . *infortunio repentino* aijvb (v. 289)

h) Faltan signos:

megue . . . . *mengüe* . . . . Aiijvb (v. 303)
a pastor . . . . *al pastor* Biijvb (después del v. 441)
aubrrisco . . . . *abarrisco* . . . . . . Biiijva (v. 584)
aliuiado . . . . *aliuiando* . . . . . . Ciiijrb (v. 528)
aluiadas . . . . *aliuiadas* . . . . . . Ciiijvb (v. 597)
vinisse . . . . *viniesse* . . . . . . Ciiijvb (v. 611)
podr . . . . *podré* . . . . Ciiiiijrb (v. 704)
qurto . . . . *quarto* . . . . . Dj introd. (línea 7)
catando . . . . *cantando* . . . . Dj introd. (línea 8)
trajo . . . . *trabajo* . . . . Djra (v. 4)

Falta personaje *Bo*:
-*¿qué habras, bruto saluaje?* . . . . Djrb (v. 65)

(Inmediatamente antes y después de este verso aparece *Gil* como hablante, lo cual indica que el interlocutor es *Bo* para este verso.)

aleluya . . . . *alleluya* . . . . . . Diiijvb (v. 618)
fiiijrb (v. 528)
gozemo . . . . *gozemos* . . . . . . Diiijvb (v. 640)
tras . . . . *traes* . . . . fjvb (v. 112)
tino . . . . *tiento* . . . . fjvb (v. 134)
busca . . . . *buscar* . . . . fijra (v. 180)

criado	*criador*	fiijra (v. 307)
las nuues llouiero	*las nuues llouieron*	fiijrb (v. 384)
Dilo	*Dilo, Juan*	fiiijrb (v. 528)
Entra las tres marias	*Entran las tres marías*	aijvb (después del v. 385
destryda	*destruyda*	aiiijvb (v. 585)

i) Sobran signos:

apartallla	*apartallá*	Biijvb (v. 447)
como que que la engaño.	*cómo que la engañó*	Biiijra (v. 488)
pensamientons	*pensamientos*	Biiijvb (v. 616)
de enxelcos perhundos llenas	*de enxelcos perhundos llena*	Cjva (v. 73)
mamamilla	*mamilla*	Djvb (v. 139)
fn fue	*fue*	fiiijra (v. 498)
pagua	*paga*	aijva (v. 259)

j) Hay unas cuantas construcciones que pudieran considerarse como erratas posibles o errores de copista (no seguras).

—No me querás vergoñar.
—Llóbado renal te mate.

(¿Por qué *te mate*? Sería mejor sustituir por *me mate.* (A mí, si trato de avergonzarte.) Aiiiijva (v. 571).

minismo. (Posible errata por *mimismo,* igual que hay en el texto *mimisma* en Aijvb, v. 142.) Djva (v. 68).

El *in armarlas* de Djvb, podría ser muy bien *sin armarlas,* pero no hay espacio para suponer una *s* caída (v. 119).

Bien semejás costumero
en vuestra obra mesurada

(¿De qué obra se trata? Posiblemente ha de ser *abra,* habla, que dejaría el sentido perfecto.) Dijvb (v. 290).

k) Hay finalmente un grupo de irregularidades que semejan inadvertencias del autor, algunas de ellas precipitadas por una rima falaz.

d'él con el de la zagala, debería decir *d'él con la de la zagala,* puesto que se trata de la casta. Aiiijvb (v. 436).
nadie poder se defiende, en vez de *nadie puede defenderse.* Biiijvb (v. 632). (Transposición de modos verbales.)
que no mate o hiera o prende. La serie de subjuntivos pide *prenda.* Biiijvb (v. 633).
morir de se modorío. Habría que admitir una transposición por *morirse de modorío.* Djva (v. 105).

En estos dos casos que siguen, el sentido pide una preposición *a* inicial, que no aparece:

El profeta desterrado
allá en la zona quemada fiijrb (v. 370-371)

Quien contempla verle dar
por beber vinagre y fiel aiiiijra (v. 626-627)

Hay posibles erratas, para asegurar las cuales no tengo datos suficientes, pero me inclino a tenerlas por tales:
Gontinos. Está por *Continos.* Verso C.715.
rendaja (D.139), en vez de *rencaja.* (V. *Glosario.*)
Algunas irregularidades de F. podrían explicarse considerando que el texto original de L.F. ha podido ser copiado quizá por una persona no leonesa. Todo esto no son más que puras suposiciones. Veamos: El nombre *Continos* (C.715), topónimo menor que acaso al copista no le dijera nada, fue visto como *Gontinos,* y copiado *gontinos.* Hay también algunos indicios de leonesismos rehechos: *Pues ¿dó la iremos a buscar?* (f.180). El copista introduciría la preposición *a,* que altera la medida del verso. De todas formas, las normas para la preposición *a* son muy inseguras. El mismo problema para el verso *Alahé, tien(e) huerte sciencia* (f.160). El copista pudo completar el presente apocopado, alterando así la medida. (V. *tien* por ejemplo en C.32 y C.34.) Otro presente apocopado rehecho sería el del verso f.314, *Siendo mayor, se haz(e) menor.* También serían rehechas las formas: *(e)norabuena* (B.513); *(e)ñoramala* (A.234); *(e)n este día* (D.445).

II. La S alta

Habrá que prestar a este signo un poco de atención, ya que puede dar lugar a algunas confusiones.

Dada la gran incidencia de erratas que presenta F., es natural que la ſ aparezca confundida con signos semejantes, como la *l* o la *f*.

Lihani, en su edición de las *Farsas,* p. 208, dice: "Toda la combinación *sf* se produce en las *Farsas y Églogas* tipográficamente con *ff*". No lleva razón. Véase por lo menos:

blasfemo (A.3)
desfrorado (A.406)
transfigurado (C.854)

A. Hermenegildo, cuando ve la errata *ff* por *sf*, la corrige. Por ejemplo C.614 *(effuerça)* transcrito *esfuerça,* pero, en cambio, la deja en C.616 *efforçado.*

En el verso C.665 *desgreñado* aparece en F. como *delgreñado,* y así lo recogen Cañete, p. 270, y Hermenegildo, p. 177.

Cañete también da cabida a un *blaffemar* (en la Introducción a los folios *f*) por *blasfemar,* en su *Vocabulario,* p. 266.

Lo mismo pasa con *trasijado.* Recogen *trafijado* (verso C.700) como variante de *trasijado,* Cañete en la p. 290 y Lihani en su *Glosario,* p. 577.

Y todavía en C.284 hay un *pelsejo* cuya *S* responde a la segunda *l* de *pellejo,* recogido como forma aparte por Cañete, p. 283, y Hermenegildo, p. 192.

III. Diversas grafías

La no fijeza en los fenómenos de evolución (ni en las grafías) es un rasgo común a las hablas dialectales, frente a la uniformidad de la lengua literaria y central.

En las *Farsas y Églogas* encontramos diversidad de resultados, por lo menos gráficos, para numerosos vocablos. Veamos algunos ejemplos.

Para la *i* existen las dos grafías *i, y:*

vido, oydo (Cijra (v. 155-156); *ygreja* Aijvb (v. 127); *igreja* Djra (v. 27).

Diptongos frente a reducción:
buenamiente Aiijra (v. 178); *humilmente* aiiiijvb (v. 27).
llugo Aijva (v. 95). Cinco versos más abajo, el mismo hablante, con el mismo significado dice *lluego.*

La consonante bilabial se representa tan pronto por *b* como por *v* o por *u.*
baca Aijra (v. 23); *bacuna* Aiiijva (v. 424); *vacas* Aiiiijra (v. 495).
rauia Cjra (v. 31); *rabiosos* aiiijra (v. 463).
Beringuella y *Berenguella* Aij introd.; *Veringuella* Aiiiijva (v. 563).

Para las sibilantes hay también confusiones.
En la *S* interna se mantiene muy bien la distinción entre sorda y sonora, pero hay alguna excepción:
grossero Bijva (v. 267); *grosero* Cjvb (v. 104); *possible* aiiiijva (v. 746), *posible* Bijva (v. 231).

El sonido prepalatal, tanto el sordo como el sonoro, aparece como *x, j, g,* pero algunas formas dobles tienen *s*:
quijo Diiijvb (v. 458); *quiso* fiijvb (v. 436).
sufrir y *xufrería* (v. 674) Ciiiijrb (v. 680).

La grafía *r* para el sonido fuerte es insegura:
tereste Diijra (v. 335); *derreniego* Ciiijrb (v. 541); *dereniego* Aijra (v. 1); *jaro,* 'jarro' Dijra (v. 186).

honrrar Aiiiijrb (v. 525); *aremeto* Diiijva (v. 568); *Ysrrael* D (v. 391); *burras* en rima con *aturas* (fijrb (v. 204-205).
rrellanado (C.102).

Palatalizaciones diversas:
en ora mala Dvja (v. 71); *ñora mala* Biijva (v. 406).
no ños podrá ver A. (v. 246); *ño, ñ'os podrés yr* Aiijva (v. 247); *darños ha* Aiijva (v. 241); *nos otros* fiijra (v. 325).
resolgar (B. v. 110); *resolla* Dijva (v. 253).

Distintos tratamientos para la *F-* latina y la *h-*:
En el mismo verso tenemos *A la he, mia fe, digo, ha* Diiijra (v. 514).
he y *fe* tienen el mismo origen, y de las dos *h,* la primera no admite sinalefa, mientras la segunda sí.
abrando Aiiijrb (v. 374); *habrando* Aiiiijva (v. 589).

fincar de rodillas Diijvb (después del v. 460); *se han hincado* fiijra (v. 319).

La *h-* procedente de *F-* unas veces no admite sinalefa: (Esto no quiere decir que sea aspirada.)
mi-hado Aiijvb (v. 284); *ni-hostiga* Bijva (v. 269); *tosco-hosco* Biijvb (v. 451); *ni-habrar* Cijva (v. 226); *su-heruer* Cijva (v. 265); *de-hierro* Diijva (v. 436); *su-haz santa* Diiijva (v. 563); *mi-hazedor* aijva (v. 235).

Otras veces se cumple la sinaleja: *de‿habrar* Aiijvb (v. 307); *ño me‿habreys* Cjvb (v. 108).
muy bien a‿habrado Ciiiijra (v. 667); *como‿habra* Ciiiijrb (v. 679; *te‿hurtarán* (Dijrb (v. 226); *no se‿hartando* aiiiijva (v. 727); *y‿haré sones* Bijra (v. 183); *de‿hechizos* (D.v. 195); *ouiera‿hecho* Biijvb (v. 462); *mesmo‿haziendo* Cjra (v. 10).

Vacilaciones en sonidos iniciales:
asperá Aiiiijva (v. 534) y verso f.252, *esperá* fijva (v. 255) (tres versos más abajo, por el mismo personaje); *asmar* Bijvb (v. 297); *osmar* Cjva (v. 74).
nadie Aijrb (v. 56); *nayde* Djrb (v. 42); *ñayde* Djvb (v. 124).
estremulado Aiiiiijra (v. 25); *stremuloso* Aiiiiijva (v. 106).

Vacilación en sonidos mediales:
aora Aiijva (v. 254), y cinco versos más abajo: *agora* (v. 259).
hata Cijra (v. 184); *hasta* Ciijrb (v. 359).

Diversidad en las vocales protónicas:
aburrir Cjrb (v. 63); *aborrir* Cjva (v. 92); *sospirar* aijvb (v. 273); *suspirar* aiiiijva (v. 724); *siguían* aiijvb (v. 458); *seguían* aiiijra (v. 488).

Y epentética:
mudancia Cijva (v. 260); *mudança* Ciiiiijvb (v. 934).
creyer Ciiiiijrb (v. 839); *creer* fijvb (v. 292).
Las contracciones de vocales son variadas o no existen:
me haze (sin sinalefa) Aiiiiijvb (v. 157); *se m'az* ('se me hace') Cjra (v. 30).
m'enuaro Aijra (v. 21); *me embosco* (con sinalefa) Aijra (v. 25).

Diversidad de tratamiento en los sonidos finales:
Presentes de Indicativo: *trae* Ciiiiijrb (v. 842); *tray* Ciiiijrb (v. 703).
Imperativos: *hazey* Aiiiijvb [1] (v. 597); *tentad* Bijvb (v. 276).
Apócopes: *mia fe* Aiiiijra (v. 478); *mi fe* Bijra (v. 150); *tan huertes y tanto buenas* fiijvb (v. 462); *maldá* ajvb (v. 104); *ruindade* Cjvb (v. 123); *ciodade* Cjvb (v. 122).
san Hedro Djva (v. 83); *sant Pabro* Aiijva (v. 264); y también *sanctos* Diiijra (v. 516).

El artículo ante sustantivo con *a, o* inicial no tiene regularidad:
vna alabarda Ciiijva (v. 581); *vna arma* Ciiijvb (v. 587); *vn hora* Diijrb (v. 373); *vn asna* fiiijvb (v. 618); *el alcauala* Cjvb (v. 111); *la alcauala* Djva (v. 74).

El pronombre.
Vacila en su colocación:
quitaros B (v. 181), *me tenéys* Bijra (v. 178); *te honrrar* Biiijra (v. 515); *hulo* Djva (v. 95), y 4 versos más abajo *lo hu* (v. 99).

Alterna el *le* con el *lo*: *doyle* (comp. dir.) Aiijva (v. 240); *lo quiero* (comp. dir.) Aiiiijra (v. 481); *veysle* (comp. dir.) aiijrb (v. 358).
Tres acusativos: *le* (v. 2), *lo* (v. 16) Aijra; *llo* Aijrb (v. 57).
Dos dativos en la misma estrofa: *los hablaua* (v. 653), *les dezía* aiiiijra (v. 659).
Por otra parte emplea *gelo* aijra (v. 165), frente a *se lo* Biiijra (v. 477).

En el verbo se nota aún más la enorme diversidad de tratamientos y formas:
Los verbos en *-ecer* se mezclan son los en *-escer*:
obedescer Aiiivb (v. 295), *conoscer* Aiiijva (v. 413); *añochecer, escurecer* Aiiiijrb (v. 551-552).

Emplea distintas vocales temáticas para el pretérito:
ouo fiijrb (v. 378) *vuo* fiijvb (v. 453).
traxe Aiijra (v. 163) *truxiste* aiiiiijrb (v. 829).
podiste aijra (v. 177) *pude* ajra (v. 16).
podieras fiijvb (v. 439) *pudiesse* fiijvb (v. 453).

1 Para imperativos de este tipo v. Zamora Vicente, *Dialectología*, p. 182.

En los participios hay *vido,* Cijra (v. 155), frente a *visto* Cijva (v. 262); *amodorrado,* Dijrb (v. 222), frente a *amodorrido* fjva (v. 95).

Imperativo: Para el verbo *ir*: *vete* (v. 295) y *vayte* (v. 292), en la misma estrofa fijvb.

Verbo *dar*: *dad* Aiiijra (v. 319); *day* Bjra (v. 29) y *daldo* Bjvb (v. 118).

Futuros: la terminación personal distinta para la misma forma: *verés* Aiijvb (v. 269) y *veréys* Biijvb (v. 444).

Por otra parte:

darle (he) texillo Aiiiijrb (v. 538); *aburriré* Cjrb (v. 63); *verná* Aijvb (v. 118).

os darê (v. 399), y dos versos antes *dar vos he* Biijva (v. 397).

Variaciones en el presente:

doy Cjra (v. 31) *do* Bjva (v. 77).
voy Cjra (v. 12) *vo* Cjra (v. 28).
soy Cjra (v. 11) *so* Aiiijvb (v. 438).[2]
estoy Aijrb (v. 36) *estó* Aijvb (v. 122).
Junto a *vamos* hay *ymos* (C.453) y hay *ys* (C.499).

Apócopes de tercera persona frente a la forma completa:

tien Cjra (v. 32) *tiene* Aiiiiijrb (v. 57).
vien Diiijra (v. 492) *viene* Diiijra (v. 512).
haz Aiijrb (v. 211) *aze* Aijvb (v. 148).
diz Ciiiijra (v. 661) *dize* Bijrb (v. 204).
praz Aiijra (v. 177) *praze* Aiiiijva (v. 559).
quisier (C.725) y *vinier* (C.724).

La desinencia para la segunda persona plural es casi siempre *-ys: mostrays* (v. 283), *escuseys* (v. 281), *hazeys* (v. 286), *penseys* Aiiijvb (v. 288); *pensays* Biijva (v. 420); pero en los imperfectos aparece la forma más plena: *hazíades* Aiijvb (v. 279), Aiiijra (v. 311); *estáuades* Biijva (v. 405).[3]

[2] V. Zamora Vicente, *Dialectología,* p. 189.
[3] V. Zamora Vicente, *Dialectología,* p. 183.

IV. Sobre la lengua de Lucas Fernández

Presentación

Las *Coplas de Mingo Revulgo* son, como todo el mundo sabe, una diatriba contra Enrique IV de Castilla, y aparecen a mediados del siglo xv. En ellas, dos pastores dialogan en lengua rústica castellana, y con ello inauguran una muy larga y lucida tradición.

En la *Representación del Nasçimiento de Nuestro Señor* de Gómez Manrique, y en las *Coplas De Vita Christi* de fray Iñigo de Mendoza (de fines del xv las dos), hay también pastores que, más o menos, hablan rústicamente. En esta última obra hay algún momento que "suena" ya a Lucas Fernández:

—Cata, cata, Juan Pastor,
y juro a mí, peccador,
vn ombre viene bolando
(*Copla* 123, versos 8, 9, 10)

Llega'cá, mira, verás
......
He estado casi embabido
mirando que van volando
zagales, y van cantando...
(f. 421-426)

También aparece el habla rústica escrita en una *Égloga en la cual se introducen tres pastores* de Francisco de Madrid, publicada por Gillet. [1]

Pero es en nuestros salmantinos Encina y Lucas Fernández donde tal tradición va a verse plenamente lograda. Lo que eran rasgos sueltos de rusticismo castellano van a transformarse en un lenguaje tipo, que marca una cima. Lucas Fernández trasplanta aquella indecisa habla rústica a un clima dialectal vivo, el leonés. Es el momento de pleno vigor y logro del tantas veces llamado lenguaje y estilo *sayagués.*

En cuanto a la denominación de *farsa, égloga, auto* y *cuasi comedia* no se deja ver diversidad alguna entre sus términos. Para H. López Morales [2] son sinónimos.

1 *HR*, XI (1943), pp. 275-303.
2 H. López Morales, *Tradición y Creación...*, p. 221.

La *Comedia* de los folios *A*, el *Diálogo para cantar* de los folios *A*, las dos *Farsas o quasi-comedias* de los folios *B* y *C*, son obras profanas. La *Égloga o farsa* de los folios *D*, y el *Auto o farsa* de los folios *f* son profanas con final medio religioso. Y, por fin, el *Auto* de la Pasión entra por completo en el terreno religioso. El *Diálogo para cantar* no tiene calidad dramática. Nicasio Salvador (*Consideraciones*, p. 15) lo ve como "un simple ejemplo de las concomitancias existentes entre la dramática y las formas dialogadas de los cancioneros cuatrocentistas".

¿Cómo es la lengua que emplea Lucas Fernández? Hay quien afirma que la base de la lengua rústica de los autores "sayagueses" es el castellano.[3] Hay que conceder que Lucas Fernández estuvo, "como Encina, desde muy joven inmerso en una atmósfera cultural y eclesiástica". Sí, es verdad, pero hubo de hacer sus escapatorias al campo, o, por lo menos, Lucas Fernández tuvo que haber convivido en la misma Salamanca con gentes de ambiente rústico; no todo iban a ser estudiantes y eclesiásticos.

Podemos suponer para la obra de L. F. una base de castellano, arcaico ya, como queda patente al ver las coincidencias con los *Glosarios Medievales*[4] y las citas de Juan de Valdés,[5]

[3] "No parece necesario insistir en que la base de la lengua rústica de nuestros autores es el castellano. Obvio parece también que las formas claramente leonesas son minoritarias." Humberto López Morales, *Tradición y creación...*, p. 184.

[4] *Glosarios Latino-Españoles* de la Edad Media. Palabras que coinciden con el léxico de L. F.: *abondosamente*; *abunde*; *adesora*; *adevino*; *aína*; *alcauala*; *ansarón*; *atabaque*; *albogues*; *almadraque*; *argulloso*; *artesa*; *astroso*; *Berenguella*; *cagajón*; *caramillo*; *carmenar*; *cercillo*; *collaço*; *de buena ment*; *de consuna*; *conviene a saber*; *çurujano*; *cuchar*; *desmoler*; *encienso*; *encruzijada*; *enfengir*; *dornajo*; *enbaydor*; *escalentar*; *escanno*; *estrena*; *físico*; *echacuervo*; *estentino*; *gamellón*; *gargajo*; *gorguera*; *homjlmente*; *hoxte*; *laganna*; *mamjlla*; *mocho*; *moneziello*; *morteruelo*; *parar mientes*; *rrabé, rabe*; *rabel*; *recuero*; *resollar*; *reuerencia*; *ruyn*; *ruindad*; *suelgo* o *ressollo*; *sperezar*; *tanner*; *texillo*; *valdrés*; *varaja*.

[5] He aquí unas cuantas palabras que Valdés desaprueba como antiguas o mal sonantes. Todas ellas aparecen en la obra de Lucas Fernández: mejor *abundar* que *abondar*; no *abonda* sino *basta*; no *ayuso* sino *abaxo*; no *barajar* sino *contender*; antes *cocho*, agora *cozido*; *ducho* por *vezado* o *acostumbrado* parece mal; *embaçado* peor que *embaraçado*; *ensalmar* y no *enxalmar*; *erguir* por *levantar*, sólo de la gente baxa; mejor *faltar* que *fallecer*; mejor *confiança* que *fiuzia* ni *huzia*; mejor *mancebo* que *garçón*; *gaván* avemos dexado; *a guisa* en vez de *a manera*.

que luego parece confirmar Covarrubias en su *Tesoro.*[6] Esta base de castellano arcaico está fundida con el habla leonesa que entonces alcanzaba a Salamanca, y que hoy queda rezagada en zonas de Asturias especialmente. V. *Semejanzas* con el bable de Cabranes actual (p. 32).

Aún hay que añadir una matización de términos cultos y eclesiásticos, como, por ejemplo, toda la sabiduría sobre la Encarnación y la Redención, y los trozos latinos y las citas mitológicas. Además de esto, hay que contar los contactos de lusismo (p. 44) y los numerosos casos de versos de Cancionero que emplea Lucas F.

Frida Weber ha expuesto cuál ha sido la valoración que los críticos han hecho del "sayagués"[7] y ve muy claro cómo

6 Covarrubias (*Tesoro...*): *abondo* (vocablo bárbaro y rústico); *aburar* (término bárbaro y poco usado entre gente cortesana); *aburrir* (grosero); *alçar* (tosco); *alimaña* (de villanos); *alimpiar* (no muy usado); *allende* (antiguo); *amodorrido* (antiguo y rústico); *asmo* (antiguo); *barajas* (castellano antiguo); *barreña* (de pastores o gente del campo); *caloña* (antiguo) *carillo* (aldeano y antiguo); *collazos* (de Castilla la Vieja y Andalucía); *conocencia* (poco usado); (de) *consuno* (antigua); *convusco* (antigua); *cordojo* (antiguo); *dizque* (dizcas) (palabra aldeana, que no se deve usar en Corte); *ende* (antiguo y grosero); *endonar* (término antiguo); *estropeçar* (vocablo bárbaro); *fiucia* (huzia) (antiguo); *gasajo* (castellano antiguo); *greña* (español antiguo); *güerco* (huerco castellano antiguo); *ha* (si) (entre labradores); *hemencia* (del aldea); *lazrado* (lazerado) (lenguaje antiguo de Castilla); *maguer* (palabra antigua); *marrar* (bárbaro y no usado entre gente cortesana); *medrar* (vocablo antiguo); *membrarse* (ñembrarse) (vocablo antiguo); *mientes* (vocablo castellano antiguo); *omecillo* (castellano antiguo); *oxte* (palabra bárbara); *quillotro* (palabra rústica); *resquebrajo* (esquebrajar) (vocablo bárbaro y aldeano); *somo* palabra antigua); *tempero* (vocablo antiguo).

7 Morel Fatio cree que Lucas Fernández hace hablar a sus pastores en el dialecto de Salamanca. Cañete cree en el dialectalismo concreto de los pastores, hasta con variantes locales para los personajes. Asenjo Barbieri entiende este lenguaje como "dialecto de Sayago". Menéndez y Pelayo cree que decir "dialecto de Sayago" es concretar demasiado y nota esta denominación de algo circunscrita. Menéndez Pidal descarta a Sayago y establece la relación geográfica con Salamanca. Dámaso Alonso amplía más y prefiere la denominación de leonés para el habla de estos pastores, "pues sus fenómenos claramente la sitúan dentro del gran dominio leonés".

Tanto Encina como Lucas Fernández no citan el *sayagués* para el habla de sus pastores, sino que emplean la denominación de "lenguaje pastoril". Es Correas el que nos explica que *sayagués* es "apodo de grosero y tosco, porque los de Sayago lo son mucho" (p. 643). También en el Quijote (parte II, cap. XIX) se opone *sayagués* como "grosero" frente al *toledano* o "fino". (Noticias de Frida Weber, en *Filología,* I, pp. 43-50.)

un conjunto complejo de elementos diversos, convencionalmente organizados, va dando lugar al habla que nos ocupa.

Pero con todos esos elementos, necesitamos el talento y la frescura de dicción de L. F.[8] para que se produzca una obra de la envergadura y la vitalidad que se ve en la *Farsas.* El lenguaje de los pastores de Lucas es auténtico. Auténticos son sus juegos, sus juramentos, y sus exclamaciones. Lucas Fernández sabía muy bien cómo se festejaban los pastores con un cordero asado, y cómo eran las zamarras, y lo que era una res difícil de ordeñar. Así pues, no creo que la lengua de Lucas F. tenga la libertad y la fantasía supuestas por Teyssier para estos autores.[9]

Hay trozos bellísimos, de gran encanto poético. Véase, por ejemplo, el comienzo del *Auto del Nascimiento* con el monólogo de Pascual:

> *Hora muy huerte llentío*
> *haze aquesta madrugada...*
> (folio f.1)

Véase también el diálogo de Pascual y Lloreynte, cuando quieren explicarse los signos que hacen turbarse a su ganado:

> Las aues muestran plazer
> con su muy dulce cantar.
> Y animales con bramar;
> los campos con sus olores
> como que touiessen flores;
> los ayres en sossegar,
> mas no que dexe de elar.
> (f. 147-153)

También es interesante el testimonio de Fidelino de Figueiredo que ve el habla de estos pastores como auténtica en su base o punto de partida, y artificial en su superior uso literario. (*Letras,* n.º 2. Boletim da Faculdade de Filosofía, Ciências e Letras. Universidade de São Paulo, Brasil, 1942 en la edición de la comedia *Trofea.*)

8 "Pero un autor, en un momento dado, en contacto con lo auténtico rústico, vuelve a vitalizar la jerga" (Frida Weber, *Filología,* I, p. 50.)

9 "Avant comme après Encina et L. F. la fantaisie des écrivains s'exerce sur le sayagais avec la plus grande liberté, comme en un domaine où tout, ou à peu près, était permis. Inventions verbales, dérivations plaisantes, recherches expressives, tous les moyens sont utilisés pour développer et enrichir cette "langue"; la seule règle est de lui conserver une truculence plébéienne et rustique" (Teyssier, p. 34).

Demos a la palabra *gasajoso* el sonido sonoro palatal de la *j* unido al valor de *gasajusu* en el Alto Aller de hoy, 'halagador, zalamero', y añadámosle todavía el matiz que le da Covarrubias a *gasajo* (vocablo castellano antiguo que vale apazible y agradable acogimiento que uno haze a otro quando le recibe y hospeda en su casa; y assí dezimos agasajar regalar al huésped) y tendremos vivos los dos versos delicados y llenos de gracia que son

Los ángeles gasajosos
andan esta madrugada,

(D.581-582)

Buenos y seguros estudios ya realizados sobre el sayagués me eximen de insistir sobre los numerosos aspectos interesantes de este habla. Véase, entre otros:

Alonso, Dámaso. Prólogo a la edición de la *Tragicomedia de Don Duardos,* de Gil Vicente. CSIC, Madrid, 1942.

Bobes, Carmen, "El sayagués". En "Archivos leoneses", 44. CSIC, León, 1968.

Gillet, Joseph E. Edic. de la *Propalladia* de Torres Naharro. I, 1951.

———. "Notes on the language of the rustics of the sixteenth Century". Hom. a Menéndez Pidal, I, pp. 443-445.

Lázaro Carreter, Fernando. *Teatro Medieval* (prólogo a...). Odres Nuevos, 1958.

Menéndez Pidal, R. *El dialecto leonés.* IDEA, Oviedo, 1962.

Teyssier, Paul. *La langue de Gil Vicente.* Lib. Klincksieck, París, 1959.

Weber, Frida. "*El dialecto sayagués y los críticos*", *Filología,* I, pp. 43-50.

———. "*Gil Vicente y Diego Sánchez de Badajoz*", *Filología,* IX, pp. 119-162.

———.*Latinismos arrusticados en el sayagués.* NRFH, I pp. 166-170.

Para todo lo que se refiere a gramática histórica y evolución de formas en la obra que nos ocupa, véase *El lenguaje de Lucas Fernández* de John Lihani, tan citado ya.

No quiero más que llamar la atención sobre el detalle de algunos puntos importantes, que me parecen dignos de ser destacados:

1) Semejanzas con el dialecto actual.
2) Semejanzas con textos de Juan del Encina.
3) Lusismos.
4) La Aspiración.
5) La Preposición *a*.
6) Contracciones.
7) La *X* sonido palatal.
8) El prefijo *per-*.
9) Verbos en cadena.
10) Equivalencias rústicas.
11) Una dificultad.

1) *Semejanzas con el habla actual del dialecto*

Además de otras coincidencias con el léxico leonés, anotadas en el Glosario, he querido hacer resaltar la gran cantidad de voces que, empleadas por L. F., permanecen hoy día vivas en algún lugar de Asturias. [1] Es como si en tiempos de L. F. todas estas formas, que han quedado casi petrificadas en zonas retiradas del dialecto, hubiesen sido comunes en el ámbito leonés y salmantino. [2]

¡a! (también *ha,* como en C.281), interjección para llamar a una persona
abondar
abondo (adv.)
aburar (amburar)
agora
aguaziles
agujetas (guyetes)
ahuera
aýna
alimpiar
amodorrido (amodorríu)

1 V. Canellada, *El bable de Cabranes,* C.S.I.C., Madrid, 1944.
2 Entre paréntesis la forma asturiana si difiere algo de la empleada en las *Farsas*.

arrellanarse
asconder
asperar
boballa (bobayu, babayu, mamayu...)
cerristopa (cerru)
collacios
corona[3]
cuchar (y cuyar)
demoño
denantes
dende
desemular
desmoler (esmolese)
donas
dormió, dormiendo
duerna
ende
enterriado (entirriau)
escalentar
escomençar
escuro, escurecer
estentinos (estantinos)
fiel 'hiel'
hue (jué)
huego (juéu 'fuego')
huerte (juerte)
lagaña (y llagaña)
lladero
llebrata (y llebratu)
llentío (llentu)
lleuar, 'recibir golpes'
lluenga
maluarisco
mazcujar (mazcuyar)
medrentar
menaçar
mortajado (mortayau)
moxquilón (mosquilón)
na' en la; *neste*, etc.
ñorabuena
¡pardiós!

3 *ser de corona*, 'tener órdenes eclesiásticas, tener tonsura'.

pássara (páxara), 'pájaro'
percançar
quijo (quixo)
rellampiar
rellanarse (rellanase)
(a)reñego
riésguense
rincrera (rinclera)
sabido (sabíu)
so
sobajar (sobayar)
sobollona (sobayona)
solletrar
que *suerba*
tien, val, vien, etc.
terreste
tresquilar
vos (como dativo)
zimbrar

Además de estas semejanzas de léxico, hay coincidencias en otros aspectos de la lengua. Sirvan de ejemplo:
Alguna aspiración fuerte de la *h* (*hue*).
Palatalización de la *l,* inicial y a veces medial (*llebrata*).
Palatalización de la *n* (*ñubloso*).
Contracción de preposición + artículo (*nel*).
Empleo del prefijo *per* (*percanzar*).
Presentes de indicativo apocopados (*haz*).
Falta de preposición *a* con verbos de movimiento (*vo facer - voyme azer*).
Sonido prepalatal para la *x* (*dixo*).
Expresiones partitivas.

2) *Semejanzas con Encina*

Además de las semejanzas de léxico, bastante abundantes, como de autores contemporáneos y paralelos en su quehacer (véase, por ejemplo: *apitos, aturriar, barveza, cordojos, cholla, debrocar, divinal, enfengir, garatusas, gerenacio, hucia, lladobraz, manija, milanera, pancho, perpujante, rapiego, san Hedro, san Pego, trasijado,* etc., etc.) existe un gran parecido entre las construcciones de ambos. Aunque algunos casos sean poco claros o dudosos, en su conjunto reafirman la semejanza, que hay que interpretar como dependencia de Lucas Fernández respecto de Juan del Encina.[1] Quizá haya muchos más ejemplos, pero he tratado de sacar los más interesantes:

Encina	*Lucas F.*
Página 3	
tu señoranza	Oh Señor, tu señorança (f.411)
Mia fé, tráyole un presente poquillo y de buena miente	Que me praz de la traer de buena miente por tí (A.177-78)
Página 5	
Pues ¿qué hu?	Pues ¿qué hu? (B.446)
¿has de haber tú ell alcabala?	Si tú pides la alcauala (D.74)
Página 6	
Todas no valen dos pajas	No daré por ti tres pajas (f.291)
Página 10	
¿Acá moras? —Mia fé, ha.	¿Allá viue? —Allá mora. (A.462)
Página 15	
¡Dios mantenga! ïDios mantenga!	¡Dios mantenga la zagala! (A.49)
Páginas 15-16	
¿Y qué nuevas hay allá? ...... ¡Que Dios es nacido ya!	¡Nueuas buenas! / ¿Qué tales? ...... qu'es Cristo nascido ya! (D.361-365)
Página 16	
Aun agora en este punto	Pues aora nos encontramos ¡por mi salud! neste punto (A.254-55)
Dios y Hombre todo junto	Dios y Hombre se ha de hazer todo yunto? (D.326-27)
Página 23	
Hartar, hartar ya, gañanes, qu'es venido pan del cielo.	Hartarse ha qualquier gañán ya del angelical pan (f.359-60)
Página 24	
Vamos a tomar barveza y a gasajar con su madre	los pastores vendrán a tomar barbeza (C.875-76)
Páginas 25-28	
¡Huy ha, huy ho!	¡huy ha, huy ho! (f.338)

1 A veces se llega a pensar que Lucas Fernández tenía, al escribir algunas cosas, una obra de Encina bajo los ojos.

Encina	*Lucas F.*
Página 28	
Una hija de sant Ana,	¿Ves que dixo que parió
qu'Ella, Ella lo parió.	hoy la hija de sanct Ana?
	(f.298-99)
Página 29	
Deogracias, padre honrado	Deogracias padre, ¿qué as? (a.63)
Página 37	
¡Oh Judas, Judas maldito,	O falso Judas traidor,
malvado, falso, traidor,	......
que vendiste a tu Señor	O suzio huerco maldito,
siendo su precio infinito!	¿cómo podiste vender
	la sangre del infinito...
	(a.171-178)
Nos dejó para memoria	esclarecida vitoria,
por armas de su vitoria	de la qual esta vandera
las plagas de su pasión;	con cinco plagas bordada
Por pendón	queda en señal verdadera.
Su santa Cruz	Aquest'es el estandarte
	con que somos vencedores
	(a.600-607)
Página 38	
Oh sagrario divinal,	Y sagrario consagrado
	del tesoro diuinal (D.524-25)
Página 41	
Pueblo judaico malvado,	Aqueste pueblo maldito (a.567)
......	Pues que ya al tu Rey mataste
¡Matar a su propio Rey,	(a.591)
Página 59	
Oh, triste de mí, cuitado,	Ay, de mí, triste, cuytado,
lacerado,	llazerado (C.1-2)
Ya no hay hucia, malpecado	Ya ño ay huzia, ¡mal pecado!
	(C.13)
Página 60	
De muerte voy debrocado	Ya debrocaua de muerte. (C.334)
Tu gesta bien da señal	Tu gesto bien da señal
de muy malo.	candïal. (C.687-88)
Página 61	
grima y cordojo	grimas y cordojos (C.157)
Página 62	
Yo me obrigo	Que me obligo
ser verdad...	conoscer... ((a.249-250)
Página 64	
Júrote a san Hedro santo	Juro a san Hedro, quiçá (D.83)

Encina	*Lucas F.*
Página 66	
Todo, todo me desmuelo	me desmuele estos pulmones (C.20)
Trasijado de cordojos	trasijado de correncia (C.347)
Página 70	
Así te veas llogrado.	Dios te dexe bien llograr (A.169)
Página 81	
No puede mucho tardar que no venga.	que Dios no puede tardar que no venga... (D.318-19)
Página 82	
Tomaremos un rato de gasajado.	Tomemos gran gasajado. (C.733)
Página 85	
Comamos a muerde y sorbe	¿Mamarás tú a muerde y sorbe (D.121)
Página 89	
Pascuala, Dios te mantenga	Dios mantenga la zagala (A.49)
Página 91	
Ni por mí se te da cosa	Ño se te da por mí ñada (A.99)
Dame, dame una manija, o siquiera esa sortija, que traya por tus amores.	...o manija? Que ño, ño, sino sortija ...... (A.166-67) Pues tráela por mis amores (A.175)
No te quellotres de vero	y aquellótrate de vero (A.477)
Página 92	
Esos que sois de ciudad Perchufais huerte de nos.	No es eso ¡miafé! señor, son de que soys de ciodade y andays siempre con ruindade (C.121-123)
Página 93	
Hideputa, avillanado, Grosero, lanudo, brusco	Don villano auillanado, (B.424) patudo, xetudo y brusco, (B.452) Lanudo, xeta grossero. (C.104)
Ha, no praga a Dios con vusco	A, ¡ño praga [a] Dios con busco! (B.455)
Porque venís muy pendado	Desque traés la melena hazcas que en guis muy pendada (B.434-35)
Página 94	
Calla si quieres, matiego.	Anda, ve, que eres matiego. (C.292)

Encina	*Lucas F.*
Página 95	
Júrote a san Junco santo	No. Juro a san Junco sancto. (f.266)
Página 96	
Con saltar, correr, luchar,	a correr, saltar, luchar (f.175-76)
Página 97	
Nueces, bellotas, castañas, Manzanas, priscos y peras	Daros he priscos, vellotas, madroños, ñuezes, mançanas (B.393-94)
y aun darele pajarillas.	vna pássara pintada (os daré) (B.398)
Página 99	
Descordoja tu cordojo	descordoja tus dolores (B.524)
Página 105	
Mucho habras, Gil hermano, En derecho de tu dedo	Quit'allá, ño abres de dedo (C.519)
Página 104	
Si nunca medre tu greña	Ñunca medres en la greña (D.61)
Página 108	
Juro a san Pego	A, ño, pese ora [a] Sampego (C.293)
Página 113	
Ya se te rehila el ojo.	ya el ojo se me reguilla (B.137)
Página 115	
Descruciemos del trabajo	De aquí descruzio el trabajo (D.4)
Andemos tras los placeres, Los pesares aburramos	¿Quién me vio buscar placeres? ¿Quién me vio aborrir pesares? (C.91-92)
Página 120	
Y aun si quiero, a mi esposilla Que te la ponga chapada. Y, aun a mi esposilla darte le otros paños (Canc.)	Más te la porné que pratas bruñida con repiquetes (A.544-45) [a la esposa]
Páginas 153-54 y 386	
Yo leche le endonaré, Soncas, de mi cabra mocha; Haréle una miga cocha...	comer buena miga cocha, remamar la cabra mocha, (f.29-30)

Encina	*Lucas F.*
Yo leche le endonaré	yo leche le quiero dar (f.512) yo le entiendo de endonar (f.508)
Yo le llevaré un cabrito	pues yo vn muy gordo cabrito (f.510)
Yo natas e mantequilla	y natas y vn cuchar (f.513)
Página 155 E yo de las mis cuchares Dos, tres pares E yo, mia fe, un xerguerito.	Yo vn cordero y vn chorlito (f.511)
Página 163 No tengo par ni segundo	que ño ay mi par ni segundo (D.90)
Página 164 Amor que muerdes, o qué? O soncas eres mortaja ?	¿Nifica amor morteruelo? ¿Morcilla? ¿O quiçás mortaja? ¿o quiçás deue ser muelo? (C.351-54)
Página 164 No te quieras igualar	ño te yguales (C.311) Ño te deues de ygualar (D.478)
Página 175 Doy a rabia tan gran mal.	A rauia doy tal dollencia (C.31)
Página 176 E amores acá sentís?	¿Y hasta acá el amor estiende su poder entre pastores? (B.208-9)
Página 177 Salvo honor De vuestra huerte nobleza	Más cuydo que anda, señor, —salvo honor— (C.345-46)
Página 179 Dígote que le he mancilla	Cierto, téngote mancilla (C.70)
Página 180 Pues calla, que sí verás. —¿Llevarme has allá contigo?	¿Lleuarm'as tú allá a la ver? (C.727)
Página 181 ¿Quién es aquese señor qu'ende está? —Es un galán gentilhombre	¿Quién es éste, por tu vida? (C.297) —Es vn valiente hidalgo (C.301)
Decí, señor nobre e bueno	Ora digo, señor bueno, (B.511)

Encina	*Lucas F.*
Página 182 Quedo de sospiros ancho. Tanto ensancho Que cuido de reventar. —Deja, déjalos botar, no se te cuajen nel pancho.	Ño las podré rebossar, ni habrar, que s'opilaron nel pancho. Si no por el sospirar, sin dudar ya rebentaría d'ancho. (C.225-230)
Página 191 Oh montes, oh valles, oh sierras, oh llanos, Oh bosques, oh prados, oh fuentes, oh ríos,	O montes, valles y cerros, o prados, ríos y fuentes. (C.51-52)
Página 194 ¡Oh bobo! ¿Y no sabes con la saliva Fregallos, e irás la vista cobrando?	Los ojos auiua, auiua y lábalos con saliua y luego me podrás mirar. (f.87-89)
Página 218 ...a tus enemigos ...dar mill favores, y duros tormentos aquellos amigos que más te procuran de ser servidores	Soncas qu'el amor destierra y da guerra al que l'es aficionado. (C.699)
Página 230 On agora sto embazado	¿No tengo ya embaçado? (A.546)
Página 234 Aína me querré reir	Aýna me querré reyr (C.677)
Página 237 Hora, sus, dacá aliñemos	Ora pues, sus, no tardemos (f.581)
Aballa si quieres d'í	¡Sus, sus, sus, vamos de aquí. Aballá, arrancá de aý. (A.587-88)
Juro a sant Pego	¡Juro a san Pego! (B.540)
Página 243 Yérguete hora ende, Joan.	Yergue d'ende, moxquilón. (f.59)
Página 245 ¿De qué lugar sois vosotros? ...... Que d'allá, d'hacia Lledesma	Dime d[e]ónde eres, zagal? D'[e]aquí soy, de Mogarraz (C.231-232)

Encina	*Lucas F.*
Página 250	
¿Cuidas que ño lo sé yo?	¿Tú cuydas que ño lo sabo? (C.721)
Quizás si ahorro el gabán	el gauán quiero ahorrar (B.81)
Página 251	
Porque sea de corona	aunque ño so de corona. (C.811)
Página 270	
Mi sentido ¿dónde está?	¿Dónde estauan mis sentidos? (a.42)
Página 280	
¡Qué placer! No tenemos más que hacer.	Ño tenía más que hazer (C.115) son poner... ¡Hydeputa, qué prazer! (C.118)
Página 304	
Llóbado malo me acuda Si la verdad yo n'os digo.	No me querás vergoñar. —Llóbado renal me mate. (A.570-71)
Página 308	
Mas la mano me has de dar. —Toma tú la mano ya.	¿Quiéresme la mano dar? —No (f.185)
Página 311	
Si las orejas te aguzas Antes dirás que son grillos.	¿Y qué oyste cantar? Cuydo que no fuessen grillos. (f.271-72)
Página 354	
Antes que vamos de aquí	Antes que vamos de aquí (B.419)
Diome aqueste orillo (*Canc.*, c. va)	¡Ay! Dí: ¿qué me quieres dar? Este orillo de color (A.189-190)
Ventura me fue enemiga. (*Canc.*, xxxix, vb)	Fortuna me es enemiga (B.12)
que un dios en trinidad, trinidad en unidad (*Canc.*, xxvi, va)	Aqueste Dios perñotó Abrahán en trinidá, trinidad en unidá (f.361-363)
muero en veros (*Canc.*, lxxxvi, ra)	Muero en vella (B.485)
Para aver de reparar las sillas que se perdieron (*Canc.*, ix, ra)	reparar la sillas ya que se perdieron (f.605-606)

Véase también un cierto paralelismo entre los males de amor de Encina y Fernández:

L. Fernández	*Encina (Cancionero)*
Ay de mí triste, cuytado, llazerado y aborrigo. (C.1-2)	Lazerado yo, aborrido (xcvijva)
La greña se m'espelunca	Siempre estoy despeluncado (cijra)
Con gran duelo tómame pasmo y terito (C.21-22) me toma frío y callambre (B.287-88)	muy gran pasmo y calofrío (cijra) tómame tan gran calambre ques dolido de me ver. (cijra)
y ansí viuo stremuloso (A. Dial. 106)	gran temblor y gran tremer (cijra)
contino me vo arrojando y rellanando (C.29)	cada passo me rellano (cijra)
qu'el cuerpo se m'az pedaços	todo se me desternilla que no me queda pedaço (cijra)
la ygaja se me desmuele (B.284)	assadura y paxarilla todo se me desternilla (cijra)
El comer ño ay quien lo coma (A.33)	Cosa no puedo comer (cijra)
ni reposo puedo auer de gasajo y de prazer (A. Dial. 65-66)	sin poder tomar reposo (cijrb) del gasajo me desvío (cijrb)
la mamoria y el sentido he ya perdido (B.282-83)	Ando ya desmemoriado (cijrb)
que quiçás que podrá auer algo para te valer (A. Dial. 51-52)	qué devo triste hazer para me poder valer. (cijvb)
y cáenseme los braços y duélenme las costillas (A. Dial. 111-112)	cada pierna y cada braço siente muy gran dolorío (cijvb)
¿Cómo quieres ser curado sin dezirme la zagala? (A. Dial. 144-145)	Cómo quieres tú, Pasqual, que te diga yo tu mal sin que me cuentes la llaga (cijra)
Es Antona... que en Gontinos por mi mal vi en la velada (C.716)	Percançóme esta passión el día de la velada (cijrb)

El mismo paralelismo se ve en los regalos de boda o *donas*:

	(todos estos ejemplos son del *Cancionero*, folios c y cj)
Tú, ¿qué donas le darás? (A.522)	¿Qué le diste en donas? Y mil donas le daré (*Teatro*, 96)

Lucas Fernández	*Encina*
Darl'é alfardas orilladas (A.530)	Y alfardas con sus orillas (*Teatro,* p. 97) alfardas con listas
y capillejos trenados (A.531)	Gorgueras y capillejos (*T.*, p. 96) ... y aun buen capillejo de hilo trenado.
cercillos sobredorados (A.532)	cercillos, sartas de prata (*Teatro,* p. 96) cercillos y sartas
y gorgueras bien llabradas (A.533)	gorgueras y capillejos (*T.*, p. 96) y faxa y gorguera
y sortijas prateadas (A.534)	sortija de prata
camisas de cerristopa (A.535)	camisa labrada de estopa delgada
su mantón y aljuba y hopa (A.536)	manto de bermejo Manto, saya y sobresaya (*Teatro,* p. 96)
faxa y mangas colloradas (A.537)	y faxa y gorguera
Darl'é texillo y filetes (A.538) y bolsa de quatro pelo (A.539)	Cintas, bolsas y tejidos (*T.*, p. 96) y bolsa y texillo
saya azul, color de cielo (A.540)	Saya no le diste...? una que se viste añir torquesada
çuecos, çapatos, çapatas (A.543)	Buen zueco, buena zapata (*Teatro,* p. 96) buen çueco y çapata
dos vacas con añojales (A.495) y vn burro muy singular (A.497)	vn buey y dos vacas vn burro bien gruesso
y darl'é vna res porcuna y aun otra alguna ouejuna (A.503-4)	y una res porcuna y aun otra ouejuna
Darl'é vasar y espetera (A.506-514) y mortero y majadero,	arca y espetera y más dos morteros / con sus [majaderos
y su rallo y tajadero y assadores y caldera, y gamella y ralladera, cuencas, barreñas, cuchares, duernas, dornajos y llares, encella, tarro y quesera, y un recel todo llistado cama y escaño llabrado (A.518)	jarro y algún tajadero y trulla y caldera cesto y gamelleja barreñas y platos Dente algún dornajo y aun colodra y tarro frundas y receles y árganas y escaño.

3) *Lusismos*

Los rasgos occidentales de la lengua de Lucas Fernández también han sido interpretados como lusismos. Pero tales posibles lusismos coinciden casi siempre con fenómenos leoneses y con formas del castellano medieval, de tal manera que no se pueden poner fronteras entre estos fenómenos.

La aféresis: *ñorabuena* y *ñoramala, nel, na,* etc.
Grupo con *r* = grupo con *l*: *frol*, etc.
Falta de preposición con algunos verbos: *vamos vella,* etc.
Presentes apocopados: *tien, haz, praz,* etc.
Daldo, imperativo con metátesis.
Pronombres pospuestos: *esme* (C.737), *ales* (f.357), etc.
Hablar en (Intr. a C.).
Reis, plural.
No inflexión de la vocal temática por la yod: *dormiendo,* etcétera.
Espritos, 'espíritus' (en el verso F.120).
Algunos términos: *garatusa, cadaldía, arquibanco, letijo* (empleados todos en *Don Duardos*), etc.

El verso B.349 está medido en cuanto al pronombre *yo,* a la manera portuguesa, formando sinalefa. Aparece de esta forma en los autores del *Cancionero de Resende.* Dámaso Alonso lo estudia en su edición de *Don Duardos,* nota 1.823, y en RFE, XXIV, pp. 208-213.

con los gritos que yo daré.

Lo mismo en el verso D.64.

Hay dos coincidencias léxicas que, a mi ver, pueden también colocarse entre los lusismos. No que Lucas Fernández haya ido a buscarlas al portugués, ni que Gil Vicente y los demás autores portugueses lo hayan tomado de Lucas Fernández o de Encina. Son coincidencias, como lo es *daldo,* o *frol.*

Una de ellas: *soncas-samicas,* con el mismo significado y una muy cercana pronunciación.[1]

1 Ya Carolina Michaelis (*Notas Vicentinas,* IV, 370, n. 4) equipara "hesitando" *samicas* a *soncas.*

Corominas cita *so* por *sino* y también *son. Sso que* en el *Alexandre* (v. 100ld) (Comp. *se nonque* > *sounque* en gascón). Existe el *son* 'sino' en Lucas Fernández:

Habrando no, son cantando (A. 590)

De este *son, son que,* con la terminación *as* de otros adverbios, tenemos *soncas,* "ciertamente" muy empleado en toda la literatura de rústicos:

Soncas ahora paz tenemos (f.289) *Soncas, bien lo determino* (A.201).

Asmo, soncas, acá estoy (Encina, p. 3).

¿Soncas que ño era mal año
Que m'habien de sopear? (Encina, 240).

Añublada está la luna,
Lloverá soncas priado (Gil Vicente, *Obras,* ed. Hamburgo, 1834, tomo I, p. 7).

Si me han de dar martillazos / Y lanzarme en aquel huego, / Pues soncas bien pague al crego / Ogaño la confissión. (Diego Sánchez de Badajoz, *Recopil. en metro,* Ed. Lib. de antaño, tomo 2, p. 197.)

Soncas, he / aquellos que te conté / que me avían descarmenado, / quando el esquero compré / este día en el mercado. (F. Natas, *Tidea,* 1913, p. 53.)

Este *soncas* puede ser la misma palabra que *samica.*

Samica, samicas, ya se empleaba en La Beira como arcaico en tiempos de Gil Vicente.[1] Es uno de los rasgos tradicionales del estilo rústico portugués.

El otro caso de paralelismo léxico lo tenemos en *fedegosa*: *de sayal vn buen capote, / fedegosa y dos çurrones* (D.55-56).

Pues yo le quiero endonar / mi fedegosa (D.596-97).

Cañete (p. 274) da una evolución que no me parece acertada: "Viene de *vedijosa,* con alusión a los vellones enredados de esta rústica vestidura". En los *Glosarios* encuentro una *çamarra vedejuda.*

Por otra parte, Lamano (y el Dicc. RAE) registra *fedegar,* 'amasar', y supone que este verbo puede ser origen de

1 Oliveira, *Gramatica,* XXXVI.

fedegosa como 'delantal de vaqueta que se ponen para la panificación'. Pero ¿por qué un pastor corriente, de los que pasan su vida en el monte, había de tener su delantal de vaqueta para amasar? Yo creo más bien que la *fedegosa* de nuestro Bonifacio sea una zamarra de piel, más o menos curtida, que daría olor. Parece ser prenda de abrigo, ya que Gil quiere llevarle la suya al Niño junto al *gauán* de Bonifacio.[2]

Aquí el entronque con el portugués *fedegoso.*[3]

4) *La aspiración*

¿Cómo se presenta en la lengua de Lucas Fernández la complicada cuestión de las aspiraciones?

Es en las voces con *h* inicial procedente de *f-* latina donde se plantean las dudas. Esta aspiración ciertamente se había perdido ya, pero quedaba en algunas palabras, y

2 Creo que reafirma este valor de prenda que huele mal, el empleo de Encina en su *Cancionero* (fol. cva):

—Veamos, ¿llevaste 12 cí.
la tu fedegosa?
—¡Pesar de Santiaste!
¿Quién lleva tal cosa
a ver a su esposa?
Nuestramo,
ya soy desposado.

Ya Lihani (*El lenguaje,* p. 449) apunta que el origen puede ser port. *fadegoso,* "que hiede".

3 En el Dicc. Etimológico de Machado puede verse: *Fedegoso* "Faz presupor como étimo **foeticosus* de **foeticus,* ou **foetidicus* de *foetidus*" (*Revista Lusitana,* XXVII, p. 246). Añade un texto del siglo XV: "...que lancem bestas, nem caães, nem outras cousas çujas e *fedegosas* na cidade..." (*Ord. Afonsinas,* título 28, § 16, p. 185).

Moraes da: 'Que fede; que exala mau cheiro; fedorento'.

Caldas Aulete, *Dicionário contemporâneo da lingua portug.* 4.ª ed. Rio de Janeiro, Delta, 1958, registra *fedegosa,* planta quenopodiácea llamada también *erva-fedorenta,* y *fedegoso* 'fétido' como adj. Como sustantivo es el nombre de por lo menos diez variedades de plantas leguminosas-cesalpináceas del Brasil.

Todavía lo encuentro en un texto de novela moderna, en ambiente de Cabo Verde, como sustantivo, con valor de cierta planta, quizá con olor poco agradable: "Às vezes gente conseguía um bocadinho de cana para chupar, ou chá de *fèdagoza...*". Manuel Ferreira, *Terra Trazide.* Lisboa, 1972. También cita un "*fedegoso-bravo* com flôrezinhas amarelas" João Guimaraes Rosa, en *Grande Sertão: Veredas,* pp. 145, 7.ª ed. Rio de Janeiro, 1970.

lo más seguro es que formas con aspiración y sin ella convivieran con otras que guardaban la *f*.

Creo que debe descartarse la posibilidad de aspiración en estos casos:

a) Palabras que unas veces aparecen en sinalefa, y otras no:

> *y atreueysos a-hurtar* (C.444)
> *¿Tú ño vees que te‿hurtarán* (D.227)

b) Palabras que unas veces aparecen con *h* y otras sin ella:

> *Ora, juro hago a ños* (f.93)
> *Pues arevos pisar llano* (A.353)

c) La *h* latina (formas de *haber*, etc.).

Admito como posible la aspiración, cuando:

a) La palabra, aun con casos muy repetidos, no entra nunca en sinalefa: (*hijo* [1] y *herir*).

> *O la hija del jurado* (A. Dial. 147)
> *por su Hijo y Dios reclama* (a.481)
> *alcança, hiere y castiga* (A. Dial. 133)
> *¿Hízote éste la herida?* (C.300)

b) La palabra, con *f-* latina, empieza por *hu,* y todavía guarda la aspiración en el bable: *hu, hué, huerte, huego, ahuera.*

c) Una velarización en lengua moderna indica que la aspiración tuvo su continuidad (*hodido, hau*), [2] *ahuncos*

1 Me parece demasiada sutileza la del señor Lihani cuando quiere distinguir por la grafía *hi* o *hy* la forma normal de la forma despectiva de una palabra, a propósito de *hydeputa* y de *hydalgote* (*Lenguaje,* p. 142).

2 En la interjección *hau* tenemos, a mi parecer, un caso de aspiración cumplida con el mayor grado de intensidad posible:

> *Díme, ¡hau! ¿es de pardillo?* (A.198)
> *Olguémonos, ¿quieres? ¡hau!* (f.164)
> *Dexémosle, ¡hau!.*
> *—Dexemos.* (f.293)

Hoy aparece como *jau* en el Diccionario RAE. Se emplea para animar a algunos animales, especialmente a los toros.

Como *hau* lo tenemos en *Autos,* II, p. 224, verso 229.

La grafía *jau* en Torres Naharro (*Seraphina,* en *Propall.,* II, 11).

conservada como *ajuncos* en los vocabularios extremeños. Lo mismo *he,* interj. que expresa risa, que puede ser muy bien el actual *je.*

Ejemplos de palabras que vacilaban y que guardaban formas con *f* junto a otras con aspiración o sin ella:

Aquí se han de *fincar* de rodillas
(después del verso D.460)

en tierra *hincaron* la cruz (a.528) [3]

En cuanto a la aspiración de *San Hedro* (D.83) (también de Encina) no creo que tenga nada que ver con la confusión entre "*h, p* y *b* en el norte de España" como afirma Lihani (*El lenguaje,* p. 464, s. v. *Hedro*). La aspiración y la velarización (v. *Equivalencias* con *g*) son signos de habla rústica; el personaje se rustifica un poco más aspirando más. [4]

Otro caso de convivencia de formas dobles es el de *fe* y *he* (con *h* aspirada).

Hay un verso en que entran las dos formas:

A la he, mia fe, digo ha (D.514)

con silabeo: a-la-hé-mia-fé-di-goá.

Pero tenemos un único testimonio clave, de alto valor histórico, para asignarle la nota de velarización a esta voz.

Alejo Venegas, en su *Tratado de Ort.* (1531) (fol. b.5 r), hablando de la *h* dice: "Fórmase de la suerte que diximos la *a,* salvo que sale el huelgo más baxo, que es desde el pulmón que se dize el liviano, y sale más callente que el de la *a.* La ruptura deste huelgo se haze en la garganta encogendo los murezillos por que más se fortifique su flato, y no tanto como punto de aldea, que entonces más sería imitar el *hao* del que llama de lexos, que huelgo templado". El rústico que llama desde lejos, no es posible que gradúe y detenga su esfuerzo al hacer una simple aspiración. Si quiere ser oído, lo más probable sería que reforzase su aspiración lanzando un sonido X, como [*xáu*] o [*xáo*].

3 En estos casos de formas dobles, con *f* y con *h,* yo no veo más que la vacilación y la convivencia de ambas formas. El señor Lihani cree que la *f* no tenía valor en estos casos: "Esto nos hace ver que a pesar de que se escribía con *f* en las instrucciones... esta palabra se pronunciaba, como hoy día, sin sonido consonante inicial" (*El Lenguaje,* p. 138). La misma idea para la vacilación *fecha-hecho*: "*fecha* es la forma erudita o tradicional, y la *f* no entraba en la pronunciación pues la forma con *h* tampoco lo hacía" (*Id.,* p. 137).

4 Para la aspiración como índice de rusticidad, puede verse: Boves, M.ª del Carmen, *El Sayagués,* en Archivos Leoneses, n.º 44.

En todos los casos vistos, *a la hé* cuenta como tres sílabas, [5], y *a hé* con dos.

Dilo, dilo, dilo a hé (A.273)
A la hé, a hé, a hé (B.60)
A la hé, juro [*a*] *san Pego* (B.540)
A la hé, virgen lo parió (D.382)
A la hé, tiene huerte sciencia (f.160)
A la hé, sabe que soy tal (D.89)

Estos tres últimos casos presentan compensación y sinalefa con el verso anterior, como tantas veces ocurre. También puede el último medirse perdiendo la *e* final de *tiene,* como forma apocopada leonesa. *Alahé* debe llevar una *h* aspirada, y sus tres sílabas normales. No entiendo por qué se le plantea aquí tanta duda al señor Lihani. Si Lucas Fernández hubiera necesitado para su verso B.540 un *alahé* con dos sílabas, hubiera echado mano de la forma *a hé.* No estoy de acuerdo con ninguna de las dos soluciones que da. Ni *al-hé* con pérdida de la *a* intertónica, con *h* aspirada, ni *a-lé* con la segunda *a* muda y sin aspiración. [6]
Una *a* intertónica es una entidad muy respetable y no se pierde así como así. Tampoco se pierde en la palabra *mía* como quiere el señor Lihani. [7]
Este posesivo se puede ver como *mí-a,*

Dançay, que ¡mia fé! yo (A.595)

como *miá*:

A la hé, mia fé, digo ha (D.514)

y como *mi*:

Pues yo ¡mi fé! mucho os quiero (B.150)

Las tres formas tienen su existencia real, y una de ellas no invalida a las demás.

5 Del mismo modo se emplea en Encina: *A la hé, ansí hice yo* (237), en las *Coplas de Mingo Revulgo: A la hé, Gil Arribato* (Copla III) en *Lib.* BA. 1492*b* y en muchos textos más.
6 *El lenguaje,* p. 141.
7 *Íd.,* p. 141.

Hay otras voces que posiblemente tenían también aspiración: *ha, huzia, heruer, heruor, hostiga,* etc., pero no tenemos elementos bastantes para poder afirmarlo.

En *Dios te praha* (C.282) en rima con *llaga,* la *h* está interpretada como una errata. Si no lo fuera podría verse como un indicio (al equipararse la *h* con una velar) de aspiración. Quizá también pudiera verse como una aspiración por equivalencia rústica (recuérdese el *san Hedro,* D.83).

5) *Preposición A*

En castellano antiguo, y como costumbre heredada de una construcción con infinitivo latino (confr. Hanssen, p. 254) no se empleaba preposición con los verbos de movimiento. Este arcaísmo pervive en zonas de habla leonesa, y se ve en Lucas Fernández. Por ejemplo: *voyme azer* (a.263).[1] Lihani apostilla: "Se embebe la *a* tras un verbo incoativo[2] y ante otro que comienza con *a*" (*Farsas,* p. 216).

A mi parecer no hay tal *a* embebida, pero si es dudoso este caso, tenemos otro mucho más seguro: *vamos vella* (f.504), sin preposición, ni siquiera embebida.

Bien es verdad que la no fijeza de muchas ocasiones (v. *Diversas grafías,* p. 22) también se muestra en este caso. Compárese

vo a dormir (C.220)
viene a dar (f.444)
vamos a ver (f.577)

Una muestra de casos dudosos, con posible *a*:

vamos [*a*] *adorar* (f.442)
socorren [*a*] *ayudarte* (a.471)

Tampoco es más segura la construcción del complemento directo con *a.*

1 *vo facer,* dicen en Asturias.
2 ¿Cuál incoativo?

Unos ejemplos con preposición:

mira a Prauos (C.774)
a ti mimismo alabando (D.68)
a los nauegantes guía (D.535)
llamar a mi compañero (f.51)
tentar al tu Dios (f.232-233)
vimos a María (f.589)

Sin preposición:

llamaremos los parientes (C.872)
adorar la madre (f.442-443)
los muertos resuscitaua (a.131)
mi Dios cercaron (a.519)
tus hijos criar (a.620)

Unos cuantos casos dudosos:

para [a] su Hijo empañar (D.570)
ya [a] nuestro bien no lo vemos (a.311)
contentar [a] aqueste pueblo (a.347-348)

6) *Contracciones*

En el leonés se dan muchas más contracciones que en el castellano. La falta del control literario se echa de ver y se transparenta en cualquier texto dialectal, lo mismo que en los de Lucas Fernández.

Hay contracciones que pertenecen al fondo del dialecto y son comunes todavía con el bable actual:

contrecho (D.24) (contrahecho)
ñoramala (B.413)
norabuena (aunque escrito *en ora buena*) (B.513)
nesse (D.278); *nessa* (A.343); *neste* (A.255)
si [n] [e]n el suelo (A. Dial. 115)
[e]nestabro (A.109)
ni [e]n mis pies (A. Dial. 113)
nel pancho (C.227);[1] *na cholla* (C.317)
ligreja (D. 27)

1 En este caso el bable actual ha evolucionado más: *en el* > *nel* > *nl* > *n* (en Cabranes). No creo que *nestabro* (A.109) sea una contracción de este tipo. No hay otro ejemplo en toda la obra de L. F. Creo que más bien debe de ser *burras en establo.*

La más frecuente es la contracción de dos vocales iguales, de las que una no aparece en la grafía. En el texto representada por ' mientras no haya confusión.

hasta [a] el triste del herrero (B.222)

Ni Cañete ni Hermenegildo la reponen.

...a lletrados / ni [a] aguaziles, ni a jurados (A.428)

(No la reponen ni Cañete ni Hermenegildo ni Lihani.)
Dos vocales desiguales. Aparece gráficamente la más fuerte:

¿Lleuarm[e] as tú allá a la ver? (C.727)
qu'el cuerpo se m[e] az pedaços (C.30)

Otras veces aparece la más débil, pero como tónica:

Yergue d[e]í (D.239)

(No la han repuesto ni Cañete, ni Hermenegildo, ni Lihani.)

No te has d[e] ir (D.221)

Contracción de tres vocales.
Aparecen gráficamente las tres:

¿que ño he acertado? (C.357)
ni de ti consuelo e auido (A.104)
tornarse ha en olgura (A.226)

Una de ellas no está en la grafía:

Jerusalén lo ha [a]cabado (a.544)

(Ni Cañete ni Hermenegildo la reponen.)

El que [a] Anteo destripó (D.92)

(Hermenegildo no la repone.)

Ay, que [he] a mi Señor negado (a.70)

Ñunca [he] osmado sin dudar (C.74)

(Ninguno de los tres editores la repone.)

¡Pues no aciertas!
—Ya é acertado (f.244)

En estos casos la contracción es violenta, pues la vocal cerrada queda intermedia. Con seguridad que la misma no se pronunciaba apenas.

En el verso B.349 aún sería más violenta la reducción:

con los gritos que yo daré

Se explica por lusismo, y por la poca calidad de consonante de la *y*. Véase nota correspondiente en el texto (nota al D.65).

También hay que notar las apócopes verbales *vinier, quisier* (C.724-5). Este futuro se apocopaba a veces en español medieval (M. Pidal, *Gram.*, § 107, 4) y es actualmente fenómeno dialectal occidental (Zamora Vicente, *Dial.*, p. 179).

7) *La X sonido palatal*

A comienzos del siglo XVI la *x* del castellano representa un sonido que sufre un proceso de velarización.[1] El leonés, habla más arcaica, guarda el sonido [š], prepalatal Aún se conserva hoy día, a mi parecer con el mismo valor que en tiempo de Lucas Fernández, en algunos puntos del leonés.

Un dato que permite asegurar esto está en la equivalencia s-x de nuestro texto. Veamos unos cuantos casos:

Entran en rima *cessan* (A.60), *aquexan* y *dexan* (A.63-64).

Conviven *oyste* (B.440) y *oyxte* (D.77).

Se lo (*Yo se lo rellataré*) (B.477) convive con *gelo*: *por gelo dar señalado* (a.165).

enxalmaysme (B.482), *enxalmar* (B.561) y *enxalmadera* (C.46) proceden de *salmos* (y no de *xalma*, como quiere Lihani).[2]

xufrería voz formada sobre *sufrir* (C.680).

moxquilón (D.299) aparece con *s* en asturiano.

Mexías (f.386), 'Mesías'. Puede verse con igual grafía en Encina (p. 21) y *Mejía* en *Autos*, II (p. 357, v. 19).

Y también *quijo* (D.458) *(quiso)*.

1 V. Torquemada, *Manual de Escribientes*, p. 19, nota 14.
2 *El lenguaje*, p. 441.

La correspondiente palatal sorda aparece en rima con la sonora en *dixe* (C.840), *rige* (C.843), lo que parece indicar su igualación.

8) *El prefijo PER-*

El uso de este prefijo ha sido estudiado por Teyssier (pp. 57-58), y por Frida Weber (NRFH, pp. 166-170).[1] Explica Frida Weber la abundancia de compuestos con PER en un momento determinado como rasgo de cultismo, bien que desarrollado al abrigo de un uso dialectal. Pero no me parece muy seguro el aserto de que "no hay ninguna coincidencia entre las palabras que llevaban *per* en Encina y Lucas Fernández y las que lo tienen en el uso dialectal moderno".

Yo creo que si Encina y Lucas Fernández no hubieran sido gentes cultas —eclesiásticamente cultas—, quiero decir: si no hubieran intentado el latinismo *per*, si solamente hubieran copiado los casos de compuestos con *per-* de unos rústicos auténticos de su tiempo, el resultado podría haber sido el mismo. Del mismo modo que las 70 palabras de Lucas Fernández (p. 32) coinciden exactamente con el uso vivo en Cabranes (y en otros puntos del antiguo dominio leonés), también se puede afirmar que los casos con *per-* de Lucas Fernández responden al uso de hoy. El prefijo *per* vive actualmente en el bable tanto en formas adjetivas, como en las verbales y adverbiales.

He aquí la lista del empleo de *PER* en Lucas Fernández: *percançar* (A. Dial. 153); *percontar* (A.549 y C.179); *percudir* (A.622); *percundir* (B.558, D.87, D.455, y f.475); *perchapado* (C.88 y C.885, D.49, f.575); *perhecho* (D.23); *perheta* (D.515); *perhición* (D.484); *perhundo* (C.73); *peridir* (D.155); *perllotrado* (C.72); *perñotar* (f.277, 435 y 458); *perpassanos* (C.162); *perpexible* (A.86, B.234); *perpotencia* (C.294); *perpujante* (f.25, y 583); *perquillotrar* (f.567).

9) *Verbos en cadena*

Hay que destacar una curiosa construcción de la frase en Lucas Fernández que establece diversos planos con verbos subordinados, como en cadena. Encuentro la misma

[1] Véase también Zamora Vicente, *Dialectología,* p. 161.

forma en las *Coplas de Vita Christi,* [1] en Encina, [2] y en Gil Vicente. [3] También recuerda los procedimientos líricos de los Cancioneros, sobre todo cuando el juego se hace con la misma palabra. [4]

1) (A.331 y ss.)
Asmo
pensays
cudás
yo soy tan ruyn
como pensays.

2) (A.411 y ss.)
de partirme he...
a l[a] auer
de conoscer
ver si es hombre...

3) (A. Dial. 85 y ss.)
he gran duelo de te ver
en verte sin esperança
d'esperar
de guarescer.

4) (A. Dial. 127 y ss.)
no siento
quien cuydara
qu'él había
de ser tan cruel.

5) (A. Dial. 130 y ss.)
nadie no diga
poder
huir de...

6) (B.420)
Asmo
pensays...
que assí me haueys
de vltrajar?

7) (C.610)
Quiero queriendo
querella, la muerte

8) Asmo
cuydo
qu'estás lloco.

9) (D.318 y ss.)
Que Dios no puede
tardar
que no venga...
a encarnar

10) (f.565 y ss.)
no hay hemencia
de poder
cholla alcançar
a poder
perquillotrar
cómo fué...

1 asmo que creo
vnos gritaban vitoria (copla 155, v. 2-3).

2 Aun asmo que juraría.
que nunca vi tal ganado. (Encina, p. 102.)
Queremos rogaros querais entonar (Encina, p. 226).
Y pues que tú la quesiste / por madre querer tener.
(Encina, *Canc.*, fol. XX, va.)

3 Pues acuérdesete, amor,
que recuerdes mi señora
que se acuerde
que no duerme mi dolor (G. Vicente, *D. Duardos,* v. 1.090-1.093).

4 Gemit, gemiendo gemir
gemit mis esquivos llantos (*Canc. de Herberay,* XCVIII, p. 118).

10) *Equivalencias rústicas*

Llamo así las deformaciones del habla de los pastores. Algunas no son más que puras equivalencias acústicas, apoyadas en una costumbre dialectal. Por neutralización L/R:

galido (f.106) garrido (también en D.19)
gargalismos (f.429) gargarismos

Por palatalización de la *s*: *xufrería* (C.680) sobre *sufrir*. En la forma nueva aparece una *g*:

aborrigo (C.2) aborrido
afrigulado (A. Dial. 47) y (D.579) atribulado
hulgajas (D.107) ultrajas
llogragos (C.163) logrados
llugas (D.58) luvas
san Pego (B.540)
Sampego (C.293) San Pedro
quexigo (B.190) (C.140) quejido

Otras equivalencias:

demodrada (D.585) demostrada
remota (C.673) denota
perpassanos perpasados

Otras veces sobre el fondo de equivalencia acústica, aparece la nueva voz cruzada con un significado gracioso, que se emplearía como recurso cómico: [1]

chançonoría (A.416) chancillería (sobre *chançón*)
atollar (C.812-813) otorgar
pespuntar (D.456) preguntar
recacar (f.102) recalcar
torrezmear (D.283) sobre *torrezno* y *mear*
famulario sobre *fámulo* y *faldulario* o *perdulario*, (D.276)
gallafear (D.284) sobre *gallofa* y *gallina* quizás
Aldrán (D.215) *Adán* y *aldrán* 'pastor'
gloriana (D.451)

1 Otro recurso cómico sería el latín distorsionado en labios rústicos. Véase *Verbum caro fatuleras* (A.378), y el "llatinar" de Bonifacio en D.471 y siguientes.

También la aspiración[2] puede verse como índice de rusticidad.

11. *Una dificultad*

En A.186 se encuentra uno de esos versos cargados de incógnitas. F. da

> Por auer ya de allegrar
> *tu sollo brigollento,*

La solución de Gallardo a la primera parte del verso, no parece correcta. Transcribe *tus ollos.* Pero hay que tener en cuenta que *oculum* daría *ojo* y no *ollo.*[1] Para el *brigollento* no da solución alguna. Cañete acepta el *tus ollos* y enmienda el *brigollento* en *breguero mío,* con una voz "muy del tiempo" dice él mismo (p. 17, n.).

Lihani (p. 180) anota: "...la solución que ofrece Cañete es tan cierta como cualquiera, porque todas son inciertas... Se puede pensar en *crudío* como palabra final del verso, según uno de los ejemplos en rima. Otra reconstrucción del verso que se puede seguir es: "tus ollos, carillo mío". Esta reconstrucción, a mi ver, es tan incierta también como las otras. De todas formas, en esto de la incertidumbre ha de haber sus grados. Es natural y lógico que la solución que menos se aparte del texto *brigollento* será más acertada, y tanto *crudío* como *carillo mío* difieren bastante.

Hermenegildo está, a mi parecer, más acertado en la interpretación de la primera parte del verso. Da "tu sollo", palabra emparentada con *sollar* < *sufflare.* En cuanto al *friolento,* que encuentra en Oseja de Sajambre, es término conocido también en asturiano. Para mí ofrece esta adaptación la dificultad de que *friolento* es 'el que siente mucho frío' y que nunca se emplearía como *frío* 'de temperatura baja'. Además de que así no se obtendría la rima que exige el *amorío.*

2 El sant *Hedro* de las *Coplas de Mingo Revulgo,* de Encina y del mismo Lucas Fernández, puede interpretarse de esta manera.

1 *Ojo* (A.82) (A.133); *tejo* (f.173); *ouejero* (C.101); *ovejuna* (A.504); *oueja* (B.479) (D.131) y (f.519).

El verso tal como nos lo da *F.* tiene falta de una sílaba, la cual podemos ganar al recuperar la terminación buena: *llenío.* Nada más sencillo que suponer aquí una de las numerosísimas erratas que aparecen en el texto, un cambio en la impresión de una *í* por una *t.* Esto es muy aceptable. Y si la buena reconstrucción de un texto ha de hacer los menos cambios posibles, vamos a dejar el verso A.186 en

tu sollo brigollenío

Pero ¿qué quiere decir esto? Para entender el *brigollenío* vamos a echar mano de una explicación basada en dos tendencias muy propias del dialecto, y del sayagués literario.

El sufijo *-ío, -ía* aparece copiosamente en nuestro texto: *amorío, bozería, chançonoría, loçanía, llentío, mancebía, medrosía, modorrío, poderío, señorío, serranía, temosía, terrería,* etc.
y con adjetivos: *crudío, mamantío, valdío.*

Esta gran vitalidad del sufijo *-ío* nos la confirma Lamano. En su Vocabulario pueden verse:
arío 'acción de arar', *bracejío* 'acción de bracejear', *braserío* 'montón de brasas', *cavío* 'acción de cavar', *cencío* 'frescor de la ribera', *cundío,* 'salsa para cocinar', *labrío* 'laborío', *machío* 'árbol que no da fruto', *manantío* 'manantial', *novalío* 'retoño del árbol podado', *perdío* 'terreno inculto', *rapío* 'esquiladura', *rebumbío* ('barullo'), *tardío* 'otoñada', *yerbío* 'abundancia de yerba', entre otros. Y con adjetivos:
cansío 'cansado', *sanío* 'robusto', *hambrío* 'hambriento', *vedrío* 'vidriado', *morrío* 'muerto'.

En esta lista no disonaría en ninguna manera nuestro *llenío* 'lleno'.

Pero ¿lleno de qué?

Para *sollo,* 'soplo, aliento', hay el testimonio de la Biblia Romanceada: "...do era la sierpe, que quemaua con el *sollo,* e el escorpion e la dipsa", *Deuteronomio,* capítulo VIII, [15].

Hay *resollo,* 'resuello', en las *Mocedades de Rodrigo* (Antología de la *Poesía Medieval* de Dámaso Alonso, p. 168). También en los *Glosarios Latino-Españoles*: *ressollo* (aneljtus) (p. 1) y *suelgo* o *ressollo* (alitus) (p. 2). Existe también *sollar* (aflo) en los *Glosarios Latino-Españoles* y en Encina "Mira cómo yo le toco / sin *sollar*" (p. 87).

En Correas (p. 238): "El herrero de Arganda, él se lo *suella* y él se lo macha". ("*Suella* es sopla con el fuelle", comenta.)

Y el mismo Correas en la p. 170 dice: "Echa carbón y fuella", y añade "fuella, suella, suena, todo es uno".

Queda, pues, admitido el *sollo* como 'soplo, hálito o aliento'. Ahora bien, si tenemos un aliento que hay que alegrar y que está lleno de algo negativo o triste, hay que recurrir a una palabra muy usada en el texto, *grima,* con el sentido de 'tristeza, algo que hace llorar', y no con el valor de 'horroroso', que le da el *Dicc.* RAE.

> en grima y reñer, beber (A.296)
> grimosa querella (B.99)
> grimas y cordojos (C.157)
> ataúd / es la grima que me duele (C.247)

Tendríamos así Tu sollo *grimallenío* o *grimollenío.*

La metátesis, rasgo muy frecuente en el sayagués literario, se manifiesta en multitud de textos. En Lucas Fernández tenemos: *Prauos, redemio, gerenacio.* Algún caso muy pintoresco vemos en Lope: *Masalanca* (en *Las Batuecas del Duque de Alba*) y *jamestá* por magestad en Tirso.

Echando mano de este recurso tenemos: *grimo* > *mrigo,* que pasa automáticamente a *brigo.*

Total: que se puede admitir *brigollenío* sin salirnos de las tendencias más genuinas del sayagués.

A) Métrica

I) *Comedia* (folios A)

Emplea octosílabos en parejas de redondillas, coplas castellanas, con tres rimas. La rima es: abbaacca.

En Aiijrb empieza un villancico hexasílabo que rima abb-acaccbb. En Aiiiijvb hay otro villancico final, en octosílabos, con la siguiente rima: abb-cdcddbb. En total 532 versos.

La *h* puede permitir la sinalefa con la vocal de la palabra anterior:

Dime, dime, di, ¿qué‿haremos? (v. 239)
Di, ¿qué‿haziades aquí? (v. 279)

Y también puede estar en hiato, sin que esto quiera decir que se aspiraba:

O, Bras Gil, ¿qué-hazes? Dí (v. 50)
No quieras nada-hazer (v. 157)

En los versos 351 y 352 hay un *he* expresión de risa, que se ve como añadido al verso, sin entrar en la cuenta de las sílabas.

II) *Diálogo para cantar* (folios A)

Versos octosílabos. Hay un estribillo inicial con rima abb, y siguen estrofas que son quintillas más un pareado que rima con el estribillo, cddccbb.

En total 157 versos.

Un ejemplo de *h* que permite la sinalefa: *que lluego me‿hiziera afuera* (v. 125).

Y otro de *h* que no la permite: *pues también fuiste -herido* (v. 138).

El verso 21 *y siendo viuo no estés mudo,* consta de 9 sílabas.[1]

[1] Este verso, y muchos más que se citarán, puede enlazar su vocal inicial por sinalefa con la vocal final del verso anterior. Sería el mismo fenómeno que ocurre en los versos cortos de pie quebrado. Aquí todo funciona exactamente igual que en los versos de pie quebrado, tanto en lo que se refiere a sinalefa como a compensación entre versos, pero no sé si es fenómeno aceptado por los especialistas.

Para la explicación de Sinalefa y Compensación en el quebrado, véase Tomás Navarro Tomás, *Métrica,* p. 137. Véase también Aurelio M. Espinosa, *RR,* 1925, XVI, pp. 103-121; *ibíd.,* 306-329; *ibíd.,* 1928, XIX, 289-301, y 1929, XX, 44-53. Véase también Canellada, *Filología,* I, 1949, pp. 181-186.

III) *Comedia* (folios B)

Son coplas de pie quebrado. De nueve versos con 4 rimas: abaabcddc. El verso 4.° y el 8.° son de 4 ó 5 sílabas. Hay 58 coplas.

En Biiijrb empieza un villancico en octosílabos con tres versos iniciales abb. Esta rima bb vuelve al final de cada quintilla: cdcddbb. Son 5 coplas.

En total, 633 versos.

De las 58 coplas de pie quebrado, tenemos 116 versos cortos. De ellos, 76 tienen la medida normal de 4 sílabas. Los 40 restantes se reparten así:

12 casos de compensación entre versos.
27 casos de sinalefa con el verso anterior.
1 verso de 5 sílabas sin explicar. Es el 107: *pues mi alegría.*

El verso anterior (*ansí haré yo a la mía*) no puede proporcionar el recurso de la compensación.

Un ejemplo de *h* que permite sinalefa; *por él me‿haze padecer* (v. 41), y otro ejemplo de *h* que no permite sinalefa: *al mi señor que le-halle* (v. 5).

Hay un verso largo, de 9 sílabas, el 227: *sojúzganos los pensamientos.* Hay que achacarlo a una errata. El pronombre *nos* cae inmediatamente debajo de otro *nos* del verso anterior, y del que pudo ser copiado.

El verso B.349 tiene el pronombre *yo* medido a la manera portuguesa (v. *Lusismos*, p. 44).

IV) *Farsa o quasi comedia* (folios C)

Son coplas de octosílabos con pie quebrado, con rimas abbaccdccd, de 10 versos.

Los versos cortos son los números 6 y 9 de cada estrofa. Hay que exceptuar la estrofa que comienza en el verso 381, que no tiene más que nueve versos. En el verso 900 empieza un villancico de hexasílabos, que comprende los 52 versos finales. La primera cuarteta —abba— repite su rima al final de todas las estrofas. Las tres primeras estrofas riman así: cdcd-abba, y las tres últimas así: cddc-abba.

Las 90 coplas de pie quebrado tienen 179 versos cortos de los que hay 137 normales, de 4 sílabas; 15 versos de

5 sílabas explicados por compensación; 23 versos de 5 sílabas explicados por sinalefa con el verso anterior, y 4 versos de 5 sílabas que no tienen explicación.[2] Son:

do hay bienquerencia (v. 259)
sin resistencia (v. 428)
que la lancilla (v. 455)
y me tomasses (v. 798)

En total son 951 versos.

Un ejemplo de *h* que permite hacer sinalefa: *que‿haze ser dos cosas una* (v. 367), y otro ejemplo de la *h* que no admite la sinalefa: *y atreueysos a-hurtar* (v. 444).

V) *Égloga o farsa del Nascimiento* (folios D)

Son 60 coplas de octosílabos con pie quebrado en el verso 7, como dobles quintillas, con rima abaabcdccd.

El villancico final, que empieza en Diiijva, consta de cuatro primeros versos con rima par en *alleluya,* que se repite al final de cada estrofa. La estrofa se compone de una quintilla abbaa, más un pareado con *alleluya.* En total son 646 versos.

De los 60 versos cortos, tenemos: 39 normales, de 4 sílabas, 6 versos de 5 sílabas con sinalefa, 11 versos con compensación, y 4 versos sin explicación, de 5 sílabas, que son:

mas sin dudar (v. 127)
mas de ordeñar (v. 137)
o Matihuelo? (v. 307)
padre señor? (v. 357)

Un ejemplo de verso de 5 sílabas con sinalefa:

Ño ay zagal tan quellotrido
en esta tierra (v. 17)

Un ejemplo de verso de 5 sílabas con compensación:

¿Tú ño vees que te hurtarán
la churumbella? (v. 227)

2 Para la interpretación rítmica de estos versos, v. Navarro Tomás, *Métrica,* pp. 115-116.

Una *h* que no permite sinalefa: *No querays ansí-hablar* (v. 281). Y una *h* que la permite: *y contigo mismo‿habrando* (v. 69). Los versos 89 y 382 presentan compensación para sus aparentes 9 sílabas.

VI) *Auto o farsa del Nascimiento* (folios f)

Consta de 60 estrofas de 9 versos octosílabos con rima abbaaccaa. En fiiijrb comienza un villancico en octosílabos. Tiene 3 versos iniciales, los dos últimos en rima que se repite al final de cada una de las 6 quintillas que forman las estrofas, quintillas con rima abbaa:

Son en total 630 versos.

Ejemplo de *h* que permite sinalefa: *hora se‿haze de almorzar* (v. 15).

Ejemplo de *h* que no permite sinalefa: *Ora, juro-hago a ños* (v. 93).

Hay que destacar unos cuantos versos con 9 sílabas. Son éstos: 12 (si no es que se lee *l'alborada*), 89, y 241, que se explican por sinalefa con el verso anterior acabado en vocal. El verso 160 presenta también sinalefa, si el presente leonés no estaba apocopado. Y el verso 180 en el que funciona perfectamente una compensación con la rima aguda del verso anterior o bien tiene una *a* repuesta que faltaba por leonesismo.

En el verso 244:

¡Pues no aciertas!
—¡Ya e acertado!

hay que unir en una sola sílaba Ya-é-a. La contracción es muy violenta, casi imposible, porque una vocal más cerrada entre dos abiertas rompe siempre la sílaba en dos. Pero el silabeo lo exige. La *e* no se oiría apenas.

VII) *Representación de la Passión* (folios a)

Tiene estrofas de 10 versos octosílabos, dispuestos en dobles quintillas con 4 rimas, y con el v. 9 quebrado.

Empieza con 28 estrofas seguidas.

En la mitad de la estrofa 29, verso 285, aparecen tres versos sueltos con rima abb, y al acabar dicha estrofa, otros tres, cuyo pareado final da la rima para los versos 7 y 10 de la estrofa siguiente.

Siguen 24 estrofas normales, con el verso 9 quebrado. Y luego 4 versos latinos del canto *O Crux, ave, spes vnica* (v. 537-40).

Siguen 22 estrofas normales con el verso 9 quebrado, una quintilla, tres versos sueltos cuyo pareado final aparece también como tal en las dos estrofas siguientes. El mismo mecanismo para los tres versos sueltos 783-785, que dan el pareado final para las 8 estrofas finales de 7 versos.

En total 841 versos.

La estrofa que comienza en el verso 357 tiene todos los versos octosílabos sin verso quebrado como las otras.

De los 74 versos quebrados, hay 16 que cuentan 5 sílabas. (Dos de ellos son latinos y no parecen adaptarse a las normas de los castellanos, 669 y 689.) Tres de ellos (números 305, 425 y 569) compensan su sílaba de más con el agudo final del verso precedente. Y 11 de ellos forman sinalefa con el verso anterior. Son éstos: 39, 59, 239, 325, 355, 395, 455, 599, 619, 659, 749.

Un ejemplo de *h* que no admite sinalefa: *¿Qué-haré ya, desdichado?* (v. 13). Y otro ejemplo de *h* que no impide la sinalefa: *por le‿hazer estropeçar* (v. 215).

B) No a las Coplas del Salvaje

En la edición de 1514 faltan los folios correspondientes a la *E*. Claro que, bien mirado, no es indiscutible que falten. Lo que falta es la continuidad de las letras. ¿Quién puede garantizar que después de la *D* debe aparecer la *E*? ¿Por qué aparece la *a* pequeña a continuación de la *f*, y no la *g*? A Gallardo y a Cañete se les ocurrió pensar que ese hueco posible de la *E* debía estar lleno por una *Coplas* en las que se ve alguna semejanza con la *Farsa* del Pastor, la Doncella y el Caballero, de Lucas Fernández. Cotarelo añade estas coplas como *Apéndice* a su edición Facsímil. Cotarelo cree que las dichas Coplas "no difieren gran cosa de las demás del poeta salmantino en el estilo y lenguaje" (prólogo, p. XVI).

Esta paternidad literaria de las *Coplas* es negada por Lihani (*El lenguaje,* cap. V, p. 317). Las razones que Lihani aduce como semejanzas entre las *Coplas* y el estilo y lenguaje de Lucas F. no son en modo alguno convincentes. Algunas de las semejanzas no tienen ningún valor desde el momento en que sus formas se encuentran en multitud de obras. Por ejemplo el *de grado* como adverbio, entre otras.

Pero lo que todavía convence menos son las supuestas pruebas de "no paternidad".

La no palatalización de *n, l* en las *Coplas*, la *f* inicial mantenida sin cambiar en *h*, la falta de neutralización *l/r*, son rasgos que no dicen absolutamente nada en favor o en contra de la atribución a Lucas F., si tenemos en cuenta que desde 1514 en que se publica la obra del salmantino, y 1604, fecha de edición de las *Coplas*, han pasado posibles copistas no leoneses a lo largo de casi un siglo. Lihani concluye negando la identidad del autor.

Yo tampoco creo que sean las *Coplas* obra de Lucas F. En todo su conjunto falta la nota de espontaneidad y de frescura que se ve en la obra de Lucas F.

Y, puestos a buscar diferencias, hay que basarse en algo más definitivo que una palatalización inicial o un cambio de *f* en *h*. Hay que buscar algo que responda a la estructura interior de las obras. Ello puede ser el ritmo interno de la versificación, que se mantiene fijo, a pesar del siglo de posibles copistas.

Para tener algo concreto a qué atenerme, he reducido a esquemas numéricos el ritmo del octosílabo en las *Coplas*: 250 versos. Otros 250 de las *Farsas signadas A* y *f*, han servido de prueba.

En cuanto a los octosílabos mixtos (tipos *A* y *B* unidos) dan un porcentaje bastante semejante: 27'2 % en las *Farsas*, 28'8 % en las *Coplas*.

Pero las diferencias en cuanto al Dactílico y al Troqueo son mucho más acusadas: 19'2 % de troqueos en las *Coplas*, frente a 14'8 % en las *Farsas*. Y diferencias en sentido inverso en el recuento de los versos dactílicos: 58 % en las *Farsas* por 52 % en las *Coplas*.

Luego, como comprobación, hice el recuento de los octosílabos en el *Diálogo para cantar*. Los tipos Mixtos no dan cifras muy dispares. El tipo Dactílico coincide más con las *Farsas* que con las *Coplas*. El tipo trocaico se iguala exactamente con las *Farsas* mientras queda muy por encima (57'9 % sobre 52 %) en las *Coplas*.

También hice un recuento en los primeros 250 octosílabos de J. de la Encina (*Obras Completas*). El tipo Mixto se mantiene con alguna bajada. Desciende mucho la proporción del Dactílico, mientras sube acusadamente el tipo Trocaico.

Aunque estos resultados no sean ni muy espectaculares ni muy rigurosos, presentan una base firme para no achacar a Lucas Fernández las *Coplas* de la Doncella, el Pastor y el Salvaje.

He aquí los datos precisos:

	Diálogo	Farsas *A* y *f*	Coplas	Encina
Dact.	12'7	14'8	19'2	9'6
Troc.	57'9	58	52	67'6
Mixto	29'2	27'2	28'8	22'8

C) Rimas

De la rima consonante general en toda la obra hay que descontar algunas rimas imperfectas.

Algunas no son más que puras grafías, sin valor fonético:

Jacob-rellumbró (f.368-369) (*Jacó* en D.634)
camino-benigno (a.652-655)

Otras veces la discrepancia está en una forma verbal muy próxima, como sucede con los versos *-ecer, -escer*:

aparece-padesce (B.308-311)
padecen, fenescen, aborrescen, ofrescen (C.205, 206, 208, 209)

O bien otras formas verbales semejantes:

duele, puede, consuele (A. Dial. 39-42-43)

La irregularidad consiste en un mínimo detalle de palatalización:

polilla-reguila (f.11-12)
churumbella-vela (D.227-230)

y también:

cessan-aquexan (A. Dial. 60-63)

La semejanza de dos sonidos oclusivos da lugar a la irregularidad:

sangre-callambre (B.285-288) [1]
varruntos-ahuncos (A.116-117)
tiempo-casamiento (A.467-468)

Los casos de neutralización L/R dan sus rimas igualando los dos sonidos:

mamoria-vanigrolia (C.161-164)
perpexible-llibre (A.86-87)

La equivalencia o distorsión de tipo rústico, también plantea sus dificultades en cuanto a la rima.

En un caso (B.190) *quexigo* rima con *esquiuo y altiuo.* Pero en otros dos casos, la rima se hace con la *d*, que sería la forma base antes de distorsionarse. Es como si estas formas rústicas entraran en la rima con un cierto margen de igualdad imprecisa y la verdadera rima estuviera debajo haciéndose sentir:

aborrigo-sentido (C.2-3)
perpassanos-llogragos (C.162-163)

(y debajo queda el *-ido, -ados* para ambos).

Dos casos más explicados por cambios acentuales: *Llamalá* (A.556) necesita el acento sobre el pronombre, lo cual no es raro. Y un acento sobre *preýto* iguala con *Benito* (A.415-416).

1 Es cosa común para los poetas el emplear alguna vez una rima aproximada. Diego de San Pedro rima también *sangre* y *hambre.*

En el verso A.522 parece que el autor tuviera "in mente" la forma *has de dar* (en vez de *darás*) que igualaría con *honrrar* (A.525).

Naturalmente no cuento como irregularidades de rima los numerosos casos de diptongos en los que la vocal fuerte es la que iguala, quiero decir, casos como *Lloreinte-Bicente*[2] (A.455-456) o los del tipo *lleuéys-yrés* (A.318-321).

Quedan como simples rimas falaces: *chupas-chufas* (C.520-523) y *sospiros-doloridos* (A. Dial. 117-118).

MARÍA JOSEFA CANELLADA

2 En *Lloreynte* "la *y* no se pronunciaba, porque dos veces rima con *-ente*" según opina Lihani, con poco acierto (*El lenguaje*, p. 82).

NOTICIA BIBLIOGRÁFICA

De la obra de Lucas Fernández existen las siguientes ediciones: Un ejemplar de la edición prínceps (Salamanca, 1514) en la Biblioteca Nacional de Madrid. (Está sin comprobar la existencia de un segundo ejemplar de esta primera edición)

Farsas y Églogas al modo y estilo pastoril y castellano fechas por Lucas Fernández Salmantino nueuamente impressas. (Publica Lorenço de Liom Dedei, el diez de noviembre de 1514 en Salamanca.)

Bartolomé José Gallardo, en *El Criticón,* hojas volantes de literatura, recoge muy parcialmente obras de Lucas Fernández. (Números 4, 5 y 7 de *El Criticón,* años 1859 a 1867.)

También en el *Ensayo de una biblioteca española* se inserta la *Farsa de Prabos y Antona* y el *Auto o farsa del Nascimiento.* Madrid, tomo II, n.º 1.019 y ss. Año 1866.

En 1867 *Manuel Cañete* publica las *Farsas y Églogas al modo y estilo pastoril y castellano,* por encargo de la Real Academia Española.

En 1929 aparece la edición facsímil de la de 1514, hecha por Emilio Cotarelo y Mori. Madrid, Real Academia Española.

Del *Auto de la Pasión* se ha hecho una edición aislada por la Vicesecretaría de Educación Popular. Aguirre, Madrid, 1942.

Hay varias ediciones fragmentarias de las obras de L. F. Pcr ejemplo:

Díaz-Plaja, Guillermo, *Antología mayor de la literatura española,* I, Edad Media. Ed. Labor. Madrid, 1958.

Y algunas otras que contienen el *Auto de la Pasión,* como son:

Sainz de Robles, F. C., *El teatro español,* historia y antología. Ed. Aguilar, Madrid, 1942.

Fradejas Lebrero, José, *Teatro religioso medieval.* Tetuán, 1956.

Blecua, José Manuel, *Historia y textos de la literatura española,* I. Zaragoza, 1963, pp. 155-156.

Últimamente han aparecido dos ediciones completas de las *Farsas* y *Églogas*:

Lihani, John, *Lucas Fernández, Farsas y Églogas,* Las Américas Publishing, New York, 1969.

Hermenegildo, Alfredo, *Teatro Selecto Clásico de Lucas Fernández,* Ed. Escelicer, Madrid, 1972.

BIBLIOGRAFÍA SELECTA

Acevedo y Huelves. *Vocabulario del Bable de Occidente.* CEH. Madrid, 1932.

Aguado, José María. *Glosario sobre Juan Ruiz.* Madrid, 1929.

Alín, José María. *El Cancionero español de tipo tradicional.* Taurus, Madrid, 1968.

Alonso, Dámaso y J. M. Blecua. *Antología de la poesía española* (Poesía de tipo tradicional). Gredos, Madrid, 1956.

Alonso, Dámaso. *Antología de la Poesía de la Edad Media.* Losada, Buenos Aires, 1942.

Alonso Garrote, Santiago. *El Dialecto vulgar leonés hablado en Maragatería y tierra de Astorga.* Madrid, 1947.

Álvarez Fernández-Cañedo, Jesús. *El habla y la cultura popular de Cabrales.* RFE, Anejo LXXVI. Madrid, 1963.

Álvarez, Guzmán. *El habla de Babia y Laciana.* RFE. Anejo XLIX. Madrid, 1949.

Anglés, Higinio. *Diccionario de la Música.* Ed. Labor, Barcelona, 1954.

Armas, Daniel. *Diccionario de la expresión popular guatemalteca.* Guatemala, 1971.

Asenjo Barbieri, F. *Cancionero Musical de los siglos XV y XVI.* Madrid, 1892.

Autos. Colección de Autos, Farsas y Coloquios del siglo XVI. (Ed. Léo Rouanet) Biblioteca Hispánica. Madrid, 1901.

Azevedo Maia, Clarinda de. *Os falares fronteiriços do Concelho de Sabugal e da vizinha região de Xalma e Alamedilla* (trabajo inédito). Coimbra, 1964.

Baena, J. Alfonso de. *Cancionero.* Anaconda. Buenos Aires, 1941.

Bardón, C. A., *Cuentos en dialecto leonés.* Astorga, 1955.

Baz, José María, S. J. *El habla de la tierra de Aliste.* RFE, Anejo LXXXII. Madrid, 1967.

Bejarano, Virgilio. "El cultivo del lino en las regiones salmantinas de Las Bardas y La Huebra". Rev. de Dial. y Trad. Pop. Tomo VI, p. 243 y ss.

Bernis, Carmen. *Indumentaria Española en tiempos de Carlos V.* CSIC. Madrid, 1962.

Biblia Medieval Romanceada, I. *Pentateuco.* Facultad de Filosofía y Letras, Biblioteca del Instituto de Fílología, I, Jacobo Peuser. Buenos Aires, 1927.

Bobes, M.ª del Carmen. "El Sayagués". En *Archivos Leoneses* - 44. CSIC, León, 1968.

Canellada, M.ª Josefa, *El Bable de Cabranes.* RFE, Anejo XXXI. Madrid, 1944.

Cañete, Manuel. Ed. de *Farsas y Églogas...* fechas por Lucas Fernández. RAE. Madrid, 1867.

Casado Lobato, M.ª Concepción. *El habla de la Cabrera Alta.* RFE, Anejo XLIV. Madrid, 1948.

Castro, Américo. *Glosarios Latino-Españoles de la Edad Media.* RFE, Anejo XXII. Madrid, 1936.

———. *De la edad conflictiva.* Taurus. Madrid, 1961.

Cervantes, Miguel de. *Comedias y Entremeses* (Ed. R. Schevill y A. Bonilla). Madrid, 1915.

Cirot, G. *L'Auto de la Pasión de Lucas Fernández.* BH. XLII, pp. 285-291.

Coplas de Mingo Revulgo. Glosadas por Hernando del Pulgar (Facsímil de la ed. de Sevilla, 1545). Madrid, 1972.

Corominas, J. *Diccionario Crítico Etimológico de la lengua castellana.* Ed. Gredos. Madrid, 1954-1957.

Cortés Vázquez, Luis. *Ganadería y pastoreo en Berrocal de Huebra.* Rev. de Dial. y Trad. Pop. Tomo VIII, 1952.

Correas, Gonzalo. *Vocabulario de Refranes y Frases proverbiales.* Tip. de Rev. de Arch. Bibl. y M. Madrid, 1924.

Cota, Rodrigo. *Diálogo entre el Amor y un Viejo* (Ed. Elisa Aragone). Le Monnier, Firenze, 1961.

Cotarelo Mori, Emilio. Prólogo a la edición facsímil del *Cancionero de Juan del Enzina.* RAE. Madrid, 1928.

———. Prólogo a la ed. facsímil de las *Farsas y Églogas de Lucas Fernández.* RAE, Madrid, 1929.

Covarrubias, Sebastián de. *Tesoro de la Lengua Castellana o Española* (Ed. Martín de Riquer). Barcelona, 1943.

Crawford, J. P. W. *Spanish Drama before Lope de Vega.* University of Pennsylvania Press, 1937.

Cummins, John. *El habla de Coria.* Tamesis Books. London, 1974.

Chiossone, Tulio. *El lenguaje erudito, popular y folklórico de los Andes venezolanos.* Caracas, 1972.

Diccionario de Autoridades. Tomos I, II, III, IV, V, VI (ed. facsímil de la de Madrid, 1726). Madrid, Ed. Gredos, Madrid, 1963.

Diccionario Histórico de la Lengua Española. RAE. Seminario de Lexicografía. (En las citas Dicc. H.)

Diccionario de la Lengua. RAE. Madrid, 1970.

Efrén de la Madre de Dios, y Otger Steggink. *Tiempo y vida de Santa Teresa.* BAC. Madrid, 1968.

Encina, Juan del. *Cancionero.* Primera ed. 1496. Publicado en facsímile por la RAE. Madrid, 1928.

———. *Teatro Completo de...* (Ed. de M. Cañete y F. Asenjo Barbieri.) RAE. Madrid, 1893.

Espinosa, Aurelio M. *Arcaísmos dialectales.* RFE. Anejo XIX. Madrid, 1935.

Espinosa Maeso, Ricardo. "Ensayo biográfico del maestro Lucas Fernández". BRAE, X, 1923, pp. 386-424 y 567-603.

———. "Nuevos datos biográficos de Juan del Encina". BRAE, VIII, 1921.

Fernández, Antonia. Acerca de la fecha de composición de la *Farsa o Cuasi Comedia del Soldado.* En *Filología,* XI, pp. 121-128.

Fernández y González, A. R. *Los Argüellos.* Santander, 1966.

———. *El habla y la cultura popular de Oseja de Sajambre.* IDEA. Oviedo, 1959.

Fernández, Joseph A. *El habla de Sisterna.* RFE, Anejo LXXIV. Madrid, 1960.

Figueiredo, Fidelino de. *Comedia Trofea,* en "Letras" número 2. Boletim da Faculdade de Filosofía, Ciências e Letras. São Paulo, 1942.

Fontecha, Carmen. *Glosario de Voces comentadas en ediciones de textos clásicos.* Madrid, 1941.

García Blanco, Manuel. "Algunos elementos populares en el teatro de Tirso". BRAE, XXIX, pp. 413-452.

García de Diego, Vicente. *Diccionario Etimológico Español e Hispánico.* Ed. SAETA, Madrid.

García Lomas y García Lomas. *Estudio del dialecto popular montañés.* San Sebastián, 1922.

García Rey, Verardo. *Vocabulario del Bierzo,* Archivo de Trad. populares. CEH, Madrid, 1934.

Gili Gaya, Samuel. *Tesoro Lexicográfico.* CSIC. Tomo I. Madrid, 1947.

Gillet, Joseph E. "*Notes on the language of the Rustics in the Drama of the Sixteenth Century*". HMP, I, 1925, pp. 443-453.

———. *Propalladia and other Works of Bartolomé de Torres Naharro.* Pennsylvania, 1951.

———. *Donna Bisodia and Santo Ficeto* en HR, X, 1942, pp. 68-70.

González Ollé, F. *El habla de La Bureba.* RFE, Anejo LXXVIII. Madrid, 1964.

Gracián, Baltasar. *El Criticón* (Ed. Romera Navarro). Oxford University, 1938-40.

Guevara, Fray Antonio de. *Menosprecio de Corte y Alabanza de Aldea.* Clásicos Castellanos, XXIX (ed. de M. de Burgos). Madrid, 1915.

———. *Epístolas familiares,* BAAEE, XXIII.

Hanssen, F. *Gramática Histórica de la Lengua Castellana.* Buenos Aires. El Ateneo, 1945.

Hermenegildo, Alfredo. *Teatro Selecto Clásico de Lucas Fernández.* Escelicer. Madrid, 1972.

"Historia Troyana" en prosa y verso. (Ed. R. Menéndez Pidal.) RFE, Anejo XVIII. Madrid, 1934.

Huarte, Fernando. *Un Vocabulario castellano del siglo XV.* RFE, XXXV, 1951, pp. 310-340.

Keniston, H. *The Syntax of Castillan Prose.* The University of Chicago Press. Chicago, 1937.

Krüger, Fritz. *El dialecto de San Ciprián de Sanabria.* RFE, Anejo IV. Madrid, 1923.

———. *El léxico rural del NO. ibérico.* RFE, Anejo XXXVI. Madrid, 1947.

Laguna, Andrés. *Pedacio Dioscórides Anazarbeo* (1555), Instituto de España. Madrid, 1968.

Lamano y Beneite, J. de. *El Dialecto vulgar salmantino.* Salamanca, 1915.

Lazarillo de Tormes, Vida del. Clásicos Castellanos, XXV. Madrid, 1914.

Lázaro Carreter, Fernando. Prólogo al *Teatro Medieval.* Col. Odres Nuevos. Valencia, 1958.

Libro de los caballos (Ed. George Sachs). RFE, Anejo XXIII. Madrid, 1936.

Libro de los engaños (Ed. J. Esten Keller). University of North Carolina, 1959. Studies in the Romance Languages and Literatures - 20.

Lida de Malkiel, M.ª Rosa. *Juan de Mena.* NRFH. El Colegio de México. México, 1950.

Lihani, John. *Lucas Fernández, Farsas y Églogas.* Las Américas Publishing Comp. Nueva York, 1969.

———. *Lucas Fernández.* Twayne Publishers Inc. Nueva York, 1973.

———. *El lenguaje de Lucas Fernández, Estudio del Dialecto sayagués.* Ed. Instituto Caro y Cuervo. Bogotá, 1973.

López Morales, Humberto. *Tradición y Creación en los orígenes del Teatro castellano.* Ed. Alcalá. Madrid, 1968.

Llorente Maldonado, A. *Estudio sobre el habla de La Ribera.* CSIC. Salamanca, 1957.

Macrí, Oreste. *Aggiunte al Dizionario di Joan Corominas.* RFE, XL, 1956, p. 127 y ss.

Menéndez García, Manuel. *El Cuarto de los Valles.* IDEA, Oviedo, 1965.

Mendoza, Fray Íñigo de. *Coplas de Vita Christi* (Ed. Julio Rodríguez Puértolas). Gredos, Madrid, 1968.

Menéndez Pidal, Ramón, *El dialecto leonés.* IDEA, Oviedo, 1962.

———. *Poesía juglaresca y orígenes de las literaturas románicas.* Madrid, Inst. de Est. Políticos, 1957.

———. *Gramática Histórica.* Espasa Calpe. Madrid, 1941.

Meyer-Lübke, W. *Romanisches Etymologisches Wörterbuch.* Heidelberg, 1924.

Navarro Tomás, Tomás. *Métrica Española.* New York, 1956.

Neira Martínez, Jesús. *El habla de Lena.* IDEA, Oviedo, 1955.

Nola, Ruperto de. *Libro de guisados,* Los Clásicos olvidados, IX, 2.ª ed. Madrid, 1929.

Rato de Argüelles, Apolinar. *Vocabulario de las Palabras y Frases bables.* Madrid, 1891.

Rico-Avello, Carlos. *El bable y la medicina.* IDEA, Oviedo, 1964.

Rodríguez Castellano, L. *La variedad dialectal del Alto Aller.* IDEA, Oviedo, 1952.

———. *Contribución al Vocabulario del Bable de Occidente.* IDEA, Oviedo, 1957.

Rodríguez Marín, F. *Un millar de voces castizas y bien autorizadas que piden lugar en nuestro léxico.* Madrid, 1920.

Rojas, Fernando de. *La Celestina.* Clás. Cast., vol. XX (Ed. J. Cejador). Madrid, 1913.

Ruiz, Juan (Arcipreste de Hita). *Libro de Buen Amor.* Ed. J. Corominas. Madrid, 1967. (En las citas *Lib* BA.)

Salvador Miguel, Nicasio, *Consideraciones sobre la última edición de Lucas Fernández.* En "Segismundo", VIII, 1-2.

Sánchez de Badajoz, D. *Recopilación en metro* (Ed. Frida Weber). Universidad de Buenos Aires, 1968.

Sánchez Sevilla, Pedro. *El habla de Cespedosa de Tormes.* RFE, XV, 1928, pp. 131-172, 224-282.

Staaff, Erik. *Étude sur l'ancien dialecte léonais d'après des Chartes du XIII siècle.* Upsala, 1907.

Stern, Charlotte. "Íñigo de Mendoza and Medieval Dramatic Ritual". *HR.* XXXIII, p. 197 y ss.

Teyssier, Paul. *La langue de Gil Vicente.* Libr. Klincksieck. París, 1959.

Torquemada, Antonio de. *Manual de Escribientes* (edic. de Zamora-Canellada), Anejo XXI del Boletín de la RAE, Madrid, 1970.

Torres Naharro, B. (V. Gillet.)

Úbeda, F. López de. *La Pícara Justina,* Bibliof. Madr. t. IX (ed. Julio Puyol Alonso). Madrid, 1912.

Valdés, Juan de. *Diálogo de la Lengua* (ed. Rafael Lapesa). Zaragoza, 1960.

Velo Nieto, J. J. *El habla de las Hurdes.* Badajoz, 1956.

Vanegas, Alexo. *Tractado de Orthographia.* Toledo, 1531.

Vicente, Gil. *Tragicomedia de Don Duardos* (ed. Dámaso Alonso). CSIC. Madrid, 1942.

Weber de Kurlat, Frida. "El dialecto sayagués y los críticos". *Filología,* I, 1949, pp. 43-50.

———. "Latinismos arrusticados en el sayagués". NRFH, I, pp. 166-170.

Weber de Kurlat, Frida. *Lo cómico en el teatro de Fernán González de Eslava.* Buenos Aires, 1963.

———. "Fórmulas de juramentos en los Coloquios espirituales y sacramentales de Hernán González de Eslava". *Studia Phil.,* III, pp. 585-603.

———. "Gil Vicente y Diego Sánchez de Badajoz (A propósito del Auto da Sebila Casandra y de la Farsa del Juego de cañas)". *Filología,* IX, 1963, pp. 119-162.

———. "Relaciones literarias: *La Celestina,* Diego Sánchez de Badajoz y Gil Vicente", en *Philological Quaterly,* vol. 51, n.º 1, 1972.

Zamora Vicente, Alonso. *El habla de Mérida y sus cercanías.* RFE, Anejo XXIX. Madrid, 1943.

———. *Dialectología Española.* Gredos, Madrid, 1970.

NOTA PREVIA

PARA la presente edición he seguido el texto de la facsímil (hecha sobre la edición prínceps de Salamanca, 1514) publicada por la Real Academia Española en 1929 en Madrid, al cuidado de Emilio Cotarelo y con prólogo suyo.

He procurado subsanar las muy numerosas erratas del facsímil.

Empleo puntuación moderna, mayúsculas, acentos, diéresis y separación de palabras.

Desaparece la *S* alta, pero conservo todas las demás grafías.

Las letras suplidas, aunque, por lo general, no se pronuncien, van entre [ ] y solamente dejo el signo de vírgula alta en el caso de la contracción de dos vocales iguales. En nota p.p. doy la modificación de errores, así como las diferencias de interpretación con los editores anteriores.

Conservo la foliación de la edición de 1514. Al número de folios se añade *r* y *v* como *recto* y *verso*, y también *a* y *b* para distinguir la columna.

Procuro señalar las diversas interpretaciones que ofrece el texto cuando el sentido pueda quedar ambiguo.

Doy la numeración completa de los versos, contándolos de cinco en cinco, según es habitual en estos casos.

M.ª J. C.

Farsas y Eglogas al modo y estilo pastoril: y castellano Fechas por Lucas fernandez Salmantino Nueuamente impressas

[Aijrayb]

COMEDIA HECHA POR LUCAS FERNÁNDEZ EN LENGUAJE Y ESTILO PASTORIL. EN LA QUAL SE / INTRODUZEN DOS PASTORES Y DOS PASTORAS Y VN VIEJO: LOS QUALES SON LLAMADOS BRAS/GIL Y BERINGUELLA Y MIGUELTURRA Y OLALLA, Y EL VIEJO ES LLAMADO JUANBENITO. Y ENTRA / EL PRIMERO BRASGIL, PENADO DE AMORES, A BUSCAR A BERINGUELLA: LA QUAL HALLA Y REQUI/ERE DE AMORES Y BENCE: E YA VENCIDA, QUE SE VAN CONFORMES CANTANDO, ENTRA EL VIEJO LLAMA/DO JUANBENITO ABUELO DE LA DICHA BERINGUELLA E TURUA EL PLAZER DE LOS DICHOS Y AME/NAZA A BERINGUELLA Y REÑE CON EL * BRASGIL. E YA QUE QUIEREN VENIR A LAS MANOS, ENTRA/MIGUELTURRA, E NO SOLAMENTE LOS PONE EN PAZ, MAS CASA A BRASGIL CON BERINGUELLA / Y TAMBIÉN LLAMA A SU ESPOSA OLALLA, Y VANSE CANTANDO Y VAYLANDO PARA SU LUGAR.

Br. — Derreniego del amor, [Aijra] 1
doyle a rabia y doyle a huego,
dél blasfemo y dél reniego
con gran yra y gran furor,
pues que siempre su dolor 5
non me dexa reposar,
ni aun apenas resolgar
mostrando me disfauor.

* *y reñe con el Bras-Gil.* Considero *el* como artículo y no como pronombre según lo quiere Hermenegildo (p. 85). Véase la misma construcción en la *Introducción* a la *Farsa del Nascimiento* (fj): *el Juan* y también en la *Introducción* a los folios C: *el Pascual.* Es construcción popular muy corriente.

1 F.: *dereniego.*

He andado oy acossado
de cerro en selua, en montaña, 10
por ver dónde se acauaña
Veringuella y su ganado.
A la mia fé ¡mal pecado!
cuydo que ño la allaré,
ni puedo saber, ni sé 15
dónde lo busque, cuytado.

Ando y ando y ñunca paro,
como res que va perdida,
a mi mal ño allo guarida
y en mi bien ño allo reparo; 20
de rato en rato m'enuaro,
voy como tras perra el perro
o baca tras su bezerro.
¡Ay amor! ¡cómo sos caro!

Si me embosco en la [e]spessura, 25
ño puedo allá sosegar;
pues, si me vueluo al llugar,
lluego me añubra ventura;
pues en prados y en verdura
toman me cient mill teritos, 30
por los bosques pego gritos
con gran descuetro y tristura.

El comer, ño ay quien lo coma; [Aijrb]
el dormir, ño se me apega;
como modorra borrega 35
estoy lleno de carcoma;
siempre oteo quién assoma,
siempre escucho sospechoso,
siempre viuo congoxoso,
jamás mi pena se doma. 40

16 *lo busque,* con referencia al ganado. Podría interpretarse *la busque,* a Beringuella, como hace Hermenegildo.

Mas no sé quién biene allí,
¡O, si fuesse Beringuella!
¿Sí es ella, o ño es ella?
¡Ella, ella es! ¡juro a mí!
¡juro a diez! ¡dichoso fuý! 45
¡O, quánto me huelgo en vella!
Diuisalla y conocella,
¡ñunca tal gasajo vi!

¡Dios mantenga la zagala!
Be. — O, BrasGil, ¿qué hazes? di. 50
Br. — Vengo me acá para ti.
Be. — ¿Para mí? Br. — Sí. Que tu gala
me da ya vida tan mala
que no me pude tener
sin te venir acá a uer, 55
porque a ti nadie se yguala.

Be. — Bien llo sabes rellatar,
¡quán llarga me la lleuantas!
por mi salud que me espantas
en te ver assí hablar. 60
Br. — Ño te quieras espantar
de mí que tanto te quiero,
que ¡juro a mí! que me muero
con cariño, sin dudar.

Be. — Anda, vete, vete, Bras, [Aijva] 65
ño estés comigo en rizones;
tirte allá con tus barzones,
ño me quieras tentar más.
Br. — Escucha, mira, verás,
ño seas tan reuellada 70
y tan tesa y profïada,
que llugo llugo te yrás.

Be. — Pues dime, di qué me quieres.
Br. — Quiérote ya que me quieras.

74 Quiérote ya, y quiero que me quieras. Bras Gil juega con los dos valores de querer: de amor y de voluntad.

Be. — ¿Que te quiera? mas ¿de ueras? 75
Br. — ¡Mia fé sí!, si tú quieres.
Be. — Anda de aquí. Más no esperes.
Br. — Pues dáca, dame vn filete.
Be. — Ño te atreuas; anda, vete.
Br. — ¡Ay Dios! ¡quán lloçana que eres! 80

Quiéreme, quiéreme ya;
echa acá el rabo del ojo,
ño tengas de mí cordojo,
mira, mira, mira acá.
Be. — ¿Y aún habras? verá, verá; 85
¿cómo sos tan perpexible?
Ora Dios de ti me llibre.
Nunca tal hu ni será.

Br. — Ay, Beringuella garrida,
ño seas tan zahareña; 90
torna, torna te alagüeña
por que redemies mi vida,
que ya la traygo aborrida
y no quiero más viuir,
sino llugo me morir, 95
si no as de ser mi querida.

Mill vezes te é requerido
que seas mi adamada,
ño se te da por mí ñada,
lluego me echas en oluido; 100
ándome lloco perdido
tras ti por todo el llugar.
Ño me quieres abrigar,
ni de ti consuelo é auido.

Be. — Valas, ¡válaste el dïabro! 105
¿y tú estás, digo, en tu seso?
Br. — Ay, que en tu amor estoy preso [Aijvb]
muy mucho más que te habro,
y aun más que burras nestabro.

Be. — Vayte a Menga. Bra. — Ño, ño, ño; 110
ñunca tal adame yo.
Mira qué cuchar te llabro.

Be. — No estemos más aquí yuntos,
que los campos tienen ojos,
llenguas y orejas rastrojos 115
y los montes mill varruntos.
Br. — Ño tengas essos ahuncos.
Be. — Vayte, que verná mi ahuelo.
Br. — Ni desso tengas recelo.
Be. — Ño me tomarás por puntos. 120

Br. — ¿No te duele mi dolencia?
pues por tu amor estó ciego.
Be. — ¡Pardiós! si lo sabe el crego
que me dé gran penitencia.
Br. — ¡O, rabiosa pestillencia! 125
Be. — Ño abres más nessa conseja,
qu'es peccado del ygreja.
Br. — ¡Ay, que en mi mal ño ay hemencia!

Be. — Ponte vna poca de vntura.
Br. — Sea de tu compassión, 130
por que sane'l coraçón
su afición y desuentura.
Be. — Xarópate con cordura
y púrgate con sofrir.
Br. — Será mi viuir morir, 135
mi gloria, la sepultura.

Be. — Pues que estás enpoçoñado,
date vn gran botón de llumbre
mudándote la costumbre.

137 A este *enpoçoñado* acaso le falte una tilde de nasalidad en *po*. En todos los demás casos aparece la *n*: *ponçoñados* (B. 378) y *desponçoñar* (B. 564); *emponçoñoso* (C. 380).

Br. — ¡Ay, que ño puedo, cuytado! 140
Be. — Quiçás que estás aojado.
Br. — Tú mimisma me aojaste,
tú misma me allobadaste
y de tí estoy llastimado.

Be. — En te ver tan lastimado 145
me fuerças a te querer,
qu'el dolor que é de te ver
me aze ser tuya de grado.
Br. — ¡O, quánto me as alegrado [Aiijra]
en dezirme essa palabra! 150
y con tan chapada habra
todo estó regozijado.

No cabo en mí de prazer;
ya más tiesto estó que un ajo,
verás cómo m'esquebrajo 155
por contenta te tener.
Be. — Ño quieras nada hazer,
que de ti contenta estó.
Br. — Que ño puedo ¡mia fé, ño!
con gasajo en mí caber. 160

Pues verás, mira, carilla,
que se me auía oluidado,
qué te traxe del mercado
dijueues allá de villa.
Be. — ¿Es gujeta o es cintilla? 165
¿o filet'es o manija?
Br. — Que ño, ño, sino sortija.
Be. — ¡Cómo es linda a marauilla!

140 No me parece exacta la interpretación de Lihani (*Farsas*, p. 180). 'No puedo por lo cuitado que estoy'. Creo que la buena interpretación es: 'no puedo (por lo que sea) y por no poder (o acaso por algo más) soy cuitado'.
141 F.: *quicas*.
165 F.: *Br*.

Dios te dexe bien llograr;
y ¡qué cosa tan gentil 170
que me endonaste, BrasGil!
Br. — Ño se puede mejorar.
Be. — Cierto, cierto, sin dudar;
ñunca vi tales llabores.
Br. — Pues tráela por mis amores 175
si me quieres bien amar.

Be. — Que me praz de la traer
de buena miente por ti.
Br. — Pues dame tú algo a mí
en que te vea tener 180
comigo algún querer
o algún cacho de amor,
que gran grolia y gran loor
me darás en lo hazer.

Be. — Por auer ya de allegrar 185
tu sollo brigollenío,
en señal del amorío
algo te quiero endonar.
Br. — Ay, di qué me quieres dar.
Be. — Este orillo de color [Aiijrb] 190
qu'es de muy rico valor.
Br. — Juro a mí qu'es sengular...

Be. — ¿Singular me dizes qu'es?
Br. — ¡Ha, pardiós! en mi concencia.
¡O, quán linda nigudencia! 195
Más la precio que vna res,
y aun juro a diona que a tres.
Dime, hau, ¿es de pardillo?
Be. — Boballa, es de amarillo.
¿Tú estás ciego o no lo ves? 200

186 (Ver comentario a este verso en *Una dificultad,* p. 57.)

Br. — Soncas bien lo determino
que es de la marcha buena;
¡a! ¡Dios te dé buena estrena!
Be. — Y a ti te dé buen matino.
Br. — Tiremos nuestro camino 205
allá, carria la majada.
Be. — ¿Y adónde está careada?
Br. — Allá en somo, azia el espino.

Por tanto d[e] acá aballemos.
Be. — En buena fe que me praz. 210
Br. — Pues a mí también me haz.
Be. — Aballemos. Br. — Aballemos,
que cantando nos iremos.
Be. — ¿Qué cantar quieres cantar?
Br. — Uno que sea de vaylar, 215
por que más nos reolguemos.

VILLANCICO

En esta montaña
de gran hermosura
tomemos holgura.

Haremos cabaña 220
de rosas y flores,
en esta montaña
cercada de amores,
y nuestros dolores
y nuestra tristura 225
tornar se ha en olgura.

Gran gozo y plazer
aquí tomaremos,
y amor y querer
aquí nos ternemos, [Aiijva] 230
y aquí viuiremos
en grande frescura
en esta verdura.

Aquí entra de improuiso el ahuelo de Beringuella llamado JuanBenito.

Ju. — ¡O! que (e)ñoramala estéys
en gran grolia y prazentorio; 235
¿qué es aquéste? ¿es desposorio,
que tal regolax tenés?
Be. — Ay, mi padre señor es.
Dime, dime, di qué haremos.
Br. — Doyle a rauia, ño [e]speremos, 240
si no, darños ha mal mes.

Be. — Comencemos a correr
por aquí entre aquestas breñas
y deuaxo aquellas peñas
ños podemos esconder, 245
que allí no ños podrá ver.
Ju. — Que ño, ño, ño's podrés yr
por más que queráys huýr,
que aquí os tengo de prender.

Pues dezí, ora veamos, 250
¿cómo yo n'os lo dezía
que algún día os tomaría
con el hurto entre las manos?
Be. — Pues aora nos encontramos,
¡por mi salud! neste punto. 255
Ju. — ¿Que ño, ño? Bien vos barrunto.
Be. — ¡Pardiós! ¿Aquí nos estamos?

Ju. — Nadie ño me quitará,
por agora aquesta vez,
que ramo de cachondiez 260
entre vosotros ño está.
Pues quiçás, quiçás, quiçá...
Br. — Dome a esta cruz y al dïabro,
y ¡por cuerpo de sant Pabro!
que a esso no vine acá. 265

Ju. — Mal criado en tí crié,
pues me diste tal vegez;
criéte desde niñez [Aiijvb]
y verés ya para qué.
Dime, dime cómo fué. 270
dime si te sobajó.
Be. — ¡Ñ'os digo que aora llegó?
Ju. — Dilo, dilo, ¡dilo ahé!

Verá la cara de cabra
rabiseca y sobollona, 275
la cachinegra y putona
y ño echa de sí habra...
¡Habra ya, boca de tabra!
Di ¿qué hazíades aquí?
Be. — Ño, nada, triste de mí. 280
Ju. — Ño's escuséys con palabra.

Y vos, don llobo rabaz,
mucho os mostráys mesurado.
Br. — ¡O, quán crudo hu mi hado!
Ju. — Vos sos vn gran lladrobaz 285
que hazéys la guerra con paz.
Br. — ¡Juro a sant Rollán, no hago!
Ju. — Ño penséys de os yr en vago,
don hydeputa rapaz.

Br. — Siempre vi perder los viejos 290
el seso y tornarse niños.
Ju. — Mas siempre hazen los cariños
ñecios a los zagalejos,
que aun los viejos, sus consejos
dinos son de obedescer. 295
Br. — En grima y reñer, beber
es su gloria y sobrecejos.

266 Juan Benito se dirige aquí a Beringuella. No creo que Bras Gil fuera criado de Juan Benito, como dice Lihani (p. 26). V. acepción de *criado* en el *Glosario*.

269 El verso anterior se dirige a Beringuella, y el *verés* se lo dice a todas las posibles personas que le oyen. Lihani cree que es un *tú verés* erróneo por *vos verés* (*El Lenguaje,* pp. 258-259).

Ju. — Bien ansí te honrren tus hijos.
Br. — Como vos queréys dineros.
Ju. — Dios te dé malos aperos. 300
Br. — Y a vos no falten cossijos.
Ju. — Y a ti te sobren litijos.
Br. — Y a vos me[n]güe la salud.
Ju. — Ño llogres la jouentud.
Br. — Más que durarán los guijos. 305

Ju. — Dom maxote, ño pensés
de habrar tanto por desprecio;
aunque presumas de ñecio
sepamos qué cosa es. [Aiiijra]
Br. — Pues ño me desterminés. 310
Ju. — Pues ¿qué hazíades, ñora mala,
aquí con esta zagala?
Br. — ¡Cómo! ¿ya ño lo sabés?

Ju. — Anday, acá juraréys
en las manos del jurado 315
si l'auéys vos desfrorado
o qu'es lo que aquí hazéys.
Br. — Ño, ora, ño me lleuéys,
ñantes dadme vn repelón.
Ju. — Hydeputa, bobarrón, 320
aunque os pese, allá yrés.

Br. — ¿Y a qué me queréys lleuar?
Ju. — A que juréys de caloña,
y si ay alguna roña
allí se ha de demostrar. 325
Br. — ¿Y en qué tengo de jurar,
en guisopo o en vinagera?
Ño la ahuzio, tirte a fuera.
Ju. — Anda ya, escomiença andar.

298 El diálogo que sigue ha de verse encadenando cada frase de Bras Gil a la anterior de Juan Benito para quitarle agresividad.
305 *Durar como piedras*, 'durar mucho' (Correas, p. 562).
314 Dos posibilidades para este verso, según la forma del imperativo: a) Andá y acá juraréys. b) Anday, acá juraréys.

Br. — Por más, más, más que hagáys 330
que ño me lleuéys vos, ño.
Asmo pensáys... ¿cudás yo
soy tan ruyn como pensáys?
Pues aun mal lo ymagináys.
Ju. — ¡O hydeputa mestizo, 335
hijo de cabra y herizo!
¿y vos aún habráys, habráys?

Br. — Sí, que no so algún modorro
que assí me auéys de hazer befas;
sacudiros he en las ñefas 340
con aqueste cachiporro.
Ju. — Tirad vos allá, don borro,
son daros he nessa morra
vn golpe con esta porra,
que os aturda, don codorro. 345

Br. — Teneyuos, don viejo cano,
ño sea el diabro que os engañe.
Ju. — Mas guardayuos ño's apañe,
que assentar vos he la mano
aunque más estéys vfano. [Aiiijrb] 350
Br. — ¡Ay, ay, ay, cuerpo de Dios! he.
¡Cómo viejo y bobo soys! he,
pues aré vos pisar llano.

Ju. — Ay, ay, viejo pecador,
y ora, en cabo de mis días, 355
¿y tú de venir auías
a me dar tal deshonor?
¡O falso, malo, traydor!
Br. — Atentayuos en la llengua,
si no, daros he vna mengua 360
que no la vistes mejor.

351 Este verso y el siguiente cuentan una sílaba de más. El *he* final, como expresión de la risa, va como añadido al verso completo y no entra en la cuenta de las sílabas. Otra posibilidad sería ver un *ay* añadido más de la cuenta por equivocación. En ese caso el *he* funcionaría como agudo final, bisílabo, lo que no puede admitirse en el verso siguiente.

Ju. — ¿Y tanto es vuestro poder?
¡Harre acá, don bobarrón!
¿Cuydás que soy cagajón
que assí me auéys de comer? 365
Pues hazedme este prazer:
que os tiréys dessas porfías
y aun aquessas temosías
ño las queráys más tener.

Br. — Si estáys más paparreando, 370
pegaros he en los costados
un par de sejos pelados
por que ño [e]stéys menazando.
Ju. — ¿Aún estáysme ende abrando?
Asperá, asperá, asperá. 375
Br. — Cata que os tiréys allá,
ño's vengáys acá llegando.

Mig. — Verbum caro fatuleras;
vosotros ¿por qué reñéys?
Passo, passo, no's tiréys 380
tan rezio a las mamulleras.
Br. — Pues haréos yo de veras
que me conozcáys, don viejo.
Ju. — Sobaros he yo el pillejo
si más partimos las peras. 385

M. — Pues sos viejo y más honrrado,
aya, aya en vos más seso.
Ju. — ¡O! que es vn villano teso
que me ha oy aquí amenguado.
Br. — Ño vos zimbre yo el cayado [Aiiijva] 390
por somo del pestorejo.

365 Esta idea, tan poco limpia, debía de ser corriente en las pullas del tiempo. Correas (p. 171) recoge: "Echarle he una pulla, cagajón mazculla".
385 *partir las peras,* 'igualarse con alguien'. Citado por Correas (p. 185) y por Covarrubias bajo *burla.*

M. — Vos, que auéys de dar consejo,
¿estáys más enterrïado?

Por la vírgene de Dios,
calla tú, pues que eres moço. 395
Br. — Toma, verás qué'scorroço.
M. — Calla ya, y callad vos,
y veamos entre ños
esta ryña por qué fue,
y amigos os haré, 400
si queréys, ambos a dos.

Br. — ¡A, mezquino, desdichado!
Yérgueme vn lleuantamiento,
que aun por el pensamiento
ñunca jamás me ha passado; 405
dize que le [he] desfrorado
a su nieta. Ju. — Y es verdad.
Br. — ¡O, Iesú, y qué maldad
que me ha 'gora lleuantado!

Ju. — Aunque me sepa perder, 410
de partirme he neste día
para la chançonoría,
a l[a] auer de conoscer,
ver si es hombre o si es muger,
y juzgar nos ha este preyto. 415
M. — No es buen seso, JuanBenito,
ora en pleyto vos meter.

Ju. — No me queráys estoruar
por vuestra fe, MiguelTurra,
que, aunque me cueste la burra, 420
lo tengo de pleytear.

393 Este verso y el anterior los dirige Miguel Turra a Juan Benito; los dos siguientes están dirigidos a Bras Gil.
415 Juan Benito quiere ir a ver si *la chançonoría,* a la que no conoce, le juzga su pleito.

Br. — También yo sabré gastar
vn borrego y dos y tres
y aun vna bacuna res.
¿Vos cuydáysme d'espantar? 425

M. — Si a mí me queréys creer,
ni curéys d[e]'ir a lletrados
ni [a] aguaziles ni a jurados
a les yr dar de beber,
mas deuemos de hazer 430
cómo aquí los desposemos; [Aiiijvb]
y aun ansí atajaremos
todo el mal que pudo ser.

Ju. — Buen consejo es comunal;
mas la casta ño se yguala 435
dél, con la de la zagala,
en valer ni en el caudal.
Br. — Nieto so yo de Pascual
y aun hijo de Gil Gilete,
sobrino de Juan Jarrete, 440
el que viue en Verrocal.

Papiharto y el Çancudo
son mis primos caronales,
y Juan de los Bodonales
y Antón Prauos Bollorudo, 445
Brasco Moro y el Papudo
también son de mi terruño,
y el crego de Viconuño,
que es vn hombre bien sesudo.

Antón Sánchez Rabilero, 450
Juan Xabato el sabidor,

425 Lihani (*El Lenguaje*, p. 234) comenta: "*de* prefijado a espantar produce *despantar*". No creo que haya tal prefijo ni tal verbo. Es contracción (gráfica y fónica) de la preposición *de* y el verbo *espantar*.
436 F.: *con el de.*

Assienso y Mingo el pastor,
Llazar Allonso el gaytero,
Juan Cuajar el viñadero,
Espulgazorras, Lloreinte, 455
Prauos, Pascual y Bicente
y otros que contar no quiero.

M. — No digas más por agora,
que ya harto asaz asbonda.
Br. — Pues allá en Nauarredonda 460
tengo mi madre senora.
Ju. — ¿Allá viue? Br. — Allá mora.
Ju. — ¿Y quién es? Br. — La del herrero.
Ju. — ¡Dios, que estoy muy prazentero;
ello sea mucho en buen ora! 465

Yo y ella gran conocencia
tenemos de lluengo tiempo.
Br. — Lluego ¿en este casamiento
no abrá ya más detenencia?
Ju. — Digo ya, pues su nacencia 470
fue tan buena, y los sus hados,
para que sean desposados [Aiiiijra]
yo de aquí les doy licencia.

M. — O Bras Gil, di, compañero,
¿qué palabra hu aquesta? 475
Allégram[e] acá essa gesta
y aquellótrate de vero.
Br. — Miafé, ya estoy prazentero.
M. — Tú, zagala, ¿cómo estás?
Be. — Alegre ansí como Bras, 480
porque más que a mí lo quiero.

460 F.: *Navaredonda.*
469 A esta pregunta de Bras Gil contesta Juan Benito dirigiéndose a todos. No es necesario que lo pregunte otra persona. En la edición de Hermenegildo lo dice Miguel Turra.
476 Comp. Torres Nah., *Com. Seraph.* Jornada I, v. 217: "pues alégrame esse gesto".

M. — No es menester más habrar
pues que dambos son contentos,
que por sus consentimientos
ya no se pueden quitar. 485
Ju. — Ni quitar ni aun apartar,
según ley de matrimoño.
M. — ¿Pues no les days patrimoño
con que se ayan de casar?

Ju. — Yo les mando vn tomillar 490
de buen tomillo salsero,
y vn cortijo y chiuitero,
y vna casa y vn pajar,
y vn arado para arar;
dos vacas con añojales, 495
y dos yeguas cadañales,
y vn burro muy singular.

Tenme punto en lo passado:
quatro machorras y vn perro,
y el manso con su cencerro, 500
y el cabrón barbillambrado,
y el morueco tresquilado;
y dar le [he] vna res porcuna,
y aun otra alguna ouejuna,
y el buy vermejo bragado. 505

Dar le [he] vasar y espetera,
y mortero y majadero,
y su rallo y tajadero,
y assadores y caldera,
y gamella y ralladera; 510
cuencas, barreñas, cuchares,
duernas, dornajos y llares,
encella, tarro y quesera. [Aiiiijrb]

511 *cuchares* es el plural de *cuchar* (conf. verso A.112) y no un plural leonés en *-es*.

Y vn recel todo llistado,
y vn buen almadraque viejo, 515
y vn alfamare vermejo,
y vn arquiuanco pintado.
Cama y escaño llabrado
y aun, si quieres más alhajas,
también les daré las pajas. 520
M. — Ño, que harto les as dado.

Tú, ¿qué donas le darás?
Di, BrasGil, no estés en calma.
Br. — Éste mi cuerpo y el alma
para que se aya de honrrar. 525
M. — Dexa ya de bouear...
Br. — Sus toquejos y tocados,
todos sus paños dobrados
le pienso de endonar.

Darle [he] alfardas orilladas 530
y capillejos trenados,
cercillos sobredorados
y gorgueras bien llabradas,
y sortijas prateadas,
camisas de cerristopa, 535
su mantón y aljuba y hopa,
faxa y mangas colloradas.

Darle [he] texillo y filetes
y bolsa de quatro pelo;
saya azul color de cielo, 540
fronzida con sus marbetes,
y gujetas con herretes,
çuecos, çapatos, çapatas,

537 F.: *mangaz*. Parece una errata de *z* por *s*. Lihani interpreta *mangaz* como neologismo sobre *manga* y el sufijo aumentativo *-az, -azo* (*El Lenguaje,* p. 199).

más te la porné que pratas
bruñida con repiquetes. 545

¿No tengo ya embaçado?
M. — Sí, dome al Sprito Sancto.
Br. — Pues aun más, más de otro tanto
de percontar é dexado.
M. — Harto asbondo as rellatado. 550
Ju. — Vamos d[e]aquí, que añochece.
Br. — Vámonos, que ya [e]scurece
y aun el sol ya s[e] a encerrado.

M. — Asperá, yré a llamar [Aiiiijva]
a mi [e]sposa. Br. — ¿Y está 'cá? 555
M. — Mía fé, sí. Br. — Pues llámala,
presto, presto sin tardar,
yrños emos al llugar.
M. — Que me praze. Ah, Olalla.
Ola. — ¿Qué quieres? Mi — Aballa 'balla, 560
comiéçate acá [a] llegar.

¿Sabes cómo es desposada
con BrasGil ya Veringuella?
Ol. — Por esso está oy tan vella,
tan galana y repicada. 565
M. — Toda está recrestellada.
Ol. — Verá, el ojo le guindea.
M. — Ño ay quien la habre ya ni vea.
Ol. — Sonríese de callada.

Be. — No me querás vergoñar. 570
Ol. — Llobado renal me mate.

544 Lihani ve los dos pronombres *te la* como un sustantivo, *tela*. El sentido debe ser: 'te la pondré más bruñida, más brillante, que la plata repujada'. (V. *Semejanzas con Encina*).
546 Quiere decir: 'He contado tanto que ya no tengo huelgo'.
550 F.: *asbonoo*.
552 Hermenegildo parece preferir una rara forma *scuerece*, actual, según él.
571 F.: *te mate*.

Be. — Verá cómo me combate
con su huerte motejar.
Ol. — Quiero, quiérote abraçar
pues que desposada sos. 575
Déxete bien llograr Dios.
Be. — Y a ti no quiera oluidar.

Ju. — ¡Qué cosa es la mocedá!
M. — ¿Qué cosa es? Ju. — Es como flor
que sale fresca al aluor 580
y a la tarde mustia está.
D'esta manera es la edá.
M. — Con celos esso dexistes,
viuirán como viuistes,
no com'ora en vejedá. 585

Ju. — No es tiempo d'estar parlando,
¡sus, sus, sus! Vamos de aquí,
aballá, arrancá de aý,
que bien podéys yr habrando.
M. — Habrando no, son cantando 590
vn cantar como serranos.
Br. — Pues asíos por las manos
y ir lo emos vaylando.

¿Queréys dançar con nosotros? [Aiiiijvb]
Ju. — Dançay, que ¡miafé! yo...
ya mi tiempo se passó.
Hazey lo vuestro vosotros.
Br. — Pues no [e]stemos en quellotros,
sus, cantemos voz en grito,
con prazer demos apito 600
y saltemos como potros.

578 Lihani hace de esta exclamación una pregunta. Resulta raro que se pregunten recíprocamente la misma cosa *Ju* y *M.*
582 F.: *Br.*
585 Las formas *mocedá, vejedá,* sin *d* final son antiguas. V. comentario de D. Alonso a *beldá,* v. 241 de *Don Duardos.*
600 F.: *apite.*

VILLANCICO

Gran plazer es el gasajo.
Digo, digo, digo, ha.
¡Juro a diez! muy bien nos va.
Demos tortas y vaylemos 605
con gran gloria y gran plazer;
demos saltos y cantemos
hasta en tierra nos caer;
no ay quien se pueda tener.
Digo, digo, digo, ha. 610
¡Juro a diez! muy bien nos va.

Aýna, Bras, tú y Beringuella
salí, salí acá a vaylar.
Que nos praz, ¡juro a Santella!
por más nos regozijar; 615
gran plazer es el olgar.
Digo, digo, digo, ha;
¡juro a diez! muy bien nos va.

El cordojo que passamos
en plazer se nos voluió, 620
¡miafé! Pues nos desposamos
gran suerte nos percudió.
Ñunca tal fué; ñunca, ño.
¡Huy, ha, huy, ho, he, huy, ha!
¡juro a diez! muy bien nos va. 625

Çapatetas arrojemos
repicadas por el cielo;
mill altibaxos peguemos
por acaronas del suelo.
Reholguémonos sin duelo, 630
presto, todos, ¡sus!, acá.
Vamos, qu'escurece ya.

[Aiiiiijra]

DIÁLOGO PARA CANTAR. FECHO POR LUCAS FERNÁNDEZ, SOBRE *Quién te hizo, Juan pastor*. ENTRODÚZENSE EN ÉL EL MESMO JUAN PASTOR Y OTRO LLAMADO BRAS.

¿Quién te hizo, Juan pastor, 1
sin gasajo y sin plazer?
Que alegre solías ser.

Br. — Solías andar guarnido
con centillas y agujetas.
El capote y berbilletas
ya lo tienes aborrido.
Traes la vida en oluido
sin de tí mesmo saber,
que dolor he de te ver. 10

Ju. — ¡Ay, ay, ay, ay, triste yo!
que mi gala y loçanía,
y jouenil mancebía,
tan presto se consumió.
Ya gran duelo me cubrió, 15

1 *Juan Pastor* ha de verse como un vocativo, es decir, sin la coma intermedia que pone Lihani. Puede verse como tal personaje en algunas composiciones: "Desposóse tu amiga / Juan Pastor". Texto de Valderrábano, Silva de Sirenas, 1547, fol. XXVIII (Apud Alin, p. 483); "Quién tuviese tal ventura / como tuvo Juan Pastor / que murió de mal de amor", en *Pliegos poéticos del Marqués de Morbecq,* p. 335 (Apud Alin, p. 697). Este *Diálogo* está hecho sobre un villancico de tipo tradicional, que tuvo una gran difusión en el siglo XVI. Una de sus variantes aparece en el *Cancionero Musical de los siglos XV y XVI* de Asenjo Barbieri con el nombre de Garci Sánchez de Badajoz, núm. 360.

pues que me hizo perder
las fuerças de mi poder.

Br. — ¿Y tú sos el forcejudo
zagal de buen retentibo?
No estés muerto, siendo viuo, 20
y siendo viuo, no estés mudo.
Buelue con saber sesudo.
Sabe, sábete valer,
y echa el mal de tu poder.

Ju. — Estoy todo estremulado, 25
ya mis fuerças son turbadas,
que passiones llastimadas
me traen viuo enterrado.
¡Miafé! ya, ¡por mi pecado!
no entiendo de guarescer 30
hasta muerto me caer.

Br. — Esfuerça en ti, Juan pastor,
no te venças de tal suerte,
y en la passión qu'es más fuerte
te muestra más vencedor, 35
que mientras es mal mayor,
es más victoria vencer
para mayor gloria hauer.

Ju. — El dolor que a mí me duele [Aiiiiijrb]
no puede auer resistencia, 40
porqu'es tan huerte dolencia
que curar jamás se puede.
No ay consuelo que consuele
a mi triste padescer,
ni cura puede tener. 45

32 El verbo *esforçar* no es raro que se construya con *en.* Huelga la interpretación de Lihani "ten esfuerça en ti" (*El lenguaje,* pp. 284-285).

44 F.: *parescer.*

Br. — ¿Y qué mal te trae a ti
tan triste y afrigulado,
tan pensoso y congoxado,
que te haze andar ansí?
Dime, dime, dime, di, 50
que quiçás que podrá auer
algo para te valer.

Ju. — Es amor qu'está encendido
dentro del mi coraçón,
que se aprendió en afición, 55
y abrasóme mi sentido.
Tiéneme ya todo ardido
y nunca dexa de arder,
sin cessar ni fenescer.

Y centellas nunca cessan 60
de caer en mis entrañas,
y danme penas tamañas
que mortalmente me aquexan.
Sossegar ya no me dexan,
ni reposo puedo auer 65
de gasajo y de prazer.

Es mi fuerça consumida
con este terrible huego.
No puedo tomar sossiego.
Consúmese ya mi vida. 70
Ya mi mal va de caýda.
No puede remedio auer,
sino sólo padescer.

Ando ya lleno de duelo,
todo me quemo y aburo. 75
De gasajo no me curo;
arrójome por el suelo; [Aiiiiijva]

47 *afrigulado.* Deformación rústica por *atribulado.* (V. *Equivalencias.*)

deslíome ya y desmuelo,
y no sé, triste, qué hacer
para remedio tener. 80

Br. — Tu muy grande tribulança
tu gesto bien te la da,
que muy llagrimoso está
y con triste semejança.
Y en verte sin esperança 85
d'esperar de guarescer,
he gran duelo de te ver.

Ju. — Miafé, Bras, no curo ya
de tener nengún reposo,
ni puedo estar gasajoso, 90
pues que ya tan mal me va,
que amor gran pena me da
con sus fuerças y poder,
que no sé de mí qué hazer.

Llegóse poco a poquillo 95
para mí, muy halagüeño,
prendióme como en beleño,
sin yo vello ni sentillo.
Siento gran pena en dezillo,
quanto más en padecer, 100
que no sé, triste, qué hazer.

Ando siempre ya penoso,
con pensamiento turbado,
y el cuerpo quasi pasmado
y el coraçón congoxoso. 105
Y ansí viuo [e]stremuloso,
apartado de plazer,
sin saberme ya valer.

Los huessos y las canillas
se me hazen mill pedaços; 110
y cáenseme los braços

y duélenme las costillas;
ni [e]n mis pies ni espinillas
no me puedo ya tener,
sin [n]el suelo me caer. 115

Trayo ya inficionados
los ayres con mis sospiros,
y mis llantos doloridos [Aiiiiijvb]
hazen sonar los collados.
Clamores acelerados 120
nunca dexo de hazer,
que dolor es de me ver.

Ha osadas, si yo cuydara
ser amor de tal manera,
que lluego me hiziera afuera 125
sin jamás hazerle cara.
Mas no siento quién cuydara
qu'él tan crudo hauía de ser
y de tan huerte poder.

Br. — ¡Miafé! Juan, nadie no diga 130
poder huýr de su lazo,
que a doquier su ramalazo
alcança, hiere y castiga.
Y muestra más enemiga
a quien se cuyda asconder, 135
que a quien suyo quiere ser.

Ju. — Dime, dime, dime, hermano,
pues también fuiste herido,

115 *nel* es contracción corriente de *en el*. Hay zonas del leonés en que la contracción de preposición + artículo avanza un grado más, llegando a la asimilación *nl* > *nn* > *n* (así ocurre en Cabranes). Cañete y Hermenegildo cambian la frase: *sin al suelo me caer*.

125 Hay dos posibilidades: a) *Ha osadas... que lluego...* Es la construcción más corriente y la que prefiero. (Véase también en D.v.167-168: *a osadas que*). b) *Ha osadas, si yo cuydara... ¡que lluego...*

138 No se admite la sinalefa entre *fuiste* y *herido*.

cómo fuiste ansí guarido;
que no hay mejor çurujano 140
qu'el herido qu'es ya sano.
Cúrame con tu saber
mi muy crudo padescer.

Br. — ¿Cómo quieres ser curado
sin dezirme la zagala? 145
¿Es Minguilla, o es Pascuala,
o la hija del Jurado,
o la que trae el ganado
por allí en somo a pacer?
Dime, di quién puede ser. 150

Ju. — Si cualquiera de essas fuera,
¡miafé! nunca yo penara,
que lluego la percançara
por más que se defendiera.
Mas ya, por que viua o muera, 155
darte quiero a conoscer
quién me haze padescer. 157

157 Muy bien ve Hermenegildo (p. 114) la manera de cortar el desenlace, bien parecida a la versión abreviada del Romance del Conde Alarcos.

[Brayb]

FARSA O QUASI COMEDIA FECHA POR LUCAS FERNÁNDEZ. EN LA QUAL SE INTRODUZEN TRES / PERSONAS. CONUIENE A SABER: VNA DONZELLA Y VN PASTOR Y VN CAUALLERO, CUYOS NOM/BRES IGNORAMOS E NO LOS CONOSCEMOS MÁS DE QUANTO NATURALEZA NOS LOS MUESTRA POR / LA DISPOSICIÓN DE SUS PERSONAS. ENTRA PRIMERO LA DONZELLA MUY PENADA DE AMORES POR / HALLAR AL CAUALLERO CON EL QUAL TENÍA CONCERTADO DE SE SALIR, Y TOPA EN EL CAMPO CON EL PA/STOR. EL QUAL, VENCIDO DE SUS AMORES, LA REQUIERE. EN EL QUAL TIEMPO ENTRA EL CAUALLERO CON / TAN SOBRADAS ANGUSTIAS DE NO LA HALLAR, COMO CON PENA DE SUS AMORES. Y EL PASTOR, DE QUE / VEE YRSE LA DONZELLA CON EL CAUALLERO, LE HABLA ALGUNAS DESCORTESÍAS, POR LAS QUALES EL CA/UALLERO LE DA DE ESPALDARAZOS. Y EN FIN, LE TORNA DESPUÉS A CONSOLAR. Y VALES A MOSTRAR / EL CAMINO EL PASTOR. Y VAN CANTANDO DOS VILLANCICOS, LOS QUALES EN FIN DEL ACTO SON ESCRITOS.

Don. — ¡Ay de mí, triste! ¿Qué haré [Bjra] 1
por aqueste escuro valle?
¡Ay de mí! ¿y a dónde yré?
¿Dó buscaré
al mi señor, que le halle? 5
Miro y miro y no le veo.
Cierto la fortuna me es

2 Comp. "Adónde yré o qué haré..." en *Cartapacios*, p. 305 (Apud Alin, p. 453).

al reués,
según tarda mi desseo.

¡Cuytada! No sé qué diga, 10
ni qué pudiesse yo azer.
Fortuna me es enemiga
y desabriga.
Ya mi gloria es padecer.
Pas.—¿Qué andáys senora [a] buscar? 15
D.— ¡O, pastorcico serrano!
¿Viste, hermano,
vn cauallero passar?

P.—¿Y qué cosa es cauallero?
¿Es algún huerte alemaña, 20
o llobo rabaz muy fiero,
o vignadero,
o es quiçás musaraña?
D.—Es vn hombre del palacio,
de linda sangre y fación 25
y condición.
P.— ¡Ño me marraua otro espacio!

D.—Di si lo viste, pastor.
P.—Dayle a rauia y ño curéys
ya más dél, que muy mejor, 30
con amor,
yo's seruiré si queréys.
D.—No hay qué quiera, si tú quieres [Bjrb]
dezir lo que te pregunto.

9 Dos interpretaciones: (a) 'Según tarda mi deseo (en cumplirse)', el sujeto es *deseo.* (b) 'Según tarda [a] mi deseo'. El sujeto sería *la fortuna.*
13 *desabriga* con el complemento *me* del verbo anterior.
15 La preposición *a* embebida en la final de *senora.* También posiblemente sin preposición.
33 El sentido es: 'No quiero nada; sólo que digas lo que te pregunto'. También puede tratarse de *quequiera* 'una cosa cualquiera', en forma negativa 'nada'. Comp. *quequiera* en *Guzmán de Alfarache,* I, 109, 2.

P. — Bien varrunto 35
que soys llocas las mugeres.

D. — Di si viste este señor.
P. — Mucho lo deuéys querer.
D. — Cierto; mi entrañable amor
gran dolor 40
por él me haze padecer.
P. — ¿Y tan huerte es de galán?
D. — Él es tal que su figura
y hermosura
me da vida con afán. 45

Él es mi bien y desseo,
y en él viue mi esperança.
Él es la gala y asseo
en que me veo,
con muy firme confïança. 50
P. — ¿Vos ño oteáys bien mi hato?
Ñunca vi yo tal, zagala,
digo en gala,
que ño me allegue al çapato.

Pues veys, veys, aunque me veys 55
vn poco braguivaxuelo,
ahotas que os espantéys,
si sabéys
cómo repico vn maçuelo.
Alahé, ahé, ahé, 60
zagal soy de buen zemán,
juro a san
que quiçá os agradaré.

44 Cuento este verso como de 5 sílabas, quizá con *h* aspirada, unido con sinalefa al verso anterior.

52 La interpretación es: Nunca vi yo tal galán o caballero que me llegue al zapato. *Zagala* es un vocativo, y *digo en gala* es una aclaración intercalada. La doble negación "*Ñunca* vi... que *ño* me allegue" es corriente en textos del castellano medieval y también en portugués. (V. Keniston, 40.821). (Comp. A. Diál. 130.)

D. — ¡Ay, pastor, no digas tal! [Bjva]
P. — Y ¿por qué? ¿Ño soy buen moço? 65
Pues creed que so el sayal,
que aún ay al,
y agora me nace el boço;
y también mudo los dientes,
son tentayme este colmillo: 70
ya me engrillo.
Por esso echá acá las mientes.

D. — De ser zagal tú entendido
bien certificada estó,
y pastor, cierto, polido 75
y sabido.
P. — Pues miray qué salto do.
Y sólo por allegrar
buestra murria y gran tristura
y gestadura, 80
el gauán quiero ahorrar.

D. — Quien espera desespera.
El que busca anda perdido.
No ay muerte más verdadera
y más entera 85
que viuir el aborrido.
P. — ¡Riedro vaya Satanás!
¡Iesú! d[e] aquí me sanctiguo
y me bendigo.
¡Pardiós! Mucho os congoxáys. 90

D. — ¡O, muy noble reyna Dido!
Ya creo tu mala suerte,

67 Comp. "Que debaxo del sayal, Pascual, / que debaxo del sayal hay al" (*Alin,* p. 544). Véase también "So el sayal hay al" (Correas, p. 151).

73 *Zagal* no parece vocativo como dan Lihani y Hermenegildo. El sentido es: 'Bien segura estoy de que tú eres zagal entendido y pastor polido y sabido'. Comp. "Soy zagalejo, soy pulidillo", *Cartapacio de Pedro de Lemos* (mediados del siglo XVI) Apud *Alin,* p. 509. "El zagal pulido, agraciado / mal me ha enamorado", Apud *Alin,* p. 588.

pues, con dolor muy crescido
y muy subido,
diste a ti mesma la muerte. 95
P. — Harto boba se hu ella
en ella se assí matar;
debéys dexar
essa grimosa querella.

D. — ¡O, gran dama Coronel, 100
corona de toda España!
que, con fuego muy crüel,
por ser fïel,
quemó a dos fuegos tu maña.
Tú diste fin a tu vida, 105
ansí haré yo a la mía, [Bjvb]
pues mi alegría
del todo va ya perdida.

P. — Pues no agáys sino mataros
y no podréys resolgar. 110
Gran prazer he de miraros
y otearos
y vos ño queréys mirar.
D. — Con dolor de mis dolores
no te puedo cierto ver, 115
ni entender,
pues no veo a mis amores.

P. — Daldo, daldo a prigonar
y aborrí vn marauedí,

97 *en ella se assí matar.* Cañete interpreta *a sí* como pronombre personal. Parece adverbio.

103 *fiel.* En tiempo de Nebrija se podía pronunciar fi-el ("La i... cógese con la e... puédese desatar como en éstas: *fiet, rïel*") (*Gramática,* I, VIII). Aquí puede contarse de esa manera. El verso *por ser fïel* está en una serie de versos cortos en que todos son de 5 sílabas con sinalefa o compensación del verso anterior. Cinco versos cortos antes y dos después son todos de este tipo.

104 *quemó a dos fuegos tu maña.* El sujeto de quemar es *maña,* 'astucia'. No parece que sea el comp. dir. como 'rostro' (Lihani, *Glosario,* s. v. *maña*).

que ansí ogaño vine allar, 120
sin tardar,
vna burra que perdí.
D. — Ess'es consejo grosero.
P. — Procurá de lo encantar
o encomendar, 125
o acodid al mostranquero.

D. — Hallar yo ya no podré
alegría, mas pesar.
Gozo en pena mudaré,
y terné 130
por gran consuelo llorar.
P. — Aýna ya dexayuos desso
y atrauessá el ojo acá.
D. — Aparta'llá,
no te hagas tan trabiesso. 135

P. — Ora, ¡pardiós! con prazer
ya el ojo se me reguilla,
y aun en vuestro parescer,
a mi ver,
bien os quillotráys de villa. 140
D. — ¡Ay! Si este sospiro oyesse
el que yo ando buscar,
sin dudar,
luego mi mal feneciesse.

P. — ¡Y veréis cómo os tornáys 145
adonde tenéys las mientes,
y por mí no sospiráys [Bijra]
ni penáys!

120 y 142 *vine allar, ando buscar.* La falta de preposición puede considerarse un rasgo de occidentalismo (v. *Preposición A*), si es que no va la preposición embebida en la vocal del verbo.

145 El mismo sentido que estos versos en Biijra (v. 322-324), *¡Ay, veréys cómo os vays / y me dexáys / en tan desllotrada pena!* Hermenegildo rompe la unidad de estos versos. Tampoco me parece aceptable la interrogación de Lihani.

D. — ¡Ay, pastor, no me atormentes!
P. — Pues yo ¡mi fé! mucho os quiero, 150
y aun ¿veys? sospiro por vos.
¡Ay, Dïos,
que de cachondiez me muero!

D. — ¡O, quánta pena passaste,
Margarona, por Ricardo! 155
¡O, quánto te enagenaste
y transformaste!
¡Ay de mí! que assí yo ardo.
P. — Arder, coraçón, arder,
sin fenecer ni acabar 160
ni cessar,
que no vos puedo valer.

D. — Danes, hija de Peneo,
mal te supe yo imitar,
y el tu altíssimo asseo, 165
mi desseo
no le supo conseruar.
Qualquier dama, si no es necia,
antes se deue matar,
que no errar, 170
o muera como Lucrecia.

P. — ¿Cómo ño me respondéys
a cosa alguna que digo?
Ño me, ño me desdeñéys.
¿Por qué lo azéys? 175
¿Ignoráysme? Digo, digo.

162 Versos de Cancionero. Son infinitivos con sentido de imperativos. La misma construcción en: "Coraçón, morir, morir, / triste, rico de deseo, / cativo, pobre, menguado" (G. de Medina, *Cancionero de Palacio,* ed. F. Vendrell, p. 272). El mismo giro en el teatro clásico: "Pues sufrir, temer, penar / corazón hasta tomar / por entero la venganza" (Calderón, *El pintor de su deshonra,* III, xxiv, Rivaden. XIV, 86 a). Lo mismo en Alonso, D., y Blecua, *Antología,* núm. 86. V. también: Devoto, *Cancionero de la Flor de la Rosa,* p. 102.

D. — ¿Qué te tengo de dezir?
P. — Que me tenéys ya cariño.
D. — ¡O, qué aliño
para mi triste viuir! 180

P. — Por quitaros de agonía,
tocar quiero el caramillo,
y haré sones de alegría
a porfía,
y diré algún cantarcillo. 185
D. — "Nunca fué pena mayor"
me canta por modo estraño,
pues mi daño [Bijrb]
sobre todos es mayor.

P. — ¡Juri al mundo! gran quexigo 190
vos acossa y gran quexumbre.
D. — ¡Ay! qu'es mi mal tan esquiuo
y tan altiuo,
qu'es de passiones la cumbre.
P. — Llugo ¿peor que modorra 195
deue de ser vuestro mal?
D. — Más. Mortal
es, pues no ay quien me socorra.

P. — Que yo vos socorreré.
D. — No peno por ti yo, cierto. 200
P. — Yo por vos sí, en buenafé,
y aun os diré
que me tenéys medio muerto.
El amor que dize el otro

179 F.: *aluño.*
186 "Nunca fue pena mayor". Otro verso de Cancionero. El sentido es: 'Es extraño que me cante este cantar tan acertado, pues que verdaderamente mi mal es mayor que todos'. Hermenegildo aisla los dos versos 186 y 187. Creo que es preferible dar el 186 como verso de una canción y comp. dir. de *me canta.*
201 F.: *buenaque* (comp. verso 400).

podemos éste dezir 205
sin mentir:
yo por vos, vos por essotro.

D. — ¿Y hasta acá el amor estiende
su poder entre pastores?
P. — Ay, señora, aquí nos prende, 210
y nos ofende
con mill ansias y dolores.
Házenos mill sinsabores,
y al triste pastor que hiere,
si no muere, 215
siempre da grandes cramores.

Quítanos los retentiuos,
róbanos los mamoriales,
trae muertos los más viuos.
Muy catiuos 220
tray acá muchos zagales.
Hasta [a] el triste del herrero
le dió ogaño vn batricajo,
en vn lauajo,
que quedó medio lladero. 225

Catíuanos los sentidos,
sojuzga los pensamientos,
andamos tristes, perdidos,
desmaýdos, [Bijva]
con congoxosos tormentos. 230
D. — Sus tormentos no es posible

207 "Yo por vos y vos por otro". Aparece en numerosos textos posteriores a Lucas Fernández. Véanse abundantes variantes y bibliografía en *Alin,* p. 431.
222 [*a*] *el triste.* La *a* embebida en la final de *hasta.*
227 F.: *sojúzganos.* El *nos* puede ser copia inadvertida del *nos* del verso anterior, que queda inmediatamente encima. Sobra el *nos* para la buena medida del octosílabo.
230 F.: *con congoxosos con tormentos.*

que os dé [e]n tan grande sossiego.
P. — Con vn huego
ños quema muy perpexible.

Y aun el crego, esta otoñada, 235
de amor andaua aborrido
por Juana la deposada.
Acossada
la traya el dolorido.
D. — Ya no ay cerro, ya no ay llano, 240
ni castillo, ni montaña,
ni cabaña,
que amor no tenga en su mano.

P. — Los viejos aman las moças;
los moços aman las viejas; 245
por las breñas, por las broças,
por las choças,
amor siembra sus consejas:
haze ser lo hermoso feo,
y lo feo ser hermoso. 250
El malicioso
da al más suyo más desseo.

Y al más suyo más le mata;
(ño entiendo aqueste amorío)
y al que le aballa la pata, 255
mal le trata,
con castigo muy crudío.
Y al pastor más desastrado
suele dar mayor ventura,

232 Este verso puede tener diversas interpretaciones: a) La primera, y creo que la preferible, es "*que os dé* [*e*]*n tan grande sossiego*". El sentido sería: 'No es posible que el amor os dé sus tormentos en el gran sosiego del campo'. Esta versión está apoyada por lo que dice el soldado de Cjvb (versos 142-143) que se admira de que allí ("en estas bravas montañas / entre peñas y cabañas") llegue el amor. b) También sería aceptable: *que os den tan grande sossiego,* 'No es posible que los tormentos del amor os den tan gran sosiego como mostráis'. c) Cañete, Hermenegildo y Lihani leen: *que os den tan gran desossiego.*

y da tristura 260
al zagal más perllotrado.

D. — Bien alcanço a conocer
que desde oriente a poniente
sojuzga su gran poder
el querer 265
de toda la humana gente;
mas al linage grossero
bien creo que no castiga,
ni hostiga
tan recio, ni l'es tan fiero. 270

P. — ¡Ay, ay, ay! no digáys tal, [Bijvb]
que en mal punto os miré yo;
que pecado vinial,
ni mortal,
ñunca tal pena me dió. 275
Si no, ved, tentadme aquí
quánto el coraçón me llate
y me combate,
desde denantes, que os vi.

Todo estó concallecido, 280
la intención triste me duele;
la mamoria y el sentido
he ya perdido;
la ygaja se me desmuele;
refríaseme la sangre; 285
respellúncaseme el pelo;
con gran duelo
me toma frío y callambre.

D. — Si; mas, aunque padecéys,
cierto fáltaos lo mejor: 290

286 Hermenegildo corrige *respellunçaseme,* de la misma familia que *espeluznar*. Corrección no necesaria, puesto que existe dialectalmente *respelluncar* (v. *Glosario*).

pues criança no tenéys,
no podéys
bien mostrar vuestro dolor.
P. — Yo bien ancho y bien chapado
estó, y relleno, y gordo, 295
bien milordo.
Asmo ño me hauéys mirado.

D. — No está en esso el bien criado.
P. — Pues ¿en qué? D. — En ser cortés,
y muy limpio y bien hablado 300
y requebrado.
P. — Requiebro ¿qué cosa es?
Requebrar y esperezar
todo deue de ser vno,
y de consuno 305
bocezar y sospirar.

D. — Requiebro es vn sentimiento
que en el gesto se aparece
quando, estraño el pensamiento,
con tormento, 310
se transforma el que padesce;
y oluidado, sin sentido,
contemplando en su amiga,
su fatiga [Biijra]
representa con gemido. 315

Y assí puedes entender
qué cosa es el requebrar.
P. — Ya lo asbondo a conocer
y saber,
y el sospirar, sin dudar. 320
D. — Pastor, queda enorabuena.
P. — Ay, ¡veréys cómo os vays
y me dexáys
en tan desllotrada pena!

313 *contemplar en.* La misma construcción en *Intr.* a C.

D. — No me quieras más tener, 325
pastor, con tu razonar.
P. — Mas vos me quered hazer
vn prazer:
que no's queráys aballar.
Aquí vos podéys estar 330
comigo en esta montaña;
en mi cabaña,
si queréys, podéys morar.

D. — Ya no es para mí morada
si no fuere de tristura. 335
Ya mi gloria es acabada
y rematada.
Mi casa, la sepultura;
de solloços, mi manjar;
mi beber, lágrimas viuas; 340
las esquiuas
fieras me han d[e] acompañar.

Mis cabellos crecerán
y serán mi vestidura;
mis pies se endurecerán, 345
y hollarán
por peñas y tierra dura.
Los graznidos de las aues
con los gritos que yo daré,
gozaré 350
por cantos dulces, süabes.

De los ossos sus bramidos
será ya mi melodía.
De los lobos aüllidos [Biijrb]
muy crecidos 355

349 *con los gritos que yo daré.* Son nueve sílabas. Parece un caso de cómputo de sílabas con el pronombre *yo* a la manera portuguesa. V. Dámaso Alonso, *Tragicomedia de don Duardos,* n. al verso 1.823 y RFE, XXIV, pp. 208-213. Véase también Teyssier, *La langue de Gil Vicente,* pp. 356-358.

será mi dulce armonía.
Montes, montañas, boscajes
secarse han con mi pesar,
y, sin dudar,
espantaré a los salbajes. 360

Las fuentes dulces, sabrosas,
darán agua de amargor;
las flores y frescas rosas,
olorosas,
no ternán color ni olor. 365
Y en señal de mi gran luto,
los verdes sotos y prados
y cerrados
ternán su frescor corruto.

P.— ¡Qué retrónica passáys 370
tan incrimpolada y fuerte!
Dezid, ¿no's despepitáys
y cansáys?
D.— Presto dará fin (a) mi muerte
en ver mis tristes cuydados. 375
Los nobles quatro elementos,
con tormentos,
todos serán ponçoñados.

Quiero complir mi jornada,
queda adiós, pastor loçano. 380
P.— ¡No's vays tan desconsolada!
D.— ¡Ay, cuitada,
que tanto trabajé en vano!
Quien la honrra pierde y fama
sin hallar lo que quisiera, 385
muera, muera.
P.— Esperá vn poco, ñuestrama.

374 F.: *Presto dará fin a mi muerte.* Sobra una sílaba. Cañete quita la *a*, y Hermenegildo sigue la corrección. Lihani conserva la *a* e interpreta 'Presto la muerte dará fin a mí'. Me parece más acertada la forma sin *a*.

381 La forma *vays* es subjuntivo, 'vayais'.

Vámonos a mi majada,
que está en somo esta floresta.
Cuydo estáys desambrinada, 390
y aÿnada
de aquesta cruda reqüesta.
Daros he priscos, vellotas,
madroños, ñuezes, mançanas,
y auellanas, [Biijva] 395
y cantar vos he mill ñotas.

Dar vos he bien sé yo qué:
vna pássara pintada
y vn estorniño os daré,
y en buena fé 400
vna llebrata preñada.
Caua. — ¡O, señora, de mi vida!
D. — ¡O, mi alma y mi señor!
Cau. — ¡O, mi amor!
¿dónde estáuades perdida? 405

P. — ¡Que ñora mala vengáys!
y ansí vos lo digo yo,
y dezí: ¿por qué os llegáys
y tomáys
la zagala con que estó? 410
Cau. — ¿Qué dizes, pastor grosero?
P. — Que me dexéys la zagala,
ñora mala.
Cau. — Aparta allá, majadero.

P. — Daxáy la infantina estar, 415
ño la sobajéys assí.
Cau. — Algo me querrás lleuar,
sin dudar,

397 El mismo verso en G. Vicente, *Sibila Casandra.*
415 *Daxay.* Parece errata, pero Lihani (Glosario, s. v.) atestigua otros ejemplos. Bien es verdad que la *a* es etimológica.

antes que vamos de aquí.
P.—¿Asmo pensáys, palaciego, 420
que assí me hauéys de vltrajar
y espantar?
No lo penséys, don rapiego.

Cau.—Don villano auillanado,
¿no queréys vos os callar? 425
P.—Don hidalgote pelado,
llazerado,
¿mas ño me queréys dexar?
Cau.—¿Atreueysos, pues, quiçá?
P.—Dexá, dexá la joyosa 430
lagrimosa,
ño la saquéys, quit'allá.

Cau.— ¡O, qué gentil vadajada!
P.—Desque traés la melena
hazcas que en guis muy pendada, 435
y carmenada, [Biijvb]
enfengís ¡Dios ñorabuena!
Cau.— ¡Pues sabéys [si] os arrebato!
don bobazo bobarrón.
P.— ¡Oyste, asnejón! 440
pues peygayuos a mi hato.

Aquí da el cauallero de espaldarazos al pastor.

Cau.— ¡Y cómo! ¿lengua tenéys?
D.— ¡Sancta Brígida, Iesú!

419 F.: *anteq que vamos.* El *vamos* es subjuntivo. El *anteq* está por *antes,* pero también pudiera ser que el copista estuviera a punto de escribir las dos palabras juntas, en la forma *ante que,* usada también. *Lib.* B.A., 1421*c.*

438 *Pues sabeys* [*si*] *os arrebato!* Entre la *s* final de *sabeys* y el *os* siguiente, hay mucho espacio, donde podría caber una *i* caída. La *s* final del *sabeys,* vale para el *si.* Un ejemplo de consonante única para dos sílabas, se ve en *sin* [*n*] *el suelo me caer* (v. A.115). Otra amenaza igual a ésta, vése en: *¡Si te arrebato...!* Ciiijra (C. verso 500).

440 -*Oyste.* No es del verbo *oír,* sino una variante de *oxte, oixte.*

Cau. — ¡Asperá vn poco, veréys!
P. — ¿Qué me haréys? 445
Cau. — ¿Y aún habláys? P. — Pues ¿qué hu?
D. — Aparta'llá. P. — Dexá llegue.
Cau. — ¡O, hydeputa, albardán!
P. — ¡Juri a san Juan,
si llegáys que vos la pegue! 450

Cau. — Toscohosco, melenudo,
patudo, xetudo y brusco.
P. — Mucho enfengís de agudo
y muy sesudo.
¡A! ¡ño praga [a] Dios conbusco! 455
Cau. — ¿Y aún hablas? Di, don villano.
P. — Y aún habro. C. — Pues esperá.
D. — Apart'allá.
Vete en paz agora, hermano.

Cau. — Si no por no ensuziar 460
en tu sangre vil mi mano,
yo te ouiera hecho callar
y aun chistar.
P. — Mucho estáys agora vfano.
D. — Anda, pastor, vete d[e]í. 465
P. — ¡Y veréys la xerg[u]irina,
y culebrina!
¿y vos también contra mí?

D. — ¡Por mi vida! pastor, no!
P. — No's cale desemular. 470
D. — Cierto contra ti no só.
P. — Digo yo
que os fuera mejor hilar.
Callá, que yo lo diré

447 F.: *Apartallla.*
463 El sentido es: 'Y [callar] aun [el] chistar'. No es necesario modificar nada. Cañete y Hermenegildo modifican "Y aun no chistar".
466 F.: *xergirina* (mala grafía por *xerguirina*).

a vuestro padre, que os ví [Biiijra] 475
anxó anxí.
Yo se lo rellataré.

C. — Quédate con tu ganado,
pastor, guarda tus ouejas.
P. — Después que l'auéys burlado 480
y engañado,
enxalmáysme las orejas.
C. — Que no deues de curar
de aquesta noble donzella.
P. — Muero en vella. 485
C. — Ora, quiere adiós quedar.

P. — O, falso, barbimohýno,
y ¡cómo que la engañó!
Ay, ¡triste de mí! mezquino,
que me fino. 490
¡Ay, cuytado, muerto so!
¡O, maldita mi ventura!
C. — Ha, pastor, ha, pastor. P. — Ha?
C. — Ven acá
y desecha la tristura. 495

P. — Ya no puedo yo dexar
a duelo de tal manera.
Mi vida será llorar
y lamentar,
hasta el día en que yo muera. 500
C. — Ora, pastor, por tu fe,
desecha todo cuydado.
P. — ¡Ay, cuytado!
ya yo, ya yo no podré.

C. — Pastor, no estés engañado, 505
que mucho antes de agora
he andado enamorado,

488 F.: *Y como que que la engaño.*

y muy penado,
por auer esta señora.
Y de oy más no te dé pena. 510
P. — Ora digo, senor bueno,
que aunque peno,
que la lleuéys (e)nora buena.

Fin

C. — Desde aquí quedo, pastor,
muy presto para te honrrar. 515
P. — Yo también, mi buen senor, [Biiijrb]
a vuestro honor.
C. — Di. ¿Quïéresnos mostrar
el camino por dó va?
P. — Sí, y aun quiero lleuantar 520
vn cantar.
Ca. — Pues aýna, comiença ya.

VILLANCICO

Pastorcico lastimado,
descordoja tus dolores.
¡Ay, Dios, que muero de amores! 525

¿Cómo pudo tal dolencia
lastimarte? Di, zagal.
¿Cómo enamorado mal
inficiona tu inocencia?
De amor huye y su presencia. 530
No te engañen sus primores.
¡Ay, Dios, que muero de amores!

Dime, dime, di, pastor,
¿Cómo acá, entr'estos boscajes
y entre estas bestias saluajes 535

513 F.: *en ora buena.* La grafía desmiente la cuenta de las sílabas. Es un caso de aféresis.

os cautiua el dios de amor?
Sus halagos, su furor,
¿sienten también labradores?
¡Ay, Dios, que muero de amores!

¡Alahé!, ¡juro [a] san Pego! 540
Hablando con reuilencia,
¡miafé! grande pestilencia
ños embía amor de fuego.
También nos da mal sosiego
acá a los tristes pastores, 545
como en villa a los senores.

Sí, mas eres muy chequito
para sentir tú su llaga.
¡A la mía fe! yo, Dios praga,
la sentí de pequeñito. 550
En la cuna oí su grito
prometiéndome fauores,
y agora me da dolores.

Di ¿con quién te cautivó
y te lastimó su espina? 555
La hija de mi madrina [Biiijva]
fué el anzuelo que me asió;
con ella me percundió
dándome mill sinsabores,
y assí muero con amores. 560

No me aprouecha enxalmar,
ni curas, ni medicinas,
ni las trïacas más finas
me pueden desponçoñar.
Ni aun el crego, sin dudar, 565
físicos, saludadores,
saben curar mis dolores.

540 F.: *juro san Pego*. La *a* puede estar embebida en el final de *juro*. (V. *Contracciones*.)

No es mal que tiene cura,
por esso ten gran paciencia.
Como en mi mal, no ay hemencia; 570
¡ay, triste de mi ventura!
Esfuerça con gran cordura,
no te acaben tus dolores.
¡Ay, Dios, que muero de amores!

No seas tan congoxoso, 575
ni te ahogues en poca agua.
¡Ay, que ardo en viua fragua
de fuego muy centelloso!
Esfuerça ya, ten reposo,
descordoja tus dolores. 580
¡Ay, Dios, que muero de amores!

Es amor vn mal amargo
más que ruda y que torbisco.
Es red que lleua auarrisco
todo el mundo, sin embargo. 585
Es vn muy pesado cargo
de pesares y dolores,
y de estraños disfauores.

¡Juri al mundo! es gran passión,
según triste siento y veo, 590
de vn muy hambriento desseo,
el qual mata el coraçón.
Es centella de afición
y dulçor con amargores,
y amargor con mill dolores. 595

570 'No hay vehemencia (intensidad, crudeza) tan grande como en el mal mío.'
574 F.: *Ay días.*
584 F.: *aubrrisco.*

[Biiijvb]

OTRO VILLANCICO DEL MESMO ACTO

Tiene tanta fuerça amor,
que a qualquier que se defiende,
o le mata, o hiere, o prende.

Él roba la voluntad
con las fuerças del desseo, 600
de la gracia y la veldad,
de la velleza y asseo.
Con la ponpa y el arreo
de la dama con que ofende,
él castiga, o hiere, o prende. 605

Siembra centellas de amor
a los ojos, y afición,
y, con llamas de dolor,
él abrasa el coraçón.
Da combate de passión 610
a cualquier que se defiende,
hasta que le mata o prende.

Da congoxa desigual
con aquexados tormentos;
con ansia más que mortal, 615
combate los pensamientos;
y éstos son los instrumentos
con que vatalla y ofende
al triste que se defiende.

Con dulce flagelo hiere 620
a los nueuos amadores,
y si alguno huýr quiere,
dale passión de dolores
do reciua disfauores;

600 F.: *los fuerças.*

y al que escaparse entiende, 625
con mortal herida ofende.

Fin

Por suyos nos sometamos
debaxo su poderío,
y por rehén le ofreçamos
a nuestro libre aluedrío. 630
Pues que a su gran poderío
nadie poderse defiende
que no mate, o hiera, o prende. 633

632 El sentido pide: *nadie puede defenderse.*
633 También el sentido pide un subjuntivo: *prenda.*

[Cjrayb]

FARSSA O QUASI COMEDIA, HECHA POR LUCAS FERNÁNDEZ. EN LA QUAL SE INTRODUZEN QUATRO / PERSONAS. COMBIENE A SABER: DOS PASTORES E VN SOLDADO E VNA PASTORA. EL PRIMER / PASTOR LLAMADO PRAUOS ENTRA PRIMERO MUY FATIGADO DE AMORES DE VNA ZAGALA LLAMA/DA ANTONA. EL QUAL PASTOR, ARROJADO EN EL SUELO, CONTENPLANDO Y HABLANDO EN SU MAL, LLE/GA EL SOLDADO. EL QUAL, ESTANDO PLATICANDO CON EL PASTOR EN SU PENA, ENTRA EL SEGUNDO / PASTOR, E TERCERA PERSONA, EL QUAL SE LLAMA PASCUAL. CON EL QUAL EL SOLDADO HA CIERTAS / BARAJAS, Y EL OTRO PASTOR NAMORADO LOS PONE EN PAZ. E DESPUÉS EL PASCUAL, SABIENDO DE / SUS AMORES, LLAMA A LA ZAGALA, E EL SOLDADO Y ÉL / LOS DESPOSAN, E SE VAN AL LUGAR CANTANDO. *

Prauos. — ¡Ay de mí, triste, cuytado, [Cjra] 1
llazerado y aborrigo.
Perdido é ya mi sentido,
del todo punto agenado,
¡O, desdichado zagal, 5
mayoral

* Entre otros intentos para fechar esta *Farsa* tenemos el de Cotarelo (p. XVIII del *Prólogo* a la edición facsimilar de la Academia, 1929) que la data hacia 1497. Después Antonia Fernández (*Filología,* tomo XI, pp. 121-128) lleva esta fecha hasta 1507-1508, basándose en que el espíritu de la *Farsa* refleja el estado de entusiasmo colectivo que hacia 1506 empuja a España a los grandes preparativos militares para la Gran Cruzada que debía dirigirse a Tierra Santa.

2 F.: *ahorrigo* por errata. Es *aborrigo, aborrido* con deformación rústica (v. *Equivalencias*). Todo el verso se encuentra en un villancico de J. del Encina.

de tan terribre rebaño!
¡Cómo me acosa este mal,
tan mortal,
a mí mesmo haziendo estraño! 10

Ya ño soy quien ser solía,
del todo voy debrocado.
Ya ño ay huzia ¡mal pecado!,
lleno estoy de medrosía.
Ya me llate el coraçón 15
con passión.
Traigo dos mill torcijones
por medio desta intención,
y l'afición
me desmuele estos pulmones. 20

La greña se me'spelunca,
tómame pasmo y terito;
afrácaseme este'sprito.
El redemio espero ñunca.
Siempre me estó esperezando 25
y bocezando.
Traygo caýdos los braços,
contino me vo arrojando
y rellanando,
qu'el cuerpo se m[e]az pedaços. 30

A rauia doy tal dollencia
que ño tien nengún sossiego;
dende aquí della reniego, [Cjrb]
pues que ño tien resistencia.

11 Lugar poético muy empleado en la lírica del siglo XIV, XV y XVI. Se encuentra en Correas, p. 513. Para detalles de su difusión, v. Carolina Michaëlis de Vasconcellos, "Nótulas sobre Cantares e Vilhancicos e a respeito de Juan del Enzina", RFE, V (1918), pp. 339-342.

18 *por medio desta intención,* 'por culpa de esto, del mal de amor', Hermenegildo pone punto en *torcijones,* y la frase queda cortada.

23 F.: *afracasame.* Errata por *afrácaseme,* "se me aflaca". Cañete se inventó el verbo *afracasar,* que luego ha pasado a los diccionarios serios.

Haz al hombre andar perdido 35
y embauído
por cerros y carrascales,
medio muerto y desbalido,
y aflegido
con terrerías mortales. 40

Ya no ay vesibro que saba
decrallarme este rencor,
ñi de dó mana este ardor,
que assí me cuelga la baua.
Menos, la bendizidera, 45
enxalmadera,
qu'es vna sabionda vieja,
ni aun tampoco la partera,
aunque es artera
y sabe cosas de igreja. 50

¡O montes, valles y cerros!
¡O prados, ríos y fuentes!
perdidas tengo las mientes.
Ni sé de cabras ni perros.
Ouejas y corderitos, 55
y cabritos,
deyuso van debrocados.
Mis cantilenas y apitos
y mis gritos,
del todo son ya oluidados. 60

Ya ño quiero churumbella,
los albogues ni el rabé.
Alegría aburriré,
pues huye de mí [y] yo della.
Pues lo que busco ño espero, [Cjva] 65
lo que quiero
jamás lo espero de hallar.

40 F.: *morrales.*
64 La y conjunción embebida en la *i* de *mí*. Otra interpretación: *Alegría aburriré; / pues huye de mí, yo della.*

Es mi dolor tan artero,
que me muero
sin saberme quillotrar. 70

Aquí se sienta el pastor en el suelo y dize las siguientes coplas:

Quiérome aquí rellanar,
por perllotrar bien mi pena
de enxelcos perhundos llena.
Ñunca [he] osmado sin dudar
qu'estos males y enconijos 75
son cossijos
que nos traen modorrados;
son prazeres con letijos,
tropecijos
do caemos pïornados. 80

¡Quién me coñesció soltero,
quién me vió estar libertado,
sin pensamiento alterado,
con mi seso todo entero!
¡Quién me vió con mi ganado! 85
¡Ay, cuytado!
¡Quién me vió con alegría,
quién me vió más perchapado
y más ñotado
que se vió en la serranía! 90

¡Quién me vió buscar plazeres,
quién me vió aborrir pesares,
quién me vió entonar cantares,

73 F.: *llenas*. Debe concertar con *pena*.
74 En una sola sílaba *ca*-[*he*]-*os* (v. *Contracciones*). Hermenegildo separa con un punto el v. 74 y el 75. De esta manera *osmado* lo ve como referido al sujeto de *quiero*. A mi parecer, es un [*he*] *osmado* y lleva como compl. dir. *qu'estos males* son..., etc. El sentido sería 'nunca he pensado que estos males . . . pero ahora voy a sentarme cómodamente a comprenderlo o perllotrarlo'.

y a baylar cansar mugeres!
¿Quién me vió y me vee agora 95
que no llora?
¿Quién me vió en las romerías,
cantar, saltar y baylar,
sin cansar
regozijar cofradías? 100

Entra el Soldado o Çoyço o Infante y razona con el pastor.

Sol. — A, zagal, digo, ouejero.
¿Qué hazes aý rellanado, [Cjvb]
tendido en aquese prado,
lanudo, xeta grosero?
Pr. — Ay, no sé. Sol. — Puis dime qué as. 105
Pr. — ¿Qué mandás?
Sol. — Que mires lo que te digo.
Pr. — Dexáyme, ño me habréys más.
Sol. — ¿Por qué estás?
de pesar tan mal contigo? 110

Pr. — ¿Vos queréys el alcauala?
o ¿por qué lo pesguntáys?
cuydo que con mal andáys.
Sol. — Dímelo, que Dios te vala.
Pr. — Ño tenía más que hazer 115
son poner
mis duelos en vuestra lluengua,
hydeputa, ¡qué prazer!
So. — A mi ver,
hecho te han alguna mengua. 120

96 La misma idea recogida en Correas: "Quien me vido algún tiempo / y me ve agora, / ¿cuál es el corazón que no llora?" (p. 423).
119 Desde aquí en adelante, en vez de *Sol* para el personaje *Soldado,* dice solamente *So.*

Pr. — No es eso ¡miafé! senor,
son de que soys de ciodade,
y andáys siempre con ruindade;
miafé, he de vos temor.
So. — Pues dime ya en dos razones 125
tus passiones.
Pr. — Estoy de cordojos lleno.
Sálenme a reborbollones
sospirones
a montones, por quien peno. 130

So. — ¿Por quién penas, compañero?
Declárame ya tu mal.
Pr. — ¿Ya no vos digo que es tal
que ñunca tien buen tempero?
So. — Ora no puedo acabar 135
de pensar
la causa de tu dolor.
Pr. — Y'os lo quiero declarar:
es amar,
grandes quexigos de amor. 140

So. — ¿De amores tan mal te sientes
en estas brauas montañas,
entre peñas y cabañas,
no conuersando con gentes? [Cijra]
Pr. — Es grande mi sobrecejo, 145
y muy sobejo.
So. — Esfuerça, ten osadía.
Pr. — ¡O, pesar de san Conejo!
Es mal tan viejo,
qu'es más ñueuo cadaldía. 150

So. — No te espantes, labrador,
que el amor tiene tal maña,
que, después que muestra saña,
hostiga su disfabor.
Pr. — Y aun por zagales qu'[h]e vido 155
y he oýdo

que por grimas y cordojos
de amoríos, se han vencido,
so aborrido
verlos muertos por antojos. 160

De los quales en mamoria
tengo muchos perpassanos
que murieron mal llogragos
desta tan gran vanigrolia.
Phileno él se mató 165
y murió
por amores de Zafira.
Dezime, ¿qué haré yo?
Muerto só
si este mal ño se me tira. 170

También me ñembra Pelayo,
aquél qu'el amor hyrió,
que en aquel suelo quedó
tendido con gran desmayo.
So. — Desso no te has d'espantar 175
ni dudar,
que su furia muchos mata.
Pr. — Ño's podré oy acabar
de percontar
zagales que acá maltrata. 180

Que BrasGil por Beringuella
passó vn montón de quexumbres
por montes, cuestas y cumbres,
hata que topó con ella.
Y aun Mingo, si se decrala, [Cijrb] 185
por Pascuala

160 *so aborrido / verlos muertos por antojos.* 'Me duele, estoy desesperado de verlos muertos por capricho.'
163 *perpassanos* y *mal llogragos.* Rimas imperfectas por equivalencias y alteraciones rústicas. Las dos responden a *-ados* (v. *Equivalencias*).
183 F.: *cambres.*

mill quillotranças passó;
y el que por esta zagala
pompa y gala
dexó, y pastor se tornó. 190

Y aun Christino, en religión
se metió y dexó su hato;
después amor, de rebato,
le sacó de su intención.
Embióle mensajera 195
muy artera,
que lo tentasse de amor,
nimpha llamada Febera,
muy artera,
y boluióle a ser pastor. 200

So. — Si te comienço a contar
de caualleros troyanos
y enamorados romanos,
será para no acabar.
Quanto más que aun oy padescen 205
y fenescen
tantos, que en ellos no ay cuento,
y otros la vida aborrescen,
y se ofrescen
a morir con gran tormento. 210

Que vnos viuen con pesar,
y otros mueren con plazer,
y otros de grado y querer
se consienten cautiuar.
Están más viuos los muertos; 215
más despiertos
los que más están dormidos.
Su concierto es desconciertos,
y sus puertos
son peligros muy crecidos. 220

205 F.: *padecen.*

Pr. — Miafé dessas garatusas,
hartas ya por mi pecado,
me traen amodorrado.
So. — Dilas ya, ¿por qué rehusas?
Pr. — Ño las podré rebossar,
ni habrar, [Cijva]
que s[e]opilaron nel pancho;
si no por el sospirar,
sin dudar,
ya rebentaría d[e]ancho. 230

So. — Díme d[e]ónde eres, zagal.
Pr. — D[e]aquí soy, de Mogarraz.
Si saber mi ñombre os praz,
soy Prauos del Carrascal.
So. — Dios guarde tu loçanía 235
y mancebía.
Pr. — ¡Miafé! Ya yo, yo ya, ya...
So. — Quítate dessa porfía
y terrería.
Cata que te matará. 240

Que en la enfermedad virtud,
dizen que es más alabada,
y a tu passión namorada
Dios le quiera dar salud.
Pr. — Ya para mi joventud 245
ataúd
es la grima que me duele.
So. — Sossiega, ten quïetud.
Solicitud
ten ya por que no te assuele. 250

Que vn contrario cura al otro:
al frío cura el calor,
y al desamor el amor.

221 *dessas garatusas,* con valor partitivo.
232 Falta *Prauos*, el nombre del personaje, en F.

Pr. — Ño es mi mal desse quillotro.
So. — La yra cura paciencia. 255
y la sciencia
da salud a la yñorancia;
diligencia a negligencia.
Pr. — Do aÿ bienquerencia,
ño aprouecha auer mudancia. 260

So. — La luna llena y crescida
¿no l'as visto ser menguada?
La nieue fría y elada
¿no l'as visto derretida?
¿y al heruor con su heruer, 265
descrecer?
¿y al toro brauo en melena? [Cijvb]
¿y a lo verde seco ser?
Ansí, a mi ver,
podrá ser gloria tu pena. 270

Pr. — La verga nueua del robre
muy fácilmente es torcida,
mas, desqu'es viga crescida,
ño ay fuerça que la desdobre.
Y el principiar del camino, 275
si no ay tino,
haze al fin muy gran herror.
Bien tal soy, triste, mezquino,
pues contino
me acude el viejo dolor. 280

Entra Pascual.

Pas. — Ha, Prauos, a, zagalejo,
¿qué hazes? Pra. — ¡A, Dios te praga!

267 *en melena.* Del todo improcedente la interpretación de Hermenegildo: 'cámaras'.
271 F.: *nucua.*
282 F.: *praha.* En los otros casos, con g (por ejemplo en B. 455, B. 549 y C. 710).

Tengo acá dentro tal llaga
que me rebudia el pellejo.
Pas.—Que qué? ¿qué? ¿Qué dices? ¿qué?
Pr.—Ño lo sé.
Pas.—Ñunca te falta ruyndá.
So.—Ya le he dicho ¡por mi fé!
lo que sé.
Pr.—Senor bueno, perdoná. 290

Que ñ'os vía, en mi concencia.
So.—Anda, ve, que eres matiego.
Pas.— ¡A, ño! ¡pese ora [a] Sampego
con vuestra gran perpotencia!
Si pensáys de me espantar 295
y vltrajar...
¿Quién es éste, por tu vida?
Pr.—Véselo tú a perguntar
y demandar.
Pas.—¿Hízote éste la herida? 300

Pr.—Es vn valiente hidalgo
que me a dado gran consuelo.
Pas.—Ño te fíes, ¡pese al cielo!
que ño ay huzia en perrigalgo.
So.—¿Qué hablas, auillanado, 305
bastardado, [Ciijra]
bruto, tosco, melenudo?
Ya me tienes enojudo.
Pas.— ¡Tal cuydado!
También vos a mí sañudo. 310

Pr.—Primo Pascual, ño te yguales
con quien sabe más que tú.
Pas.—Pues dime ¿aqueso qué hu?

284 F.: *el pelsejo.* Así en Hermenegildo.
287 F.: *le falta.* Lihani da *le falta* también.
298 F.: *Vésolo tú a prrguntar.* (También puede ser *preguntar.*) Para una simple errata de *so* por *se* no son necesarias tantas disquisiciones como hace Lihani (*El lenguaje,* pp. 221-222).
304 F.: *huzia er perrigalgo.*

Pr. — Acá está en los mamoriales.
Pas. — ¿Dó te da más amenudo 315
esse mal mudo?
¿na cholla o los estentinos?
Pr. — Ño lo atino, qu'es muy crudo.
Pas. — Ño lo dudo.
Pr. — Más escabroso es que espinos. 320

Pas. — Con madresilua y gamones
sanarás, y maluarisco,
y con rábano gagisco,
encienso macho y bayones,
flor de sago y doradilla, 325
y mançanilla;
es muy chapada hesica.
Que ño ay vesibro de villa
sin tranquilla.
Que ansí sané mi borrica, 330

que andaua bien de tu suerte,
medio mustia y mangonera.
Si aquesto yo no le hiziera,
ya debrocaua de muerte.
So. — ¿Qué dizes, y estás parlando 335
y hablando,
diziendo mil necedades,
torpemente comparando
y aprobando
tus mentiras ser verdades? 340

Aquéste anda penado.
¿No sientes tú su fatiga?

328 El sentido es: 'Todos los médicos de la ciudad tienen su engaño. Es mejor el empleo de mis hierbas, chapada medicina, que así sané yo a mi borrica que estaba como tú'. Pero el trozo admite otra interpretación al puntuarlo de otra manera: *Que ño ay vesibro de villa, / sin tranquilla, / que ansí sane mi borrica...* 'que no hay médico de ciudad, por bueno que sea, de los que no emplean engaños, que sea capaz de sanar mi borrica como yo cuando estaba medio mustia y le di mis hierbas'.
340 F.: *mentiran.*

Es la vida su enemiga;
muerte pide su cuidado.
Pas. — Más cuydo que anda, senor, 345
saluo honor,
trasijado de correncia. [Ciijrb]
So. — Anda que aqueste dolor
es de amor,
el qual no sufre paciencia. 350

Pas. — ¿Nifica amor morteruelo,
morcilla o quiçás mortaja?
¿Murcia, muérdago, o mordaja?
o quiçás deue ser muelo.
So. — ¡Qué donoso adjetiuar, 355
y acertar!
Pas. — ¿Cómo qué? ¿que ño he acertado?
Llugo, ¿amor es el mamar
hasta hartar
las cabras de rellanado? 360

Diffinición de amor

So. — Es amor transformación
del que ama en lo amado,
do lo amado es transformado
al amante en afición.
Es el peso puesto en fiel; 365
es niuel
que haze ser dos cosas vna.
Es dulce panal que en él
cera y miel
se contiene sin repuna. 370

Y este amor nel coraçón
nace y crece y reuerdece,
y en el desseo florece
y el su fruto es afición.

346 Equivale al actual 'con perdón'.

Cógese en toda sazón, 375
con passión,
y es sabroso y amargoso,
y es de mala digestión.
Da alteración;
dexa el cuerpo emponçoñoso. 380

Pas. — Esse amor ¿es colorado?
¿o verde, azul, o pardillo?
¿Quiçás blanco o amarillo?
So. — Es de color muy morado,
y es muchacho niño y ciego, 385
y es de muy bella facIón. [Ciijva]
Tira saetas de huego,
sin sossiego;
siempre hiere a traÿción.

Pas. — Dende aquí al diablo dó 390
a rapaz de tan ruyn maña.
Éste, cuydo, en la montaña,
ogaño a vn pastor hirió.
Pr. — Y a mí ¿ño me tiene muerto?
Pas. — ¡Qué concierto! 395
¿Dó te dió y a dó se fué?
So. — Es certero, muy despierto.
¡O, puto tuerto!
Su llaga es de amor y fé.

Pas. — A buena hé que en sabencia 400
más sabe qu'el ñuestro crego...
¿Ño le oteas su sossiego?
¿Quién es vuestra reuerencia?
So. — Soy vn hombre de seguida,
que la vida 405
traygo puesta en la ordenança.
Pas. — Llamo essa vida perdida,
y aborrida,
pues que en ella ño ay holgança.

400 F.: *buena hu.*

Pr. — ¿Quiçá soys de los que andáys 410
como grullas en rincrera?
¡Dios! que traés ruyn manera
si a ello mucho vos days.
Pas. — El son de tarabolán,
tan, tan, tan, 415
¿sabéys, senor, qué decrina?
Pr. — Que tarde los pagarán.
Pas. — O morirán
todos de mala morrina.

Éssa es vida de holgazanes. 420
Aquéssa es vida sin ley.
No teméys a Dios ni al rey.
Andáys hechos ganapanes,
sin vergüença y sin concencia;
con hemencia 425
alçáys todo lo mal puesto,
mostráys muy fiera presencia [Ciijvb]
sin resistencia;
tal viuir es desonesto.

Pr. — Andáys de aldea en aldea 430
comiendo de guadrimaña:
quien más puede, más apaña;
viuís de garauatea.
Pas. — Gallinas, pollos ni pollas,
ni las ollas, 435
ño escapan de vuestras manos,
tocino, vino, cebollas,
bollos, bollas,
los huebos, güeros y sanos.

So. — No trates dessa manera 440
a los pobres compañeros,
que con falta de dineros
se suel atreuer quienquiera.
Pas. — ¿Y atreuéysos a hurtar,
y a robar, 445

y a comer sudor ageno?
Pues si digo el blasfemar
y reñegar,
todo el mundo tenéys lleno.

So. — Pues no hazemos tanto mal 450
que no hagamos algún bien,
que a la gran Jerusalén
ymos assentar real.
Pr. — Cuytada de la morcilla
que la lancilla 455
pudiere deshollinar.
Nadie de vuestra cuadrilla
ha manzilla
de quanto puede aliuiar.

Pas. — Soys milanera y langosta 460
por las tierras donde vays;
miafé todo lo dexáys
agostado a poca costa.
So. — ¡Ciego, lleno de malicia!
La justicia 465
nosotros la sostenemos.
Pas. — Miafé, con vuestra codicia
y auaricia [Ciiijra]
la confundéys, según vemos.

Y aun aquesso passaría, 470
mas ¡mucho de ñoramala!
ño se os escapa zagala
por toda esta serranía.
So. — Dime ¿quién podrá dexar
de amar? 475
¿No vees que somos humanos?
Pas. — Sí; mas no deuéys llegar,
ni tocar
las zagalas de serranos.

477 Falta indicar en F. el interlocutor del Soldado, es decir, Pascual.

So. — En los casos del amor, 480
jamás ouo resistencia.
Pr. — ¡Ay! que aquessa pestilencia
me acossa con gran dolor.
So. — Consuélate tú comigo,
buen amigo, 485
que también yo estó llagado.
Pr. — A, ño, ¡pese a san Rodrigo!
¡digo! ¡digo!
Vuestro mal ño me da vado.

Pas. — Barbudos, por espantar, 490
andáys, y miráys ceñudos.
Mostráys los gestos sañudos;
vuestro oficio es renegar.
So. — Quien bien cree, bien reniega.
Pas. — Dios te prega. 495
Ño vos dirá aquesso el crego.
So. — Hazéys vida acá matiega.
Pas. — Y allá ciega,
pues con ella os ys al huego.

So. — ¡Juro a tal! Si te arrebato, 500
que te buelua del reués.
Pas. — Soncas ño so de valdrés,
ni so çamarra o çapato.
So. — Pues dart'é vna bofetada
tan pegada 505
qu'escupas diez años muelas.
Pas. — Peor será que pernada [Ciiijrb]
recalcada
con çapato de tres suelas.

So. — Haré de tus huessos birlos, 510
desossarte hé pieça a pieça,
y bola de tu cabeça.
Pas. — ¡Ay! ¿Qué cosa es chirlos mirlos?
So. — ¿Tú no vees que me demudo?
Di, lanudo.

Dime, ¿no sudas de miedo?
Desgarrarte he todo crudo,
don xetudo.
Pas. — Quit'allá, ño habrés de dedo.

So. — Haréte del culo chupas 520
y de las mangas girones.
Pas. — Con vn canto y dos mojones.
So. — Y ¿cómo no sufres chufas?
Pas. — Guarde Dios al rey Herrando.
So. — ¿Y estáys habrando? 525
Pas. — Ya ño es tiempo de albardanes,
que a los que andan hurtando
y aliuiando
cuelga de los passapanes.

So. — No te vean más mis ojos. 530
Pas. — ¿Vos hauréys matado ciento?
So. — Son tantos que no ay cuento.
Pas. — ¡Quiçás que ño fuessen piojos...!
So. — Ya me hueles a defunto.
Bien barrunto 535
tu morir sin confessión.
Cortar t'é bofes y el vnto,
en este punto.
Pas. — ¡Doy al diabro el panfarrón!

So. — ¡O, mal grado, o despecho! 540
O, derreniego y no creo;
hago vascas y pateo.
¡O, mal villano contrecho!

525 Falta en F. la indicación del interlocutor en este verso y el siguiente.
528 F.: *aliuiado.*
529 F.: *passapaues.* El sujeto de *cuelga* es *el rey Herrando,* cinco versos más arriba. Es uno de esos casos en que un parlamento se ve interrumpido por una intervención de otro personaje, y continúa después. (V. unos versos más abajo. El v. 586 de *Prauos* se ve interrumpido por el 587 del Soldado y la idea se recupera en seguida en los versos 588 y 589.)

Pr. — Passo, passo, ya, senor,
por mi amor, 545
¿y tan presto os enojáys? [Ciiijva]
So. — ¡O, hydeputa, traydor,
burlador!
Pas. — ¡Pardiós! Presto os ensañáys.

So. — Pues arrojart'é tan alto 550
que no acabes de caer
en tres años, a mi ver.
Pas. — Ño salto yo tan gran salto.
Pr. — Do me hauéys de consolar
y curar, 555
¿armáys renzillas y enojos?
So. — Razón tienes, sin dudar,
de te quexar.
Pr. — Ora, ño aya más cordojos.

Pas. — Doy al diabro el galabardo. 560
So. — ¡No te sotierre so tierra!
Pas. — ¿Cuydáys que andáys en la guerra?
Pr. — ¡Ay de mí, que ansí me ardo!
Pas. — Diz que me a de hazer saltar
y arrojar. 565
So. — Mira, cata no te espantes.
Pr. — Ya ño más son abraçar,
y a tornar
a ser amigos como antes.

Que lo que éste vos dezía 570
ñ'os lo dezía él por mal.
Pas. — Ño, ¡pardiós! ¡por Sandoual!
son por prazer lo hazía.
So. — Si assí es, yo soy contento,
y consiento 575
de ser por esso tu amigo.
Pr. — Pues, sus, abraçay con tiento;
ponte essento.
Pas. — De aquí por vuestro me obrigo.

Pues esta armadija, ¿qué es? 580
So. — Aquesta es vna alabarda.
Pas. — ¿Qué dezís, senor, albarda?
So. — Alabarda, necio, es.
Pas. — ¿Y aquessotro? So. — Es vn puñal.
Y aun ¿qué tal? 585
Pr. — Más garrote de recuero.
So. — Es vna arma manual. [Ciiijvb]
Pr. — Más destral
paresce de azemilero.

Pas. — ¿Y esta cuchilla derecha? 590
So. — Espada es con que matamos
a los con que peleamos.
Pas. — ¡Juri a mí! mucho está herguecha.
Pr. — Las ñalgas descobijadas,
destapadas, 595
andáys en guis como mona.
So. — Por traer más aliuiadas,
descansadas,
las carnes cualquier persona.

Pas. — Y aquestotro ¿qué es? So. — Un peto. 600
Pas. — ¿Y a qué traés esta cruz?
So. — A que a nosotros dé luz.
Ya [a] ella el mundo es subjeto.
Pas. — ¿Qué traes en la modorra?
So. — Es vna gorra. 605
Pas. — Después será mollerón.
Pr. — ¡Ay, que ño ay quien me socorra,
nin me acorra!
Pas. — Di qué quieres, compañón.

Pr. — Quiero, queriendo, querella, 610
la muerte ¡si ya viniesse!
¡ay quien vella ya pudiesse!

597 *F.*: *aluiadas.*
605 *F.*: *vn garra.*

pues la quiero, y no quiere ella.
So. — Esfuerça y mira, moçuelo,
a Matihuelo, 615
cómo fué tan esforçado.
Pr. — Sí, mas ponme gran recelo
y desconsuelo
Macías, el mallogrado.

So. — El vno desesperó, 620
y el otro con esperança,
y con viua confïança,
mira bien lo que alcançó.
Pr. — Al cabo de mill reñegos,
sin sossiegos, 625
vino a vencer el cuytado.
So. — Venció mill furias y fuegos
con sus ruegos, [Ciiiijra]
y dió descanso al cuydado.

Souerbia cura omildad, 630
justicia cura malicia,
la largueza a la auaricia,
la razón, sensualidad;
lealtad a traÿción;
y a la prisión, 635
es salud la libertad.
Pr. — Y al que tiene en la intención
confusión,
¿quién le dará sanidad?

610 Dos interpretaciones: a) *quiero, queriendo, querella,* 'Quiero querer a la muerte, y estoy queriéndola'. El gerundio intensifica el valor de *quiero.* b) *Quiero, queriendo querella.* El *querella* es complemento del gerundio. En ambos casos las tres formas del verbo *querer* aumentan la intensidad de ese querer a la muerte. Es como si se declinara o conjugara un concepto para dar todas sus posibilidades. Comp. la misma construcción en: "Gemit, gemiendo, gemir; / gemit mis esquiuos llantos" (Canc. de Herberay, xcviii). Dámaso Alonso llama a estas construcciones "juegos artificiosos" (v. *Don Duardos,* nota 1.092).

611 *F.*: *vinisse.*

So.—Suelen, suelen consolar 640
mal de muchos los dolores,
mas atízanse en amores.
A los penantes, pesar,
como es fuego centelloso
y enconoso, 645
mientras más arde, más quema;
con furor muy argulloso
y furioso,
más se enciende su postema.

Por esso mientra estouieres 650
pensando en tu gran tristura,
jamás ñunca abrás holgura
ni ternás en ti plazeres,
sino que deues mirar
y pensar 655
qu'es mijor quitarte d'ella,
para poder descansar,
que no andar
toda tu vida tras ella.

Pas.— ¡Por san Juan! que ya he creýdo 660
que diz muy bien el senor;
que este dïabro de amor
te traýe a tí aborrido,
que andauas desfigurado
y desgreñado, 665
que ño decrinauas tú.
Pr.—El senor muy bien a habrado,
mas ¡cuytado! [Ciiiijrb]
es mi mal qual ñunca hu.

640 "Mal de muchos, conhorto es", dice Correas. Pero en los males de amores, en vez de consolar, enciéndense más.
651 F.: *pensanho, tristuxa.*
654 F.: *mixar.*
665 F.: *delgreñado.*

Pas. — Estas rizones me ñota: 670
los ahuncos y descrucios,
sobrecejos, respelluzios
qu'es amorío remota.
Ya ño me puedo sufrir
en oýr 675
al senor alabardero,
aýna me querré reýr,
sin mentir,
¡como habra tan por entero...!

Al diabro ¡qué xufrería! 680
¡oyxte ahuera tal debate!
¡por Sampego!, que me llate
ya la cholla de alegría.
¡A, Prauos!, dime, ¿qué tal
estás del mal? 685
Pr. — Algo me vo mejorando.
Pas. — Tu gesto bien da señal
candïal.
Pr. — Algún poco va afroxando.

Pas. — Muy chapado de entendido 690
solías tú, zagal, ser;
de gran quillotro y prazer,
alegre y galán polido.
No hauía en toda esta tierra,
ni en la Sierra, 695
zagal más regozijado,
soncas qu'el amor destierra
y da guerra
al que l'es aficionado.

Pr. — Ando trefe y trasijado. 700
So. — Cierto téngote manzilla.

673 *remota.* Es alteración rústica. Quiere decir "denota".
680 *xufrería.* Sustantivo formado sobre *sufrir* (v. *Equivalencias,* p. 56).
700 F.: *anda.*

Pas. — Di quién es la zagalilla
que te tray assí acossado.
Pr. — Miafé ño podré dezillo.
So. — Di, carillo. 705
Pas. — Diños, diños quién es ella.
Pr. — Ño podré con omezillo
de sentillo. [Ciiiijva]
Pas. — Dilo y vamos llugo a vella.

Dilo, dilo, ¡Dios te praga! 710
que ño ay mejor çurujano
qu'el herido qu'es ya sano,
para bien curar la llaga.

Pr. — Es Antona de Doñinos,
que en Continos, 715
por mi mal, vi en la velada.
Después la vi entre los linos,
sin padrinos,
y huyóme la reuellada.

Pas. — Ya sé d[e]ónde tú coxeas; 720
¿tú cuydas que ño lo sabo?
Yo te prometo hasta el cabo,
ponga yo cuero y correas,
qu'el domingo que vinier,
si Dios quisier, 725
ha de estar ella en la boda.
Pr. — ¿Lleuarm[e]as tú allá a la ver?
Pas. — Y aun hazer
que quede por tuya toda.

702 F.: *ed la z.*
704 F.: *podr.*
720 *d[e]ónde coxeas*, 'de qué pie cojeas'; *no coxqueas d'esse pié.* Torres Naharro, *Aquil.*, III, 63.
723 *cuero y correas*, 'todo'. El sentido es: 'apuesto todo lo posible a que el domingo la has de ver'. *perderás cuero y correas* (todo), Torres Naharro, *Com. Ymenea*, jorn. IV, v. 93: "*Del cuero salen las correas*, de lo principal sale lo accesorio", Covarrubias, s. v. *cuero*. Chiossone, *Andes venezolanos*, p. 267, también recoge la misma idea: *Del cuero salen las correas.*

Pr. — ¡O, qué gran grolla me as dado! 730
¡Huy, ha, sus, sus, a la brega!
Saltemos, ¡que Dios te prega!
tomemos gran gasajado.
Pas. — Paso, paso, ¡por tu vida!
ten medida, 735
ño des tales saltejones.
Pr. — Esme ya grolia venida,
tan crecida,
que me sal a borbollones.

Pas. — Y aun yo te digo, en verdá, 740
que allí cerca haz su majada.
Pr. — ¿Allí está la enterrïada?
Pues corre, llámala acá.
Pas. — ¡Antonilla, Antonilla,
zagalilla! 745
¡Ha, ha, ha!
An. — ¡Ha, ha, ha, ha!
Pas. — Ven acá presto, carilla.
Ven, bobilla,
dexa el hato y llega acá. [Ciiijvb]

An. — ¿Qué me quieres? Di, Pascual. 750
Pas. — ¿Tú ño vees quál as parado
a Prauillos, maltratado
con amorío mortal?
An. — Dime, dime, di, garçón,
¿con tal rizón 755
me auías tú d'engañar?
So. — Zagala, ten compassión,
de coraçón,
del que muere por te amar.

An. — Senor, deuéys de yñorar 760
los enganos de pastores.

760 *yñorar*. Este verbo puede tener dos valores opuestos: 'saber' y 'no saber'. En este caso, las dos interpretaciones son válidas: a) Seguramente vos sabéis cómo engañan los pastores, y por

Pr. — Ay, Antona, tus amores
m'estorcijan sin dudar.
An. — ¡O, falso, traydor, traydor!
Pr. — ¡Ay dollor! 765
¿aún ño me queréys creer?
An. — Andá para engañador,
burlador.
Pr. — ¡Ay, que muero por te ver!

So. — Pues, zagala, eres graciosa, 770
ño quieras ser zahareña.
Tu amor ¿por qué desdeña
quien muere muerte rabiosa?
Pas. — Mira a Prauos que te quiere
y por ti muere; 775
ño le trates de tal suerte.
An. — Muera si por bien touiere,
y si quisiere.
Pr. — ¡Ay, si viniesse la muerte!

So. — No seas más porfïada, 780
pastorcica, ¡por tu fe!
An. — ¡Pardiós! Yo no lo querré.
Pas. — ¡Y verá la reuellada!
So. — ¿Cómo no as manzilla d'él?
¡No seas cruel! 785
An. — Anda, senor, con engaño.

---

eso no le hago caso. b) Seguramente vos no sabéis que los pastores engañan, pero yo sí lo sé, y por eso no le hago caso. Spitzer (RFE, XXIV), p. 35) cita este ejemplo con sentido de 'conocer' sin decir de quién es. V. también con sentido de 'conocer': *no iñoro pisca del son,* Torres Naharro, *Com. Troph.*, II, 21). Con el mismo sentido de 'conocer' en fjva, verso 90: *Ya te comienço a ignorar.*

767 *para engañador*. Este empleo de *para* es muy corriente en la lengua clásica: *Andad para bellaco.* Correas, p. 531. Hermenegildo puntúa mal.

772 No hay sinalefa entre *tu* y *amor.*

785 Para la buena medida del verso, hay que contar: se-as-cruél, o bien seas-cru-él.

Pr. — Ño me embreuajes con yel,
pues la miel
de tu gala me dió daño.

¡O, desdichado de mí! [Ciiiiijra] 790
que en mal punto te miré.
Mi ventura tulla fué,
pues por verte me perdí.
An. — Si, Prauos, ño me engañases
ni burlasses, 795
todavía te querría;
y si la cruz me jurasses
y me tomasses
por tu esposa, me daría.

Pr. — Yo lo juro en mi concencia, 800
y aun por ésta que la beso,
d'estar en tu amor preso
con gran cariño y querencia.
Pas. — Ora ¡sus, sus! a juntar
y a tocar 805
las manos por sacramento.
Pr. — Que ños praze de las dar,
y otorgar
y ñuestro consentimiento.

Pas. — Y'os desposo; y'os desposo, 810
aunque ño so de corona.
¿Atollas ya? Dime, Antona.
An. — Yo sí atollo. Pas. — ¿Y tú, goloso?
Pr. — Yo también de ser su esposo
soy dichoso. 815

792 *tulla.* Según Cañete, en la ed. 1514 hay sobre esta palabra una quemadura que sólo deja ver la sílaba *la.* Hermenegildo deja *tulla* con reparos. Lihani da *mala.* En *F.* se ven vestigios de estar la palabra *tulla* rehecha a pluma, o por lo menos retocada. Podría pensarse en una *nulla,* aunque sea un cultismo exagerado, no mayor, sin embargo, que *summa* (Diiijvb, verso 617).
799 *me daría* (por tu esposa).
801 *por ésta.* Cruz formada por dos dedos sobrepuestos, que se besa.
811 *ño so de corona,* 'no soy sacerdote'.

Pas. — Y'os calco mi bendición
con prazer muy gasajoso
y amoroso.
No morirás de torçón.

So. — Descansen ya tus cuydados; 820
afloxen ya tus gemidos.
Tus desseos son cumplidos
y tus males acabados.
¡O, pastor afortunado
y bien hadado, 825
y ¡quán dichoso que fuiste!
Pr. — Harto lo tengo llastrado
y trabajado
en passar vida tan triste.

So. — Plázeme mucho, pastor, 830
de tu plazer y holgura. [Ciiiiijrb]
Pr. — Dios vos dé buena ventura,
y vos guarde del amor.
So. — ¿Cómo tanto mal te hazía?
Pr. — Yo diría 835
que ñunca nadie passó
lo que yo por él sofría
cadaldía,
ni se podrá creyer, ño.

So. — Bien sabés ya cómo dixe 840
qu'el amor y su mudança
nos trae siempre en balança
y por voluntad se rige.
Qu'es vna enferma dulçura
cruda y dura; 845
que nos llaga su presencia;
vna imperfecta figura,
sin ventura,
que no tiene resistencia.

Pas. — N'os llegués vos poco a poco 850
a la moça de tal son.
So. — Calla, nescio bobarrón,
que en son de bobo eres loco.
Pr. — Ya fuera transfigurado
y mortajado, 855
si no por vos, senor bueno,
que me hauéys consuelo dado.
So. — Dios loado,
pues pesar de ti es ageno.
Pr. — Mas ¡cómo me rebolcaua 860
el traydor del amorío!
Y ¡quán falso y quán crudío
contra mí se me mostraua!
So. — Pues aún, pues no te mató,
bien te trató. 865
Pas. — Ño curés de rellatar
lo que ya hu y se passó,
y s[e] oluidó,
son tañé hazia el llugar.

Y haremos el desposorio 870
púbrico a todas las gentes;
llamaremos los parientes [Ciiiiijva]
decendientes de abolorio.
Pr. — De todos los rededores,
los pastores 875
vendrán a tomar barbeza;
y la gayta y bayladores,
los mejores,
vendrán todos sin pereza.

So. — Ora, yo quiero yr a ver 880
esse vuestro regozijo.
Pas. — Pues no estéys más en letijo,
ni os queráys más detener.
Pr. — Pues lleuemos gasajado
perchapado, 885
y éntre enmedio la moçuela.

Pas. — Pues cantemos repicado
y entonado.
Pr. — Ora, pues, ¡sus!, Dios te duela.

Fin

¿Quién empeçará primero? 890
Pas. — Empiéçalo tú, zagal.
Pr. — Sacúdelo tú, Pascual,
que sabes de cancionero.
Pas. — Diga el senor si querrá,
que sabrá. 895
So. — Hermanos, no sé, por cierto.
Pr. — Ora, que Antona dirá.
An. — Sí hará.
Pas. — Yo, yo, que so más despierto.

VILLANCICO

Quien sirue al amor 900
con firme esperança,
su fe siempre alcança
alegre fauor.

Ninguno desuíe
do puso su fe, 905
y no desconfíe
de ser cuyo fué.
Y aunque el dolor
le quite esperança,
con su confïança 910
podrá auer fabor,

882 F.: dice *Pu* en vez de *Pas.*

Y aunque no halle [Ciiiiijvb]
remedio en su amiga,
súfrase y calle
y a nadie lo diga; 915
y aunqu'el amor
le ponga en valança,
tenga esperança
de auer d'él fabor.

Pesares, dolores, 920
fatigas y penas,
y miedos, temores,
y graues cadenas,
al buen seruidor
no le dé mudança, 925
ni pena, tardança,
ni ansia, el dolor.

Con largo viuir
se ha lo dudoso,
y lo más penoso 930
con manso sufrir.
Y el disfabor,
con fe y esperança,
haze mudança
boluiéndose amor. 935

La fruta más dura
viene a sazón;
ansí el coraçón
más duro, madura;
y ansí el amador 940
no pierda esperança,
que siempre se alcança
remedio al dolor.

935 F.: *bo uiendose.*

Nadie en poca agua
se deue ahogar. 945
No deue atizar
con priessa la fragua,
y el nueuo amador
no pierda esperança,
que fe y esperança 950
es firme primor.

FIN

[Djrayb]

ÉGLOGA O FARSA DEL NASCIMIENTO DE NUESTRO REDEMPTOR JESUCRISTO, FECHA POR LUCAS/FERNÁNDEZ, EN LA QUE SE INTRODUZEN TRES PASTORES Y VN HERMITAÑO. LOS QUALES SON / LLAMADOS: BONIFACIO, GIL, MARCELO, Y EL HERMITAÑO, MACARIO. ENTRA PRIME/RO BONIFACIO ALABÁNDOSE Y JATÁNDOSE DE SER ZAGAL MUY SABIDO, Y MUY POLIDO / Y ESFORÇADO, (i) Y MAÑOSO Y DE BUEN LINAJE. Y ENTRA GIL, EL QUAL SELO CONTRADIZE Y DISFRAÇA. (ii) / Y EL TERCERO RECITADOR ES MACARIO. ENTRA PA[RA] DARLES ESPOSICIÓN DEL NASCIMIENTO. Y / EL QUARTO (iii) ES MARCELO. EL QUAL VIENE MUY REGOCIJADO A CONTARLES CÓMO (iv) ES NASCIDO / YA EL SALUADOR. Y FINALMENTE SE VAN TODOS A LE ADORAR CANTANDO (v) EL VILLANCICO QUE EN FIN / ES ESCRITO, EN CANTO DE ÓRGANO. ET INCIPIT FELICITER SUB CORREPTIONE SANCTE MATRIS ECCLESSIAE.

Boni. — Ya me rebienta el gasajo [Djra] 1
por somo del pestorejo.
Gran grolia siento en el cuajo;
de aquí descruzio el trabajo
el descuetro y sobrecejo. 5
¡Digo! ¡digo! ¡quál que estó!
¡Rellanpigo!
¡Huy, ha! ¡quán vfano vo!

(i) F.: *efforçado.*
(ii) F.: *diffraça.*
(iii) F.: *qurto.*
(iv) F.: *cono.*
(v) F.: *catando.*
4 F.: *trajo.*

Ñunca tal zagal se vió.
Más quellotro estó que vn hygo! 10

Trayo tanto del prazer
dentro acá en las intenciones,
que ño lo puedo asconder.
La risa, sin detener,
me rebossa a borbollones. 15
Ño ay zagal tan quellotrido
en esta tierra,
tan sabiondo ni entendido,
tan loçano y tan garrido,
aunque vayan a la sierra. 20

¡Cómo ahúto barbihecho,
maguer soy barbiponiente!
Más que vn dado soy perhecho,
en cosa ño so contrecho.
Zagal soy huerte y valiente. 25
Las zagalas que me otean
en ligreja,
¡miafé! todas me dessean,
y con gran muedo se arrean
por sobarme la pelleja. 30

En bodas y en cofradías
siempre soy más remirado;
en gasajos y alegrías,
yendo a nuestras romerías, [Djrb]
soy el más aventajado. 35
En todo el Val de Villoria,
ni el Almuña,
ño ay zagal de tal mamoria,
y aun, si digo en vanigrolia,
ño ay quien comigo conjuña. 40

12 *intenciones,* lo más íntimo, el ánimo quizá. Es inadmisible el valor 'intestinos' que le da Lihani, *Farsas...*, p. 198, n. al verso 12.

18 F. *sabiendo*; Hermenegildo prefiere conservar el gerundio, que no puede ir bien unido con un adjetivo en plan de igualdad.

En correr, saltar, luchar,
nayde me llega al çapato.
Pues en cantar y baylar,
y el caramillo tocar,
siempre so el mejor del hato. 45
Porque a ferias y a mercados
he yo ýdo,
mill zagales curruchados
he topado, y perchapados,
mas siempre los he vencido. 50

Tengo jubón de frolete,
sayo de cestrepicote,
tengo cinto y cauiñete,
caperuça de ferrete,
de sayal vn buen capote, 55
fedegosa y dos çurrones,
y cayado,
llugas, pañicos, calçones,
d'estopa dos camisones.
¡So gran pastor de ganado! 60

Gil. — ¡Nunca medres en la greña!
¡Maldiga Dios tu pelaje!
Bo. — ¿Por qué, Gil?
Gil. — Di, ¿ño as vergüeña?
Juro a diobre que o te reña.

41 F.: *saltal.*
48 F.: *zugales.*
61 Comp. "si nunca medre tu greña", Encina, p. 104.
64 El pronombre de primera persona aparece en algún punto del leonés como *o* (v. Zamora Vicente, *Dialect.*, p. 169). En toda la obra de Lucas Fernández no se da otro ejemplo, pero podemos admitirlo así. Aunque en el fondo sea el mismo fenómeno, podría dársele otra interpretación: El pronombre *yo*, pronunciado a la manera portuguesa como ocurre en muchas obras de este tiempo (v. *Lusismos*, p. 44) debía tener una yod muy poco cerrada, casi una *e*, puesto que forma sinalefas siendo la vocal intermedia de otras dos más abiertas (v. Dámaso Alonso, ed. de *Don Duardos*, nota al verso 1.823) y véase también Teyssier, pp. 357-358: "Le yod... avait en portugais une prononciation beaucoup moins nettement consonantique qu'en castillan"). En este caso, según la costumbre de Lucas Fernández de embeber

Bo. — ¿Qué habras, bruto saluaje? 65
Gil. — Di. ¿Por qué te vas loando,
muy gozoso, [Djva]
y a ti mimismo alabando,
y contigo mismo habrando,
muy lloco y vanagrolloso? 70

B. — Calla, ¡calla enoramala!
Otro ruyn cuydo tenemos;
cada qual hazcas se yguala.
Si tú pides la alcauala,
quizás que la partiremos. 75
G. — ¿Quién sos tú?
B. — Más tú ¿quién sos?
¡Oyxte, necio!
G. — ¡Juro al cuerpo! ¡ño de ños!
B. — Atentay la lengua vos,
ño habréys tanto por desprecio. 80

G. — ¡Quita allá!
Bo. — Mas ¡tirte allá!
G. — ¿Qué queréys?
Bo. — Mas ¿qué queréys?
G. — Juro a san Hedro, quiçá...
B. — ¿Qué quiçá?
G. — Mas ¿qué?
B. — Mas ¿ha?
¡Ea ya; ño m'enruynéys! 85
G. — Ño puedo entender, zagal,
ni percundo,
tu enfingir de mayoral.

---

una vocal en otra contigua (v. *Contracciones*, p. 51) pudiera la *e* estar embebida en el *que*, y dejar la *o* libre. Comp. B.349.
65 En *F.* falta el nombre del personaje *Bo*, que contiende con Gil.
68 F.: *minismo.*
71 Aparece *B.* como interlocutor. Hasta ahora ha sido *Bo.*
72 *Otro ruyn tenemos.* Debía de ser corriente la frase. Correas recoge: "Otro bobo tenemos, dijo el Conde de Lemos" (p. 374).

B.— ¡A la he! Sabe que soy tal
que ño ay mi par ni segundo. 90

Yo soy muy gran lluchador.
G.—El que [a] Anteo destripó
asmo yo que hu mayor.
B.—Ahotas ño corredor.
G.—Hulo el mostruo qu'él mató. 95
B.—Ansí ño, galán garçón.
G.— ¡Ho, ho, ho!
¿Cómo estás tan panfa[r]rón?
Más que tú lo hu Absalón,
mas dí qué muerte murió. 100

B.—No, qu'en todo soy embiso,
y en trónicas de amorío...
G.—¿Harto ño lo hu Narciso,
el qual, como ñecio, quiso
morirse de modorío? 105
B.—Tú deues tenerme en poco
pues me hulgajas.
Asmo cuydo qu'estás lloco.
G.—Ño sabes limpiart'el moco, [Djvb]
y yergues de nueuo varajas. 110

B.—Sé armar yo mill armandijas,
ñagaças, llazos, cegeras,
mill llagartos, llagartijas
tomo, y otras sauandijas,
cuerbos, pássaras trigueras, 115
conejos y llebrastillas,
y en la llosa

90 Comp. "no tiene par ni segundo", Encina, p. 357.
96 *B.* se refiere al razonamiento con que le contradice su interlocutor.
105 Veo dos interpretaciones: a) *morir d*[*e*]*ese modorío,* 'de ese m'. b) *morirse de modorío,* con transposición gratuita del pronombre *se* (v. *Erratas de autor,* p. 21). Me parece mejor la segunda interpretación, pues en la primera habría que suponer que el *ese* no se escribió con doble *ss,* y esta norma es casi segura en toda la obra de L. F.

me caen mill passarillas
sin armarlas en costillas,
y aun derraué vna raposa. 120

G.—¿Mamarás tú a muerde y sorbe
vna oueja o vna cabra,
sin qu'el mazcujar t'estorue?
Ea, ñayde ño se torue,
que ño sabéys do va tabra. 125
B.—Esso es ¡miafé! huerte cencia,
mas sin dudar
digo, ha, que la nacencia...
jamás touiste sabencia
cómo se ha de partear. 130

G.—¿Trisquilarás tú vna oueja
sin llegar los pies al suelo,
sin mordiscar la pelleja,
sin que se caya guedeja,
a pospelo y rodopelo? 135
B.—En eso doyte ventaja,
mas de ordeñar
jamás supiste migaja.
Si es mamilla o si es rendaja,
ño la sabrás callostrar. 140

G.—Sé yo andar al piquixuelo.
B.—Yo también, ¿desso t'engrillas?
Y aun sé saltar sin recelo.
G.—Más salto que tú, moçuelo,
y aún daré mill tombadillas. 145

119 F.: *in* puede interpretarse *sin armarlas,* pero en F. no se ve espacio para la *s caída.* El sentido es 'me caen en la *llosa* (trampa) mil pajarillos, sin necesidad de armarles *costillas*' (otra trampa).

128 Dos interpretaciones: a) *digo, ha, que la n.* El *ha* afirmativo (otro ejemplo en f. 158), 'digo, ciertamente que...'. b) digo ¿a que la nacencia...?, 'apuesto a que la nacencia...?'. Así lo ve Hermenegildo.

139 F.: *mamamilla.*

140 Hermenegildo aisla el verso 139 del 140, con lo que este último queda en el aire.

B. — Ahotas que tumbas mucho.
G. — ¡Hy de pucha!
B. — Pues días ha que ño lo he ducho.
Mas si me dusño el capucho
más ñadaré que vna trucha. 150

G. — Ora enfinges, Bonifacio. [Dijra]
B. — Ay, ¿ño tengo d'enfengir
de mi casta y gerenacio?
G. — Rellátalo aquí despacio.
Dexemos el peridir. 155
B. — Yo soy hijo del herrero
de Rubiales,
y nieto del messeguero.
Prabos, Pascual y el gaytero
son mis deudos caronales. 160

Y aun es mi madre senora
la hermitaña de san Bricio.
G. — Éssa es gran embaÿdora,
gran dïabro, encantadora.
B. — Muger es de gran bollicio. 165
G. — Medio bruxa asmo qu'es,
y aun aosadas,
que si buscarla querrés,
cada noche la topéis
por estas encruzijadas. 170

Una vez entré en su hermita,
y porque llegué a vn altabaque,
corrió la vieja maldita
por me açotar muy afrita.

147 En *F.* los versos 148-50 aparecen en boca de Gil. Parece más natural que *G.* diga el verso anterior (147) y el siguiente (151), que dirige a Bonifacio, mientras los 148, 149 y 150 los asignamos a Bonifacio, pues que están dentro de la línea de exageración de éste.

155 Según el sentido y la medida del verso doy *peridir,* como Cañete y Hermenegildo. Pero *F.* da claramente *pidir,* sin que en la *p* se note rasgo alguno de que valga *per.* Lihani lee *pidir.*

Por huýr le solté un traque. 175
Dime si es caso del Papa
este pecado,
que allá me quedó la capa.
B. — De pecado ño se escapa
si se te soltó en sagrado. 180

G. — ¡Qué ojos tien tan ñublosos,
manantïales de vino,
muy vermejos, pitañosos,
lamparosos, lagañosos,
siempre le lloran contino. 185
Pichel, jarro o cangilón,
qu'ella toma
con muy sancta deuoción,
le pega tal suspirón
que ño le dexa carcoma. 190

B. — Sabe legar, deslegar,
haze cient mill bebedizos
para bienquerencias dar. [Dijrb]
También sabe en cerco entrar; 195
sabe de agüero y de hechizos,
sabe de ojo y aun de estrella,
y es dauina.
¡Grolla habrás de conoscella!
G. — ¡Quán gran puta vieja es ella!
Peor es que Celestina. 200

B. — Sabe hazer bollo maymón,
y haze asbondo çahumerios
de las barbas del cabrón.
Toparl'as hecha visión
de noche en los ceminterios. 205
Tiene soga de ahorcado,
y de sus dientes;

179 F.: *esçapa.*
187 F.: *jaro.*
207 El sentido parece ser 'Tiene soga de ahorcado y dientes (de ahorcado)'. Tendríamos así un caso de valor partitivo.

las burras ha encomendado
y de los llobos librado.
G. — ¡A, ruÿn seas tú y tus parientes! 210

B. — ¿Tienes tú otros mijores?
G. — Todos somos de vn terruño,
baxos, altos y mayores,
pobres, ricos y senores,
de Aldrán viene todo alcuño. 215
Vencivos, don çahareño,
¡por san Vasco!
B. — Tu saber ño lo desdeño.
G. — Pues quédate adiós, que vn sueño
vo a dormir tras vn carrasco. 220

B. — No te has d[e] ir.
G. — ¡Pardiós! iré,
qu'estoy todo amodorrado.
B. — Ño yrás, que yo te terné.
G. — Pues aquí me arrojaré,
y amajadaré de grado. 225
B. — ¿Tú ño vees que te hurtarán
la churumbella,
y que los llobos vernán
al ganado, y matarlo han?
Vela, zagal, vela, vela. 230

¿Ño sabes que por dormir
muchos zagales perdieron
sus rebaños sin sentir?
Hazienda, fama y viuir
soñando la consumieron. [Dijva] 235
G. — ¿Qué rotrónicas que cantas?
Di quién son,
que me asombras y me espantas.
B. — ¡Yergue d[e]í! ¿Ño te leuantas?
¿Ño te niembras de Sansón, 240

237 *F.: Id quien son.*

y de Esaú, que perdió
por dormir lança y barril?
Y aun Judic descabeçó
a Olofernes, y libró
su pueblo de mano vil. 245
Ysboset descabeçado
dizcas hu,
por dormir muy sossegado,
y el buen Tobías cegado.
¿Por qué ño te yergues tú? 250

Y al otro que por la cholla
todo el crauo le chaparon;
por esso, duerme y ressolla,
bien como burra que atolla,
que allí muerto le dexaron. 255
G. — Ño me persigas ya más,
¡tirte d[e]í!
B. — ¡Juro a mí! ¡Tú t'erguirás!
G. — ¡Ño haré!
B. — ¡Pardiós! ¡Sí harás!
G. — ¿Qué me quieres? Veesme aquí. 260

B. — ¡Dios! ¡que tienes ruynes mañas!
Espereza y echa el sueño,
y espauila las pestañas.
G. — Que me praz ya, pues te ensañas,
mas desecha el bronco y ceño. 265
Ma. — ¡Ha, pastores!
B. — Praz.
G. — Mas ha?

266 *Praz* es la contestación de Bonifacio a la llamada de Macario. 'Estoy atento. Me place lo que me quieras mandar.' Es como el *mande* actual, todavía. Hermenegildo no ve el *praz* como contestación a Macario. (Comp. *praz,* también contestación a una llamada en fiiijrb, v. 538-539). Como también el ejemplo de Encina (p. 112): "Ha, Menga! ¡Pascuala! —¿Praz?".

266 *Mas ha?* Es la contestación de Gil a la llamada de Macario. Los dos pastores contestan al que llega. Contestación de Gil: 'Sí?'.

M.—¿Dó va el camino?
¿Por acá, o por allá?
Por caridad me mostrá,
que con la noche no atino. 270

B.—¿Quién soys que a tal ora andáys?
M.—Hermitaño en San Ginés
so yo.
G.—Pues ¿cómo os llamáys?
M.—Macario.
B.—¿Y dó camináys?
Cuydo que trampa traéys. 275
M.—Cierto no.
G.—Gran famulario
deuéys ser. [Dijvb]
¿Rezáys nesse calendario?
¿Soys bisodia o soys almario?
B.—Mas Sant Ilario a mi ver. 280

M.—No queráys ansí hablar,
pastorcicos malcriados,
G.—¿Andáys a torrezmear?
¿o quiçá a gallafear
por aquestos despoblados? 285
B.—¿Soys echacuerbo, o buldero
de cruzada?
M.—No hables ansí, compañero.
G.—Bien semejás costumero
en vuestra abra mesurada. 290

B.—Dime, ¿es éste fray Zorrón,
el que andaua estotros días
con muy sancta deuoción

290 F.: *obra*, que aquí no tiene sentido. Es más lógico que sea el *habla mesurada* lo que le da el aspecto de 'diestro, ejercitado en hablar' o bien de 'perezoso'.

291 Éste y los once versos siguientes (del 289 al 300) aparecen todos en boca de *Gil*. A mi parecer son más movidos, y los dos pastores, Bonifacio y Gil, intervienen frente a Macario porfiando por inquietarle y enojarle.

para la composición
desplumando cofradías? 295
G. — Va a ganar el sant Perdón,
qu'es fray Egidio.
B. — O, do al dïabro el bordión,
moxquilón y macandón!
¿recabdáys vos el subsidio? 300

G. — Mas quiçás qu'es l'escolar
que echó el nubrado y pedrisco
antaño en nuestro llugar.
M. — No me queráys vltrajar.
B. — Miafé, todo hú abarrisco. 305
G. — ¿Vos soys Pedro de Ordimalas?
¿o Matihuelo?
M. — O, pastor, ¿cómo te ygualas?
De ruindad te nascen alas.
B. — Llegá, démosle sin duelo. 310

M. — No lleguéys a mí, pastores.
G. — Pues ¿por qué nos vltrajáys?
A otros muchos senores
hazemos burlas mayores;
vos, ¿por qué vos enojáys? 315
M. — No es tiempo ya más de estar
en burletas,
que Dios no puede tardar
que no venga ya [a] encarnar, [Diijra]
según hallo en los profetas. 320

B. — Pues soys sacristán o abad,
¿qué cosa es encarnación?

296 *ganar el sant Perdón.* Parece que hace referencia al jubileo o Año Santo de Roma en 1500. V. *Cotarelo* en el Prólogo a la edición facsímil de 1929, p. XX.
308 '¿Cómo te atreves a igualarte con tu superior?'
319 *que ya no puede tardar que no venga,* 'que ya no puede tardar la venida'. En algunas proposiciones negativas, una negación puede convertirse en afirmación (comp. Hanssen, p. 254). Más casos de doble negación: v. nota a B.52.

M. — La sancta diuinidad
tomar nuestra humanidad
para nuestra saluación. 325
G. — ¿Dios y Hombre se ha de hazer
todo yunto?
Ño ay quien vos pueda entender.
M. — Dos naturas han de ser
puestas en punta de vn punto. 330

B. — ¿Sabéyslo de cierto, o no,
que encarnará Dios celeste?
M. — Él mesmo lo reueló
a Adán luego que pecó
nel Paraýso terreste. 335
Y en figuras dió señal
su aduenimiento
en el arco celestial,
y en la sierpe de metal
nos dió gran conocimiento. 340

Y en el arca de Noé
y en el cordero pascual,
y aun en Ysac, el qual fué
obediente.
B. — Aýna diré
qu'en mi vida no oý tal. 345
M. — Y [a] Abrahán, varón prudente,
prometió
de venir de su simiente;
y a David, gran rey valiente,
lo mesmo le concedió. 350

Ossé y Varuch, Geremías,
nos escriben que verná,

335 *nel parayso tereste*. Así en *F*. Hermenegildo corrige *te*[*r*]*restre*. La forma *terreste* sin *r* en la última sílaba, existe en Cabranes (lo mismo que *madrasta*).
346 *Abrahan*. Dos posibles interpretaciones: a) *Y* [*a*] *Abrahán*; b) *Ya* [*a*] *Abrahán*.

Micheas y Malachías,
Sophonías y Esaýas,
y aun diz que no tardará. 355
G. — Pues ¿por qué ha tanto tardado,
padre senor?
M. — Por que fuesse bien llorado
aquel muy viejo peccado
que hizo Adán con deshonor. 360

Mar. — ¡Buenas nueuas! ¡Nueuas buenas! [Diijrb]
B. — O, Marcelo, llega acá.
G. — ¿Qué tales?
Mar. — De gozo llenas.
Descruziemos ya de penas,
qu'es Cristo nascido ya. 365
B. — No es possibre.
Mar. — Sí es possibre.
G. — Dilo bien.
B. — Ora Dios de ti nos llibre.
Mar. — Vn ángel vimos besibre
que dizcas nasció en Bethlén. 370

G. — Dinos, dinos, dinos ora
si burlas o si departes.
Mar. — ¿Ño vos digo que no ha vn hora
que vn ángel vino a desora,
cantando por dulces artes? 375
B. — ¿Y qué te dixo, Marcelo?
¡Ea, ea!
Mar. — Que Dios nasció en este suelo.
G. — ¿Y de quién? Dilo, moçuelo.
Mar. — De vna virgen galilea. 380

B. — ¿Y virgen pudo parir?
Mar. — Alahé, virgen lo parió,

358 *porque* con sentido final, debe ser *por que*. Cañete, Hermenegildo y Lihani dan *porque*. Lo mismo en el verso 155 del *Diálogo para cantar*, donde Cañete, Hermenegildo y Lihani dan también *porque*.

y virgen hu en concebir,
y virgen en produzir
el fruto que concebió. 385
Y siempre virgen quedó
y será,
y fué desde que nasció,
porque ansí se profetó,
y ansí permanecerá. 390

M. — Bendito el Dios de Ysrräel,
que a su pueblo visitó,
pues qu'el gran Hemanüel,
profetado en Danïel,
por saluarnos ya nació. 395
Engendren los coraçones
nueua fe.
Abiuen las deuociones
con muy sanctas intenciones.
G. — ¿Y otra ley ay, digo, o qué? 400

M. — Ya dos leyes son passadas.
La vna fue de natura
y la otra sus pisadas [Diijva]
guió por sendas holladas
de la sagrada escriptura. 405
De gracia es la tercer(a) ley,
más verdadera,
la qual este sancto Rey,
como amador de su grey,
oy nos dió con paz entera. 410

B. — ¿Qué te paresce, di, Gil,
del padre cómo llatina?
G. — ¡Al dïabro! Es muy sotil.
Bien semeja, en su mongil,
qu'es hombre que bien decrina. 415

400 F.: *otro*.
406 Sobra una sílaba. Seguro que el verso está pensado con *la tercer ley*.

M. — Pastorcicos inocentes,
contemplad
los misterios excelentes
qu'esta noche son presentes
en Bethlén essa ciudad. 420

¡O gloria de nueua gloria!
¡O inmensa paz de paz!
¡O vitoria de vitoria!
do fallesce la memoria
con memoria de tal haz, 425
¿Dónde están ya mis sentidos?
Yo, ¿quién soy?
En gozo son conuertidos
nuestros llantos y gemidos,
todos este día de oy. 430

Rompan, rómpanse mis venas
y riésguense mis entrañas
con plazer, pues que las penas
son ya gloria, y las cadenas,
libertades muy estrañas. 435
Buéluase mi voz de hierro,
y dé pregón
que se destierre el destierro
del herror de aquel gran yerro
que nos causó el gran dragón. 440

Buéluanse mis ojos fuentes,
biertan agua de alegría.
Mis cabellos y mis dientes
buéluanse en lenguas prudentes,

420 *Bethlén essa ciudad.* La aposición de dos nombres se emplea por lo regular sin artículo, pero excepcionalmente lo puede llevar (Hanssen, 209). El artículo a veces no procede de *ille* sino que se usa la forma del demostrativo en su lugar (conf. *Cid,* 1700: "essas yentes christianas").

437 La misma construcción *pregón que...* en a. 422-423 y en a. 378-380: *sentencia . . . que.*

440 El diablo.

den gloria a Dios (e)neste día. [Diijvb] 445
Mis miembros enuejecidos,
ya cansados,
muestren gozos muy crecidos,
pues que son ya fenescidos
los dolores y cuydados. 450

B.—Mucho estáys de gloriana,
¡miafé ya! padre Machario.
Echado hauéys vna cana.
Yo vos juro a Santillana
que os percundió grande adario. 455
G.—Quiero's yo'ra pespuntar
vna ñota:
¿A qué quijo Dios baxar
[a] aqueste mundo a encarnar?
Desto ño sabréys vos jota. 460

Qui propter nos homines et propter nostram salutem descendit de celis et incarnatus est de Spiritu Sancto ex Maria virgine.

Aquí se han de fincar de rodillas todos quatro y cantar en canto de órgano:

Et homo factum est; et homo factum est; et homo factum est.

¿Tiénesme agora entendido?
B.—Sí, que a la ygreja he andado,
y zagal soy bien sabido,
y hasta la g he aprendido,
sino que se me ha oluidado. 465
G.—También yo en ñuestro llugar
hué monazillo,

445 *F.*: *en este día.*
465 Comp. "sino que se me ha olvidado", Torres Nah. *Com. Troph.* Jorn. II, v. 46.

y porque me quijo açotar
el sacristán tras l'altar,
di al dïabro el caramillo. 470

B. — Yo's argüyré de veras:
dixi domino de Apodoño,
de Apodoño de apoderas,
de apoderas de las heras.
¡Ño lo atinará el demoño! 475
M. — Que no quiero yo atinar
tus desatinos.
Mar. — Ño te deues de ygualar
con el padre a llatinar [Diiijra]
d'essos muedos ni llatinos. 480

B. — ¿Qué aprouecha encarnación?
Dezí, dezí la verdad.
M. — Saluación y redepción.
G. — ¿Quién obró tal perhición?
M. — La inmensa Trinidad. 485
Mas hallarás a la llana:
sólo el Hijo
tomó nuestra carne humana,
de la qual la bondad mana,
para matar el litijo. 490

B. — Por merced, que ños digáys
d[e]ónde vien su parentela.
M. — Gran cosa me preguntáys.
B. — Miafé ya trastauilláys.
¡Qué ño acierta, Dios te duela! 495
M. — Su padre sabed qu'es Dios
y de consuno
Él con Él es sin ser dos.
G. — Espantáysme ¡juro a ños!
M. — Sábete qu'es trino y vno. 500

471 *F.*: *G.*
485 En *F.* falta el interlocutor, que es *Macario.*

B. — De la madre vos pregunto
si es del tribu de Rubén,
o de Ogad, según varrunto,
o de Asser. ¿Caý a punto?
G. — ¿De Manassé, cuydo, bien? 505
B. — ¿De Josep o Neptalín?
¿o Zabulón?
¿De Leuí, o Venjamín?
¿O viene quiçás que al fin
de Ysachar, o Simeón? 510

M. — Dígote cierto en verdá
que viene por línea reta
del gran tribu de Judá.
G. — A la hé, ¡miafé! digo ha,
qu'essa es casta bien perheta. 515
M. — Cierto son sanctos varones
y prudentes.
Son de reÿs sus ñaciones,
de nobles generaciones
de Dios sieruos y obedientes. 520

B. — Y dezí, ¿dó hu encarnado? [Diiijrb]
M. — En el bientre virginal,
el qual es huerto cerrado
y sagrario consagrado
del tesoro diuinal. 525
Es cáthedra imperïal
del Rey eterno.
Es el jardín celestial;
ésta es la gemma oriental
con la qual gime'l infierno. 530

G. — El ñombre dessa donzella
vos nos dezid.
Maca. — Es María,

504 *¿Cay a punto?*, '¿acerté?'.
505 *bien* es presente apocopado del verbo *venir*.
520 *F.*: *obedientem*.

sobre todas la más bella,
del mar luzero y estrella
que a los nauegantes guía. 535
Del sol está cobijada,
y su corona
de doze estrellas bordada.
En la luna está sentada;
de los cielos es matrona. 540

Ésta es la muy poderosa
qu'el poder tiene en su mano.
Ésta es la perla preciosa,
generosa y más graciosa
que fué en el género humano. 545
Éste es el cofre cerrado
del tesoro.
Es relicario sagrado;
es santüario ensalçado,
es espejo donde adoro. 550

Mar. — Es rosa entre las espinas,
según cuenta ñuestro crego.
Es frol de las crauellinas,
olor de açuçenas finas
que da dulçor de sossiego. 555
Tota pulchra inmaculata
dizcas es,
et ab eterno creata.
Benedicta y más beata
asmo no la conocéys. 560

M. — ¿Y hasla visto tú, zagal?
Mar. — ¿Ño's digo que ya la he visto?
Su haz sancta, angelical, [Diiijva]
en Bethlén so vn portal,
y a su hijo Iesu-Christo. 565
Y con dolor y manzilla,
sin dudar,
me arremeto acá [a] la villa,

a mercar vna mantilla
para su hijo empañar. 570

M. — ¡O altitudo diuiciarum
sciencie et sapiencie Dei.
¡O delicie deliciarum!
¡O sciencie immense scienciarum!
Mar. — ¿Espantaysvos? digo ¿hey? 575
Pues n'un pesebre está echado
este gran rey,
y de heno cobijado,
y con frío afrigulado
entre vna burra y vn buey. 580

G. — Los ángeles gasajosos
andan esta madrugada,
y los cielos muy graciosos,
planetas, synos, gozosos.
B. — ¡Pardiós! cosa es demodrada. 585
Mar. — Yo en los elementos siento
plazentorio.
Gi. — Vamos sin detenimiento
ver tan sancto nascimiento,
pues que a todos es notorio. 590

Fin

M. — Vamos, hijos, no paremos
pues no es razón de parar.
Mar. — ¿No's digo que le lleuemos
algo con que le empañemos?
G. — Mi gauán le quiero dar. 595
Gi. — Pues yo le quiero endonar
mi fedegosa.
Mar. — Yo, vn chibato singular.
M. — Pues ¡sus! ¡todos a cantar
con voluntad muy graciosa! 600

568 *F.*: *aremete.*
579 y 585 *afrigulado, demodrada.* V. *Equivalencias,* p. 56.

VILLANCICO

Verbum caro factum est
alleluya,
et habitauit in nobis
alleluya, alleluya.

Manifiesto a todos sea [Diiijvb] 605
qu'Ést'es nuestro Dios eterno,
nascido chiquito y tierno
de vna virgen galilea.
Luz del pueblo de Judea,
saluador y guarda suya. 610
Alleluya, alleluya.

Ab eterno fué engendrado
este verbo diuinal.
Oy del vientre virginal
nasció de carne humanado. 615
Nuestra flaqueza ha esforçado
con la summa bondad suya.
Alleluya, alleluya.

Procedió bien como esposo
de su thálamo real. 620
Su majestad celestial
nos muestra muy amoroso.
Oy destruye al embidioso
con toda la maldad suya.
Alleluya, alleluya. 625

Ést'es el Dios de Dios vero.
Ést'es lumbre de la lumbre,
que quita la seruidumbre
agora hecho cordero.

618 *F.*: *aleluya.*
623 *al embidioso,* 'al diablo'.

Éste, puesto en el madero, 630
hará al demoño que huya.
Alleluya, alleluya.

Ést'es el Dios de Abrahán,
Dios de Ysac, Dios de Jacó,
y el Dios qu'el mundo formó 635
sin trabajo y sin afán.
Goze, gózese ya Adán,
pues dió sin la culpa suya.
Alleluya, alleluya.

Y ansí todos nos gozemos 640
con este gozo profundo.
Oy se goze todo el mundo
pues que a Dios con nos tenemos.
Toda maldad desechemos.
La ponçoña se destruya. 645
Alleluya, alleluya. 646

640 *F.*: *gozemo.*

[frayb]

AUTO O FARSA DEL NASCIMIENTO DE NUESTRO SEÑOR IESU CHRISTO. FECHA POR LUCAS FER/NÁNDEZ. EN LA QUAL SE ENTRODUZEN QUATRO PASTORES LLAMADOS: PASCUAL / Y LLOREYNTE, Y JUAN, Y PEDRO PICADO. Y EN LA VLTIMA COPLA LLAMAN OTRO PASTOR QUE SE / LLAMA MINGOPASCUAL QUE LOS AYUDE A CANTAR. ENTRA PRIMERO PASCUAL, MUERTO DE / FRÍO, BLASFEMANDO * DE LOS TEMPORALES, Y DOLIÉNDOSE DE LOS GANADOS Y FRUCTOS DE / LA TIERRA. Y EN FIN, ACORDÁNDOSE DE AQUEL PROVERBIO COMÚN, QUE SUELEN DEZIR QUE TODOS LOS / DUELOS CON PAN SON BUENOS, ACUERDA DE ALMORZAR, Y POR QUE MEJOR LE SEPA, LLAMA A / SU COMPAÑERO LLOREYNTE, EL QUAL FALLA DORMIENDO, Y LO DESPIERTA. Y DESPUÉS, OLUIDA/DOS DEL ALMUERZO, IMBENTAN ALGUNOS JUEGOS, LOS QUALES LE ESTORBA EL TERCERO PASTOR, / LLAMADO JUAN, EL QUAL LES VIENE A CONTAR CON GRAN ALEGRÍA EL NASCIMIENTO, EL QUAL YA NARRA/DO, ENTRA PEDRO PICADO, Y EL JUAN LOS LIEUA A BETHLÉN A ADORAR AL SEÑOR CANTANDO Y / VAYLANDO EL VILLANCICO EN FIN ESCRIPTO EN CANTO DE ÓRGANO. ET INCIPIT FELICITER SUB CORREPTIONE SANCTE MATRIS ECCLESIE.

Pa. — ¡Hora! muy huerte llentío [fjra] 1
haze aquesta madrugada.
¡Rabia! ¡y quán terrible elada!
¡Juro a mí que haze gran frío!
El ganado mamantío 5
cuydo que se ha de perder

* *F.: blaffemando.*

si no le echan a pascer
allá ayuso, allende el río,
en algún prado valdío.

Miafé con este tempero 10
que no se críe polilla.
El alborada ya reguil[l]a.
Ya cuydo sale el luzero.
El Carro ya va somero,
hora se haze de almorzar. 15
Quiérome aquí rellanar
con gozo muy prazentero,
como zagal costumero.

En este mundo mezquino,
aquel que se tiene en poco 20
es semejado por lloco,
por astroso y por hazino,
según dize mi padrino.
Digo que de aquí adelante
quiero andar más perpujante, 25
comer, beber; de contino:
tassajo, soma y buen vino.

Comer buenos requesones,
comer buena miga cocha,
remamar la cabra mocha [fjrb] 30
y comer buenos lechones,
y castrones y ansarones,
y abortones, corderitos
mielgos, chibos y cabritos,
ajos, puerros, cebollones, 35
que a pastores son limones.

12 *F.*: *reguila.*
33 Cañete y Lihani dan *mielgos* como si se tratase de un animal más de la serie. Hermenegildo da *mielgos chibos,* construcción que no parece aceptable. Creo que es preferible leer *corderitos mielgos.*
35 También es posible que quiera decir *ajos puerros,* que es como vulgarmente se llama al puerro.

He aquí yesca y pedrenal,
quiero hazer chapada lumbre.
Mudar quiero la costumbre,
descruziar quiero del mal, 40
que cuando come el zagal,
los duelos suyos y agenos
dizcas que con pan son buenos
para desllotrar del mal,
aunque le falte la sal. 45

El prazer y el reholgar
que no es bien comunicado,
no es entero gasajado
ni se puede bien llotrar.
Portanto, quiero llamar 50
primero a mi compañero
que allí está, tras el otero,
y allí suele él apriscar
su ganado, sin dudar.

¡Ha, Lloreynte! ¡dormilón! 55
despierta, despierta ya.
Anda, ven conmigo acá.
¿No despiertas, bobarrón?
Yergue dende, moxquilón. [fjva]
Llo. — Déxame agora dormir, 60
que no me quiero erguir.
Pa. — Miafé, hurtarte [he] el çurrón,
si no yergues, bobarrón.

Cúmprete ya lleuantar
sin más tardar, lluego, lluego. 65
Llo. — Ora te encomiendo al huego.
Pa. — No cumpre más perezar.
Llo. — Déxame ora reposar.
Pa. — Anda, yergue, perezoso.

43 Correas recoge el refrán: *los duelos con pan son menos* (p. 275), y añade: "algunos escrupulean en decir: *son buenos*".

No te cal tomar reposo. 70
No te tengo de dexar,
aunque más quieras estar.

Lleuanta toste prïado,
desecha, desecha el sueño.
Llo. — Aunque estó como en beleño, 75
casi todo amodorrado,
prázeme ya de buen grado.
Pa. — Hydeputa, medio bobo,
si agora viniera el lobo,
¡quál te parara el ganado, 80
mordiscado y sobajado!

Llo. — No te puedo aún otear,
que tengo aquestas pestañas
tan pegadas con lagañas...
Ño las puedo despegar. 85
Pa. — Escomiença espabilar,
los ojos auiua, auiua,
y lábalos con saliua,
y luego me podrás mirar.
Llo. — Ya te comienço a ygnorar. 90

Pa. — ¿No me hauías conoscido?
Llo. — Ño en mi concencia, ¡pardiós!
Pa. — Ora juro hago a ños,
que tú estauas muy dormido.
Llo. — ¡Miafé! estaua amodorrido. 95
Pa. — Dame, dame acá essa mano.
Llo. — ¡Adefuera, y de verano!
Pa. — Abraça a braço partido.
Llo. — Tú seas muy bien venido.

80 *F.*: *parata.*
88 Los 16 primeros versos de la *Farsa racional del libre aluedrío,* de Sánchez de Badajoz, tratan del despertar de un pastor con los ojos pegados: *Escopiña y refregar,* se recomienda el pastor.
90 (Véase nota al verso C. 760.) Aquí *ygnorar,* 'conocer'.

Pa. — Pues da palmadina y todo [fjvb] 100
si quïer por coñociencia.
Llo. — Recaca tu reuelencia
con plazer, abondo y rodo.
Pa. — Ya lo hago con buen modo:
tú seas muy bien venido. 105
Llo. — ¡Dios, qu'estás luzio y galido!
Pa. — No t'entecará ya el lodo.
Llo. — Ya a beber bien alço el codo.

Pa. — Pues ¿qué tal estás, zagal?
Llo. — Bueno, bueno, bueno, bueno, 110
y bien ancho y bien relleno.
Pa. — Gesta traes obispal.
Llo. — ¿Qué tal estás tú, Pascual?
Pa. — También de salud entera.
Llo. — ¿Cómo hu a la sementera? 115
Pa. — Miafé, hunos mucho mal,
con la llubia desygual.

Llo. — ¿Qué tal está allá el ganado?
Pa. — Mis cabras y mis cabritos
asmo que tienen espritos, 120
según que anda oy alterado.
Llo. — Algún rabaz, ¡malpecado!

101 F.: *quien.*
103 *Recaca tu reuelencia,* 'recalca, hazla notar, hazla larga tu reverencia'. Se refiere con esto a la reverencia inicial de los personajes en las representaciones de las farsas y autos. Insiste en el verso siguiente: *con placer abondo y rodo,* 'agradablemente, con abundancia, alrededor'. Pascual en los versos siguientes lo pone en práctica, y dice "tú seas muy bien venido", "con buen modo". Una escena que nos aclara ésta es la de la Introducción de la *Comedia Ymenea* de Torres Naharro (en donde la reverencia es *reuellada*) en los versos 4-5: "Yo's *recalco* vn Dios mantenga / más rezio que vna saeta / y por amor del apero / la *reuellada* muy luenga / y la mortal çapateta". Para el paso *reuerencia* > *reuellada,* v. Teyssier, p. 61.
111 F.: *celleno.*
113 F.: *tras.*
114 F.: *salul.*
121 *alterado* concierta con *el ganado* anterior, y no con las cabras y cabritos como se esperaría.

quiçás te lo espantaría.
Pa. — ¡Juro a diobre! yo diría
que ya me ha todo turbado 125
en verlo ansí derramado.

Llo. — ¡Juro a diez! Yo también siento
esta noche turbación.
Alguna mala visión
rebolbió este turbamiento. 130
Pa. — No, que el cielo mouimiento
de poco acá ha mostrado.
Llo. — ¿Y él es verde o colorado?
Pa. — No ay quien bien le tome tiento,
especialmente en Auiento. 135

Llo. — Unos dizen qu'es el cielo
bien ansí como cebolla.
Otros dicen que es la grolla
de nuestro bien y consuelo.
Mirá, mirá bien, moçuelo, 140
las rellumbrantes estrellas. [fijra]
Llo. — ¡Juri a mí! que están muy bellas;
acá dan luz en el suelo
para apartarnos recelo.

Pa. — Es cosa para espantar 145
de aquesto; ¿qué querrá ser?
Las aues muestran plazer
con su muy dulce cantar.
Llo. — Y animales con bramar,
los campos con sus olores 150
como que touiessen flores;
los ayres en sossegar,
mas no que dexe d'elar.

134 F.: *le tome tino.*
135 F.: *espeeialmedte.*
145 F.: *Pu.*
150 F.: *cos sus olores.*

Pa. — El crego ños lo dirá,
o si no, el saludador. 155
Llo. — Más Benito Sabidor
yo cuydo lo acertará.
Pa. — ¿Y tanto sabe?
Llo. — Digo, ¡ha!
Pa. — ¿Tan terrible es su sabencia?
Llo. — ¡A la hé! tien(e) huerte sciencia, 160
qu'el a.b.c. te dirá,
que lletra no errará.

Pa. — De saber ño lo curemos;
olguémonos, ¿quieres? ¡hau!
Llo. — ¡Marramau y cherrihau! 165
Pa. — Juguemos, ¿quieres?
Llo. — Juguemos.
Pa. — ¿A qué jugo jugaremos?
Llo. — ¿Al estornija y al palo?
Pa. — Ño, ño, ño, qu'es juego malo.
Que ño, ño, que ño juguemos 170
son juego qu'escalentemos.

Dime, di, ¿quieres jugar
al saltabuytre?
Llo. — Ño.
Pas. — ¿Al tejo?
Llo. — ¿No vees qu'é jugo de viejo?
Pa. — ¿Ño te puedo contentar 175
a correr, saltar, luchar?
Llo. — Todos son juegos de mueca.
Pa. — ¿Quieres jugar a la chueca?
Llo. — Sí.
Pa. — Comiénçate ahorrar.
Llo. — Pues ¿dó la iremos (a) buscar?, 180

174 *F.*: *que jugo de viejo.* Interpreto *que (é) jugo.* La 3.ª pers. sing. de presente del verbo *ser* es *é* en algunos puntos del leonés. (V. en Cabranes donde coexisten *é* y *yé*.)
180 *F.*: *Pues do la iremos a busca.*

Pa. — N'os penséys de os escusar,
don zagalote, hel'aquí. [fijrb]
Llo. — Pues vaya vn marauedí,
que aún t'entiendo de ganar.
Pa. — ¿Quiéresme la mano dar? 185
Llo. — No.
Pa. — ¿Pues quieres pan, o vino?
Y el de abaxo haga el pino.
Llo. — Pan.
Pa. — ¿Yo tengo de pinar?
¡Moler, moler y rauiar!

Llo. — Ora pina, pina ya. 190
Pa. — Pino.
Llo. — Sea bien venido.
Pa. — ¡Párate a tuyas, hodido!
Llo. — Mas ¡apártate tú allá!
Jua. — ¡A zagales, ha, ha, ha!
Pa. — ¿Quién es? ¿Quién? ¿Quién ha llamado? 195
Llo. — Creo qu'es Juan del Collado.
Pa. — No es.
Llo. — Sí es.
Pa. — No será.
Llo. — Velo, velo dónde está.

Jua. — ¡A, zagales, no juguéys!
Mirá que os quiero dezir... 200
Pa. — Ño te queremos oýr.
J. — Escucháme, assí os llogréys,
y lluego jugar podréys.
Llo. — Anda, vete, mamaburras,
dende ya, que nos aturras. 205
J. — Oýd, oýd, si queréys,
diré de qué os allegréys.

199 F.: *zagaleo.*
205 F.: *aturas*: *R* fuerte con grafía sencilla, como en otros varios casos.

Pa. — No t'emos d'escuchar;
anda, hydeputa, vete.
Llo. — Don cara de cauiñete, 210
¿N'os queréys dende quitar?
Ju. — Dexadme agora habrar.
Llo. — Vete d[e]í, que no queremos.
Pa. — Dáca, ¡sus! Dáca, tornemos
nuestro juego a començar. 215
Ju. — ¡Auá!, que quiero saltar.

Llo. — No saltes.
Juan. — ¡Miafé! ¡Sí quiero!
Pa. — No saltes, qu'está muy alto.
J. — Recogéme allá, que salto.
Llo. — ¡Passo, passo, majadero! 220
Anda, sínate primero,
y arrojarte has de bruçes.
Ju. — O Jesu, prizilim cruces.
¡Nombre de Dios verdadero, [fijva]
trino y vno todo entero! 225

¿Vesme, vesme dónde vo?
Llo. — ¡Guarda, que te harás pedaços!
Ju. — Recojéme allá en los braços,
y verés qué salto do.
Pa. — No queremos, ¡miafé! ¡no! 230
Ju. — Pues yo quiérome arrojar.
Llo. — Guarda ño quieras tentar
al tu Dios y dominó,
que te hizo y te crió.

Ju. — Pues ¿por dó descendiré? 235
Pa. — Por acá, por acá ayuso.
Ju. — Pues aýna, muéstrame suso,

208 En una de las dos contracciones: *t'emos, d'escuchar,* hay que pronunciar las dos vocales separadas, para la buena cuenta silábica.
223 F.: *crucres.*
229 F.: *vezes.*

y mirá qué vos diré.
Pa. — Ven, que yo te mostraré.
Vaxa por el prado llano, 240
y toma a mano, y dexa a mano.
Ju. — Ya, ya, ya, que bien sabré.
Bien cuydo que acertaré.

Pa. — ¡Pues no aciertas!
J. — Ya é acertado.
¿Vesme acá? ¿vesme? Acá estó. 245
Llo. — Al dïabro te do yo.
¡Quán presto que as allegado!
Ninguna cosa as tardado.
¿Qué quieres?
J. — Estó sin huelgo,
que a duras penas resuelgo. 250
Pa. — ¡Anda, dilo, llazerado!
Ju. — Asperá, qu'estó cansado.

Pa. — Pues dilo o vete d[e]í,
no ños estorues el juego.
Ju. — Esperá, ¡pese a sant Pego!, 255
y dirvos he lo que oý,
Llo. — ¿Lo que oýste?
J. — Y lo que vý.
Llo. — ¿Y quándo?
J. — No ha mucho rato.
Quando amajadaua el hato.
Pa. — ¿Y espantóte? 260
J. — ¡Miafé! sí.
Pa. — Dínoslo, dínoslo, di.

Ju. — Es cosa de grande espanto.
Pa. — ¿Alguna hora menguada?
¿O serpentina encantada

244 La contracción *ya-e-a*certado es muy violenta, pero la medida lo exige. Con toda seguridad se perdía una de las vocales en la pronunciación de tal grupo.

te ha medrentado tanto? [fijvb] 265
Ju. — No. ¡Juro a sant Junco sancto!
Pa. — Pues dínoslo ya, carillo.
Ju. — Con prazer. No sé dezillo.
¡Quán alegre estoy! ¡qüánto
desque oý aquel dulce canto! 270

Llo. — ¿Y qué oýste cantar?
Cuydo que no fuessen grillos,
pues no es tiempo de cruquillos.
Pa. — O los galos del lugar
serían a mi pensar. 275
Ju. — Era el ángel del Señor
que perñotaua el loor
que deuemos de tomar
todos, todos, y gozar.

Tomemos todos prazer. 280
Pa. — Quiçás que algún lladrobaz
o algún llobo rauaz
deuía aquesso de ser.
Ju. — ¿Aún no me querrés creer?
Vilo assí, como vos veo, 285
cantando la "grolia Deo
en el cielo deue auer,
y en la tierra paz tener".

Pa. — Soncas aora paz tenemos;
entre nos no ay varajas. 290
Llo. — Ño daré por ti tres pajas.
Vayte, que no te creemos.
Pa. — Dexémosle, ¡hau!
Llo. — Dexemos.
Ju. — Asperá, ¡pese a sant Pabro!
Pa. — Anda, vete de aý, dïabro, 295
que oýr más no te queremos.
¡Sus! Dáca. Al juego tornemos.

268 F.: *Jn.*

Ju. — ¿Ves que dixo que parió
oy la hija de Sanctana?
Pa. — ¡También pudo parir Juana! 300
Ju. — No, qu'El que d'ésta nasció
es el qu'el mundo crió.
Llo. — Dí, ¿crió los animales?
Ju. — Él los crió, y los mortales
Éste es que los formó. 305
Cielo y tierra establesció.

Pa. — ¿Y cómo siendo criador, [fiijra]
vino agora a ser crïado?
Ju. — Por remediar el peccado
de Adán y viejo error, 310
se haze sieruo de señor,
y mortal siendo inmortal;
siendo diuino, humanal,
siendo mayor, se haz(e) menor,
muy omilde con amor. 315

Llo. — Bien lo as retronicado.
Ju. — O, toscoshoscos campestres,
que ya las bestias siluestres
de rodillas se han hincado,
por Señor le an adorado 320
en el pesebre do está;
creedme, creedme ya,
que oy el mundo ya es librado
de tributo, y restaurado.

Pa. — Por esso nosotros vimos 325
denantes muy gran llucencia.
Llo. — Dome a Dios, esta nacencia
que nosotros la sentimos

300 No parece aludir a ninguna persona concreta (como apunta Lihani en la nota correspondiente a este verso). Juana está por una mujer cualquiera, como Marta o Pedro en los refranes.
306 F.: *estableseio.*
307 F.: *criado.*
314 El presente *haze* habrá que leerlo como forma apocopada.

denantes quando venimos.
Ju.—Nascía la luz del día. 330
Pa.—¿Y de quién? Di.
J.—De María.
Llo.—En las músmicas que oýmos
¡dome a Dios! lo conoscimos.

Ju.—Todo el mundo lo sintió:
la tierra, los elementos, 335
los cielos y mouimientos,
cada qual plazer mostró.
Pa.—Yo también, ¡huy ha, huy ho!
Llo.—Yo también.
J.—Pues yo también.
Pa.—¿Y a dó nasció? 340
J.—En Belén.
Llo.—¿Tan chico lugar tomó?
Ju.—Do su madre lo parió

estaua profetizado
por el profeta Mechías.
D'Este dixo Zacharías 345
que vernía humillado
en carne humana encerrado.
Pa.—Humilde Cordero manso,
nuestro bien y gran descanso, [fiijrb]
de las gentes desseado, 350
de los profetas amado.

Ju.—Los del seno de Abrahán
sanctos padres patrïarcas,
legis doctores monarchas,
todos se agasajarán. 355
En el limbo donde están
ales venido el consuelo
que ya esperauan del cielo.

331 F.: *Y di quien di.*
342 Cañete y Lihani ponen punto en este verso y lo aislan del 343 y 344, con los que forma una unidad.

Hartarse ha qualquier gañán
ya del angelical pan. 360

[A] aqueste Dios perñotó
Abrahán en trinidá,
trinidad en vnidá,
quando tres ángeles vió
y vno solo adoró. 365
Ysac en ser obediente
lo figuró claramente.
Ya la estrella de Jacob
todo el mundo rellumbró.

Pa. — Al profeta desterrado 370
allá en la zona quemada,
d'Éste no le quedó nada
en el tintero oluidado
sin dexarlo solletrado.
Ju. — Quando yo m'era moçuelo 375
oý dezir a mi ahuelo
que sería Dios encarnado,
que Joeles lo ouo habrado.

Pa. — Dome a Dios, que Ysaýas
llamaua [a] Aqueste rucío. 380
Ju. — Éste es que, como río,
vino agora en nuestros días
a enchir las profecías.
Llo. — Ya oy las nuues llouieron
el Justo que les pidieron. 385
Saluador, Sancto, Mexías.
Alegrías, alegrías.

369 Dos interpretaciones para este verso y el siguiente: a) *Y a la estrella de Jacob / todo el mundo rellumbró,* 'a la luz de la estrella reluce iluminado el mundo'. b) *Ya la estrella de Jacob / todo el mundo rellumbró,* 'ya la luz de la estrella alumbró a todo el mundo'.

370 F.: *El. / El profeta desterrado.* Es Elías. Su huida y retiro en el desierto, en el Libro III de los Jueces, cap. XIX.

384 F.: *llouiero.*

Ju. — Oy las altas gerarchías,
potestades, cherubines,
principados, serafines, [fiijva] 390
se gozan con melodías.
Pa. — Éste es el que Malachías
sol de justicia llamó.
Llo. — Sí, y también lo profetó
Danïel y Sophonías, 395
Ossé, Varuc, Jeremías.

Pa. — ¿No dixo nada Jadillas?
J. — No es propheta.
Pa. — Di más d'Él.
Ju. — El rey Dauid, Ezechiel,
dixeron mil marauillas 400
que ya yo no sé dezillas.
Llo. — ¡Pardiós! Mucho sabes tú.
¿Cómo se llama?
Ju. — Jesú.
Pa. — Con prazer todo me engrillas.
Hinquémosle las rodillas. 405

J. — Hinquemos con deuoción.
Llo. — Él es Dios.
J. — Y Dios y Hombre.
Pa. — Grolifiquemos su nombre.
¡Sus! Todos con atención
hagámosle oración. 410
O, Señor, tu señorança
y tu terribre alabança
me quiera dar saluación,
después grorificación.

Llo. — ¡O Señor grorificado! 415
por la vuestra magestad,
vos, Señor, me perdonad.
Pe. — ¡A, Juan! ¡A, Juan del Collado!
Pa. — ¿Quién es? di.
J. — Pedro Picado.

Ha, Pedro, Pedro, ¿dó estás? 420
Llega'cá, mira, verás.
Presto, no te estés parado,
que gran rato te he'sperado.

Pe. — He estado casi embabido
mirando que van volando 425
zagales y van cantando
por en somo del exido
vn cantar desminuýdo,
haziendo mill gargalismos
y gozándose ellos mismos. 430
Y no sé por dó se han ydo, [fiijvb]
ni les atinaré el nido.

Ju. — Fuéronse al paraýso,
que eran ángeles de Dios
que perñotaron a nos 435
cómo Dios nascer ya quiso.
Pe. — ¡Dios! que estoy muy arrepiso
por no me auallar tras ellos..
Ju. — No podieras conocellos
aunque fueras más enuiso, 440
según fué tan de improuiso.

Llo. — Vamos, vamos adorar
la madre de aquel gran Rey
que nos viene a dar la ley
para auernos de saluar. 445
Ju. — Ésta es Virgen singular,
es la verga de Iessé.
¡O fuente viua de fe,
o clara estrella del mar!
¡quién te alcançara a loar! 450

Pa. — Aunque muchos la loaron
antes mucho que nasciesse,

427 F.: *eo somo.*
448 F.: *Fuentn.*
450 F.: *ancançara.*

no vuo quien loar pudiesse
las gracias que en ella hallaron,
por más más que rellataron. 455
Gedeón en el vellón
y en la vara el sancto Arón
yo cuydo la perñotaron,
y otros lo profetizaron.

Ju. — Salamón no se dormió. 460
Con sus dulces cantilenas,
tan huertes y tanto buenas,
claramente la mostró.
Ésta es la que alabó
dándole muchos loores. 465
Ésta quita los dolores
qu'el primer hombre nos dió
quando contra Dios pecó.

Llo. — Esto es lo que vió Moysén
quando la çarça encendida 470
ardía sin ser ardida.
Ju. — Deñotaua este gran bien. [fiiijra]
Pa. — O Belén, Belén, Belén,
por quien oy en ti nasció,
gran gozo nos percundió. 475
No ay quien lo perñote bien.
Pe. — ¿Y d[e]ónde es?
Ju. — De Llazarén.

Pe. — ¡Llazarén, ciudad florida,
ciudad de hartura y de pan,
descanso de todo afán, 480
espejo de nuestra vida!
Ya cualquier alma aborrida
descordoje sus dolores,

456 *Jueces,* VI.
457 *Números, XVII.*
471 *Éxodo,* III, 2; "çarça abrasada y ençendida / de bivas llamas ardida. *De Vita Christi,* Copla 31, versos 3-4.

pues nasció la flor de flores,
flor más clara, esclarescida, 485
de la flor más escogida.

Llo. — Dime ¿es éssa la donzella
de quien estaua ya escrito
ser madre del Infinito?
Ju. — ¡Ésta, ésta, ésta es ella! 490
la más chapada y más vella
que en este mundo se vió.
Nunca otra tal nasció.
Pe. — Vamos, ¡sus! todos a vella.
Razón es de conoscella. 495

Jua. — Entre todos los viuientes
aquésta, aquésta es la más
que fué ni será jamás
clara luz para las gentes.
Fuente viua a los sedientes, 500
vía para caminantes,
puerto para nauegantes,
salud para los dolientes.
Pe. — Vamos vella y más no cuentes.

Pa. — ¿Cómo hemos de aballar 505
sin que algo le lleuemos
para que llugo le demos?
Pe. — Yo le entiendo de endonar
vn pato muy singular.
Llo. — Pues yo vn muy gordo cabrito. 510
Pe. — Yo vn cordero y vn chorlito.
Ju. — Yo leche le quiero dar,
y natas y vn cuchar.

Pe. — No dexemos el ganado, [fiiijrb]
que lo lleuarán de robo. 515
Ju. — No, qu'el cordero y el lobo
han de pacer en un prado,

y ha de andar apacentado
el león con la oueja,
y el cabrito y la gulpeja 520
han de comer de vn bocado;
no tengas dello cuydado.

Pe. — Vamos presto, no tardemos.
Llo. — Ora, ¡sus! ¡sus! aballar.
Ju. — Pues deuemos leuantar 525
vn cantar con que lleguemos
y gran regolax lleuemos.
Llo. — Dilo, Juan.
Ju. — Mas tú, Lloreynte.
Pe. — Mas Pascual.
Pas. — De buenamiente.
Ju. — Pues cantá todos. 530
Pe. — Cantemos
y más aquí no paremos.

FIN

Llo. — Yo, miafé, no cantaré,
qu'estoy tan relleno d[e]ajos
que me ahogo con gargajos,
y echar habra ño podré, 535
mas si queréys llamaré
corriendo a mi carillo.
Ju. — Ve llamalo.
Llo. — ¡A, Minguillo!
Mi. — Praz?
Llo. — Ven presto.
Mi. — Sí haré.
Ju. — ¿Quieres cantar? 540
Mi. — Sí, alahé.

521 F.: *boccdo.*
528 En F. falta el vocativo *Juan,* olvidado al aparecer también como interlocutor.

VILLANCICO CANTADO Y VAYLADO

Gran deporte y gran conorte
deuemos todos tener
pues Christo quiso nascer.

Deuémonos gasajar
pues qu'es Dios de Dios venido. 545
Hombre y Dios no confundido,
Dios y Hombre singular.
Todos, todos a cantar,
todos a tomar plazer,
pues Christo quiso nascer. 550

Cantay si queréys, collaços.
Que nos praz, miafé, cantar.
Pues también deuéys vaylar.
Que nos praz, sin enuaraços.
Hasta hazernos mill pedaços, [fiiijva] 555
hasta en tierra nos caer,
holguemos sin fenescer.

Por limpiar nuestras manzillas,
oy Iesu Christo nasció.
Nuestra humanidad tomó 560
para reparar las sillas.
Tan profundas marauillas
no ay quien las pueda entender,
sino sólo con creer.

No hay redemio, no ay hemencia 565
de poder cholla alcançar
a poder perquillotrar
cómo fué aquesta nacencia.
Ni con cencia ni sabencia,
ni con saber ni entender, 570
no se puede conoscer.

Tomemos mill gasajados,
calquemos mill çapatetas,
cantemos mill chançonetas
y mill sones perchapados. 575
Alegres, regozijados,
vamos todos esto a ver
a Bethlén, sin detener.

FIN

—Anday vosotros delante.
Vení, vení, que sí haremos. 580
Ora pues ¡sus! no tardemos;
cada vno vayle y cante,
perpujante y rutilante.
Por qu'el Niño aya prazer,
haga qualquier su poder. 585

VILLANCICO

para se salir cantando
y baylando

—Dezid, los pastores,
qué venís de ver
con tanto plazer.

—Vimos a María,
muy noble donzella, 590
que ansí reluzía
como clara estrella, [fiiijvb]
la más linda y bella
que fué ni ha de ser,
ni s'espera ver. 595

So vn portalejo
la vimos estar,
y vn honrrado viejo

también, sin dudar;
y oýmos cantar, 600
y oýmos tañer,
y entramos a ver.

Vimos marauillas
quales nunca fueron:
reparar las sillas 605
ya que se perdieron,
de los que cayeron
de su merescer
por soberbios ser.

En vn pesebrito, 610
hallamos vn niño,
atan graciosito,
que ouimos cariño.
Posimos aliño
de más cerca ser, 615
por mejor lo ver.

Cab'Él allí estauan
vna asna y vn buey;
ambos le adorauan
al muy sancto rey. 620
El dador de ley
sentimos Él ser
en su parescer.

Fin

Ángeles del cielo
y las gerarchías 625
nos dauan consuelo
con sus melodías.
Cient mill alegrías
les vimos hazer
con gloria y plazer. 630

Grabado de la primera edición de *Farsas y églogas.* Firma de Lucas Fernández

Rincón de una plazuela. Mogarraz (Salamanca)

[ajrayb]

AUTO DE LA PASSIÓN FECHO POR LUCAS FERNÁNDEZ. / REPRESENTACIÓN DE LA PASSIÓN DE NUESTRO REDEMPTOR JESU CHRISTO, COMPUESTA POR LU/CAS FERNÁNDEZ, EN LA QUAL SE ENTRODUZEN LAS PERSONAS SIGUIENTES: SANT PEDRO E SANT / DIONISIO, E SANT MATHEO, E GEREMÍAS E LAS TRES MARÍAS. Y EL PRIMER INTRODUCTOR * ES / SANT PEDRO, EL QUAL SE VA LAMENTANDO A FAZER PENITENCIA POR LA NEGACIÓN DE CHRISTO COMO EN / LA PASSIÓN SE TOCA: S: EXIIT FORAS ET FLEUIT AMARE. E EL POETA FINGE TOPARSE CON SANT DIONISIO, / EL QUAL VENÍA ESPANTADO DE VER ECLIPSAR EL SOL E TURBARSE LOS ELEMENTOS, E TEMBLAR LA TIERRA / E QUEBRANTARSE LAS PIEDRAS SIN PODER ALCANÇAR LA CAUSA POR SUS REGLAS DE ASTRONOMÍA. E / DESPUÉS ENTRA SANT MATHEO RECONTANDO LA PASSIÓN CON ALGUNAS MEDITACIONES. E DESPU/ÉS GEREMÍAS. E FINALMENTE ENTRAN LAS TRES MARÍAS. ET INCIPIT FELICITER SUB CORRECTIONE / SANCTE MATRIS ECCLESIE.

Pe. — Oýd mi boz dolorosa, [ajra] 1
oýd los biuientes del mundo,
oýd la passión rabiosa
que en su humanidad preciosa
sufre nuestro Dios jocundo. 5
Salgan mis lágrimas biuas
del abismo de mis penas,
pues que d[e]ansias tan altiuas,
tan esquiuas,
mis entrañas están llenas. 10

* Quiere decir el primero que se introduce.

¡Ay de mí, desconsolado!
¿Para qué quiero la vida?
¿Qué haré ya, desdichado?
Ya mi bien es acabado,
ya mi gloria es fenecida. 15
¿Cómo pude yo negar
tres vezes a mi Señor?
Mi vida será llorar
el pesar
de mi pecado y herror. 20

Será ya mi habitación
en los campos despoblados.
Lloraré con aflición
hasta alcançar el perdón
de mis muy graues pecados. 25
Mis mexillas regaré
con lágrimas de mis ojos.
Mis carnes afligiré,
y estaré
siempre en la tierra de hinojos. 30

De solloços y gemir [ajrb]
de oy más será mi manjar;
de penitençia, el vestir,
y el beber de mi viuir
le proueerá mi llorar. 35
¡O mi boca entorpecida,
o desuarïada lengua,
o maldad mía crecida,
engrandecida!
¡O mengua de mi gran mengua! 40

¿Dónde estaua transportado?
¿Dónde estauan mis sentidos?
¿Cómo estaua assí oluidado?

42 Recuerda esta expresión unos versos del *Diálogo del Amor y el Viejo*: "¿A do estauas, mi sentido? / Dime ¿cómo te dormiste?" (versos 617-618).

¡Ay de mí, viejo cuytado!
¿dónde los tenía perdidos? 45
¡O gallo sabio, prudente,
quán presto me despertaste!
¡O buen Dios omnipotente,
quán clemente
con tus ojos me miraste! 50

Mi esfuerço, mi fortaleza,
mi fe robusta encendida,
mi limpieza, mi pureza,
¿cómo cayó en tal vileza
que tan presto fué vencida? 55
Miserere, miserere,
mi Dios, pues que te negué.
Miserere pues que muere
y de ti quiere
perdón, mi esperança y fé. 60

O mi Dios, ¿y dónde estás?
¿dónde estás, que no te veo?
D. — Deo gracias, padre, ¿qué as
que a tantas penas te das?
P. — ¡O mi gran bien y desseo! 65
D. — ¿No me dirás tú quién eres?
P. — Soy Pedro, el desuenturado.
D. — ¿Por qué lloras? ¿por qué mueres?
Tú ¿qué quieres?
P. — ¡Ay! ¡que [he] a mi Señor negado! 70

D. — Y di, ¿quién es tu Señor?
P. — Dios y Hombre verdadero,
el qual, con muy sancto amor,
recibe pena y dolor
por el pecado primero. 75
D. — Por esso el Sol ha mostrado

62 Comp. el mismo verso en *Canc. Gal,* 1.511, fol. 95 v.º (Apud *Alin,* p. 425) y también en un cantar viejo de Luis Millán (*Alin,* p. 142).

oy gran luto dolorido.
También la tierra ha temblado,
y ha estado
el mundo cierto afligido. 80

La luna con las estrellas,
sin razón de se eclypsar
las sus claridades bellas,
con muy humosas centellas
han mostrado gran pesar. 85
También los quatro elementos,
conformes todos de vn voto,
muestran graues sentimientos,
descontentos,
con áspero torromoto. 90

Yo soy Dionisio de Athenas
y en faltarme Astronomía,
alcancé a sentir las penas,
de fatigas tanto llenas,
que aqueste Dios padescía. 95
P. — O mi Dïonisio hermano,
lloremos en voz y en grito,
pues nuestro Dios soberano
y humano,
está puesto en tal aflito. 100

D. — Si aqueste es Dios de la vida
¿por qué se dexa matar?
P. — Por leuantar la caýda [ajvb]
de la maldá enuegecida
del ponçoñoso manjar. 105
Por esso quiso tomar
nuestra humanidad muy flaca;
por matar el rejalgar
y nos dar
su sangre por la trïaca. 110

96 Para la cuenta de las sílabas, hay que hacer diéresis en *Dïonisio*, o bien no cumplir la sinalefa entre *Dionisio* y *hermano*.

Por esso quiso nascer
en medio del brauo inuierno,
por mejor nos guarecer,
con su infinito poder,
del gran fuego del infierno. 115
Su sangre sancta sagrada
derramó el octauo día,
por dexar circuncidada,
y alimpiada,
nuestra culpada agonía. 120

Sufrió hambre y mucho afán
por nos dar Él a comer
su sancto cuerpo por pan,
el qual siempre adorarán
los cielos sin fenescer. 125
Sufrió sed por nos hartar
de aguas de biuas fuentes.
No ay quién pueda ymaginar,
ni pensar,
sus obras tan excelentes. 130

Los muertos resuscitaua,
los mudos hablar hazía,
toda enfermedad sanaua,
siempre, siempre predicaua;
todo el pueblo le seguía. 135
D. — ¡O principio principal!
¡o causa prima y primera!
Sufres Tú pena mortal
por el mal
de aquella antigua dentera. 140

P. — Pues si le vieras orar
aquesta noche en el huerto,
y con sospiros llorar,
y biua sangre sudar,
d[e]angustias cayeras muerto. [aijra] 145
D. — Con essa sangre, por cierto,

limpiaua nuestras manzillas.
P. — Vino luego vn desconcierto
muy despierto,
de judíos en quadrillas. 150

Con linternas y candiles,
con armas, lanças, lançones,
mill ribaldos y aguaziles,
mill linages de hombres viles,
mill verdugos, mill sayones. 155
Con tumulto y con estruendo,
con gritos y bozería,
mill varahundas haziendo,
muy corriendo,
prendieron nuestra alegría. 160

Vino Judas delantero,
su discípulo crïado,
muy ardid y muy artero,
y dió paz al gran Cordero
por gelo dar señalado; 165
y llegó el pueblo maluado,
todo lleno de crueza,
y asió de Aquel sin pecado
humanado,
maestro de la nobleza. 170

O, falso Judas traydor,
que con paz heziste guerra,
sórbate con gran furor
el abismo bramador,
tráguete biuo la tierra. 175
¡O, suzio huerco maldito!
¿cómo podiste vender
la sangre del infinito
Dios bendito?
Él te quiera cohonder. 180

P. — Después que todos llegaron,
lo que a mí más me quebranta

es la soga que le echaron,
y crudamente añudaron
aquella sancta garganta. 185
Luego allí fueron atadas [aijrb]
sus sanctas manos atrás,
y asaz palos y puñadas,
bofetadas,
le dauan; mira, verás. 190

D. — O Señor mío y mi Dios,
descanso de gloria y paz,
que por redemir a nos
sufrís mill injurias Vos,
en vuestra divina haz. 195

P. — ¡Ay, si vieras quán feroces
le lleuauan arrastrando!
Con empuxones atrozes,
y con vozes
otros le yuan denostando. 200

Y los otros repelauan
las barbas angelicales,
y los otros le messauan,
le escopían y llagauan
con heridas muy mortales. 205
Y los otros le mofauan,
otros que le hazían gestos,
y los otros le empuxauan
y vltrajauan
con escarnios y denuestos. 210

Con los dedos le querían
sus sanctos ojos sacar.
De codo le sacudían;
otros el pie le ponían
por le hazer estropeçar. 215
¡Verle en tierra arrodillar,
caer mill vezes de pechos!
No hay quien dexe de llorar,

sin dudar,
estos aborribles hechos. 220

D. — Hazedor de tierra y cielo,
¡o Rey sancto, poderoso,
o nuestro bien y consuelo,
que por nos quitar recelo
padecéys tan amoroso! 225
P. — Y trompetas y bozinas
le tañían por detrás, [aijva]
y ansí estas gentes hazinas,
y mezquinas,
le lleuaron a Cayphás. 230

Y ansí yo allí, viejo ansiado,
todo lleno de temor
de vna sierua, atribulado
también de vn sieruo malvado,
negué a mi Hazedor. 235
Y voyme azer penitencia
de mi graue iniquidad,
pues con ojos de clemencia
y de paciencia
me miró su Magestad. 240

D. — ¡O Pedro, amigo leal,
amigo, mi grande amigo!
nuestro Maestro eternal
¿cómo quedó, dime, tal
sin consuelo y sin abrigo? 245
P. — O Matheo, gran testigo,
dime, dime qué tal queda.
Mat. — En verdad, cierto te digo,

227 F.: *tanian*.
241 Aunque el personaje hablante es *M.*, prefiero poner esta frase en boca de *Dionisio*. Es raro que Pedro pregunte a Mateo cómo quedó el Maestro, mientras Mateo le pregunta lo mismo a Pedro.
248 La confusión de los personajes es grande. *M.* puede interpretarse como Mateo, y después como una de las tres Marías. Pongo *Mat.* para *Mateo*.

que me obligo
conoscer nadie le pueda. 250

P. — ¿Cómo ansí, dime, Matheo?
Mat. — Porque del pie a la cabeça,
cosa en él sana no veo,
y aun sus coyunturas, creo,
las cuenten pieça por pieça. 255
P. — ¡O, muy dolorosa plaga!
¡O, lástima lastimera!
Ya por la soberuia llaga
se da paga
de humildad muy verdadera. 260

D. — Y di, ¿quién le maltrataua?
Mat. — Escriuas y fariseos.
Por peor se reputaua
quien menos penas le daua.
D. — ¡O falsos perros hebreos! 265
Mat. — Llebáronle en pocos ratos
de Anás a Caÿphás,
y de Herodes a Pylatos. [aijvb]
Tantos tratos
le han dado que t'elarás. 270

Hanle traýdo arrastrando
por las calles esta noche.
Él gemiendo y sospirando
y su sangre derramando
muy humilde y sin reproche. 275
Llamáuanle encantador
vnos, y otros hechizero,
otros que blasfemador.
P. — ¡Ay dolor!
pues muere, ¿cómo no muero? 280

259 F.: *pagua.*
267 Hay que leer separando *de-Anás,* y también *Ca-y-phás.*
271 F.: *arastrando.*

D. — O, pueblo desconocido,
luciferal Sathanás,
yngrato, desgradecido,
¿por qué a tu rey elegido
tan graues penas le das? 285

Entran las tres Marías con este llanto, cantándolo a tres voces de canto de órgano:

¡Ay mezquinas, ay cuytadas!
desdichadas, ¿qué haremos,
pues que tanto bien perdemos?

P. — ¡O infortunio repentino!
Mat. — ¡Ay, ay, ay! 290
D. — ¡Ay, ay!
P. — ¡Ay, ay!
Mat. — ¡Ay! ¡quán triste mal nos vino!
D. — ¡Ay, mezquino!
P. — ¡Ay! pues ya remedio no ay.

Aquí tornan a cantar las tres Marìas por la sonada sobredicha este motezico:

—¡Ay dolor, dolor, dolor,
dolor de triste tristura, 295
dolor de gran desuentura!

D. — ¿Quién son aquestas señoras?
Mat. — Las desastradas Marías.
Mat. — ¡Ay, mezquinas, pecadoras!

286 F.: *Entra.*
289 F.: *repentinio.*
299 Los personajes son: *Ma.* = María Magdalena; *M. Ja.* = María Cleofás (Jacobea), madre de Santiago el Menor; *M. Sa.* = María Salomé, mujer de Zebedeo. Son las tres mujeres que están presentes en la muerte de Cristo, según el *Evangelio de San Marcos,* XV, 40.

M. Ja. — ¡O Señor mío! ¿y dó moras? 300
M. Sa. — ¡O angustiadas agonías! [aiijra]
Ma. — Hermanos, llorad, llorad.
Llorad vuestra desuentura.
Llorad con fe y lealtad,
la soledad 305
de vuestra ansia y amargura.

P. — ¡O, hermana Madalena!
Ma. — Hermano Pedro, ¿qué haremos?
Cercados somos de pena,
de muy amarga cadena. 310
Ya nuestro bien no lo vemos.
D. — Lloremos todos, lloremos,
lloremos amargo lloro.
Ma. — Lloremos sin que cansemos,
pues perdemos 315
nuestra riqueza y thesoro.

D. — Yo soy el más desastrado.
Ma. — Más yo, mezquina, cuytada.
Mat. — ¡Ay de mí, desconsolado!
P. — ¿Qué haré, viejo cansado, 320
pues mi gloria es acabada?
M. Ja. — ¡Ay, ay, ay de mí! ¿qué haré?
¡Ay de mí, triste bïuda!
¿Con quién me consolaré
o tomaré 325
para mi guarda y ayuda?

Ma. — ¡Oh, mi maestro y esposo!
¡O, mi bien y gran descanso!
O, Dios mío glorïoso,
¡Quán benigno y amoroso 330
a la muerte fuyste, y manso!
M. Sa. — ¡O, pueblo perro, profano,
crudo, traydor, aleuoso!

327 En *F.* falta este primer *o*.

¿por qué matas con tu mano,
muy vfano, 335
a tu Dios sancto, gracioso?

Ma. — ¡O, quán dulce es el llorar
a los tristes afligidos,
y quán dulce el sospirar,
y quán dulce lamentar, 340
y quán dulces los gemidos!
Mat. — ¡O, qué fué verle acusar! [aiijrb]
¡O, qué fué ya, como os dixe,
todo el pueblo vozear
y clamar: 345
crucifixe, crucifixe!

Pilatos, por contentar
aqueste pueblo maluado,
luego le hizo desnudar,
y tantos açotes dar 350
que todo quedó llagado.
Y d'espinas coronado
le ví y quedé no sé cómo.
Mostrógelo enpurpurado
y denostado, 355
diziéndoles: *ecce homo.*

Aquí se ha de mostrar vn eccehomo de improuisso para prouocar la gente a deuoción, ansí como le mostró Pilatos a los judíos, y los recitadores híncanse de rodillas, cantando a quatro boces: Ecce homo, Ecce homo, Ecce homo.

Díxoles ¿quedáys contentos?
Véysle aquí bien castigado.
Sosegad los pensamientos,
que asaz ásperos tormentos, 360
por cierto, le tengo dado.
Sin cessar vozes jamás,

crucifixe siempre claman.
—¿A Jesú o a Barrabás?
les dixo. ¿Quál queréys más? 365
Por Barrabás todos braman.

D. — ¡O pueblo de traÿción!
¿cómo te as ansí cegado,
que a un matador ladrón
quieres más con afición 370
que [a] aquel Dios que te ha formado?
¿No te contentas ya d'Él,
verle bien como leproso?
Mira bien, pueblo crüel
de Ysräel, 375
qu'Éste es tu Dios poderoso.

Mat. — Y Pilato, importunado
d[e] aquel pueblo, dió sentencia,
como loco atolondrado, [aiijva]
que fuesse crucificado 380
el Cordero de paciencia.
Y el pueblo con gran hemencia
arremetió a Él muy presto,
sin tenerle reuerencia,
ni clemencia, 385
con denuedo desonesto.

Luego allí los mohatrones,
rabís, y aljama y sinoga,
asen de sus cabeçones,
vnos le dan empuxones, 390
otros le tiran la soga.
¡O, qué fué verle acezando
con vna cruz muy pesada,

372 El *él* y el *ver* son ambos complementos de *contentar*. En cuanto al *bien como*, 'de la misma manera que', es construcción comparativa, que también tiene la forma *bien así como*... V. *Keniston*, 28-49. Lo mismo en el verso a. 462.
383 F.: *aremetio*.

cayendo y estropeçando
y leuantando, 395
con la cara ensangrentada!

Con la boz enrronquecida,
rompidas todas las venas
y la lengua enmudecida,
con la color denegrida, 400
cargado todo de penas
y los miembros destorpados,
los ojos todos sangrientos,
los dientes atenazados,
lastimados 405
los labrios con los tormentos.

Lágrimas, sangre y sudor
era el matiz de su gesto,
derretido con amor
para curar el langor 410
en qu'el mundo estaua puesto.
Con huego de caridad
hizo confación de vngüentes,
para vngir la enfermedad,
y maldad, 415
ya de todos los viuientes.

Desque Juan le vió llegado
a la muerte, assí, a desora,
con la nueua apressurado,
buelue a la Virgen turbado [aiijvb] 420
diziendo: Salid, señora.
Oÿrés aquel pregón
que va a muerte condenado
Aquél que, sin corrución,
en perfición, 425
concebistes sin pecado.

Dexad el trono rëal,
apressúreos el dolor,

veréys aquel diuinal
sancto rostro imperïal 430
cómo va tan sin color.
Con tales nueuas turbada,
sale la Virgen María,
sin fuerças, apressurada,
transformada 435
con el dolor que sentía.

Y viendo con tal facción
aquel Hijo tan amado,
comiença su coraçón
a quebrarse de passión, 440
de tormentos traspassado.
Ea, Virgen singular,
que si vays fuera del cuento
en el parir sin penar,
d'escotar 445
lo auéys en este tormento.

Veys ya su fuerça escondida
entre aquel pueblo tirano,
que la ora es ya venida
donde quitarán la vida 450
al hijo del Soberano.
Dad, señora, dad mandado
en la corte celestial:
que tienen su Rey cercado,
y maltratado, 455
por la culpa paternal.

D. — Dime, di dónde quedaron
las gentes que le siguían.
M. — Todos, todos le negaron,
todos le desampararon. 460
D. — ¿Cómo no le socorrían? [aiiijra]

447 El *ya* posiblemente con la *y* rota por abajo. Lo mismo pasa en "*los ayres* con mis sospiros", verso final de Aiiiiijva.

Mat. — Bien como oueja paciente
entre los lobos rabiosos,
quedó el gran Rey obediente,
muy clemente, 465
entre perros maliciosos.

D. — ¿Qu'es de los reyes indianos
que vinieron [a] adorarte?
¿Dónde están tus cortesanos,
que la fuerça de sus manos 470
no socorren [a] ayudarte?
P. — Entre los fieros alcones
muere l'águila caudal,
viéndole aquellas legiones,
y naciones, 475
desde el coro angelical.

Ma. — Como leona parida
sobre los sus embrios brama,
assí la Madre afligida,
con ansia más que crecida, 480
por su Hijo y Dios reclama.
Por la sangre rastreando
yua aquella Reyna sancta,
muy dulcemente llorando,
y entonando 485
el canto qu'el cisne canta.

Con la Virgen, sus pisadas
seguían dos mill matronas,
lacrimando lastimadas,
muy tristes, desconsoladas, 490

462 V. nota al verso a. 372.
471 Construcción en la que el verbo *socorrer*, 'llevar auxilio', 'acudir con ayuda', guarda todavía el origen latino del *currere* que tiene en su base (v. *Glosario*). V. el sentido de 'acudir con auxilios': "los Gomeres... socorrieron a las calles e a otros lugares por donde entraban los christianos" (Pulgar, *Crón. de los Reyes Católicos,* ed. Rivad., p. 414).

compassibles sus personas,
dándole llorosas quexas:
¿por qué te sufres lleuar,
nuestro Dios, y assí te alexas,
y te dexas 495
desse pueblo vil matar?

El buen Iesú Nazarén
boluiólas dulce a mirar,
y respondióles también:
—Filie Hierusalem, 500
no queráys por mí llorar.
Llorad, llorad sobre vos; [aiiijrb]
llorad sobre vuestros hijos.
Ma. — O, inmenso eterno Dios,
¿cómo Vos 505
padecéys tantos litijos?

Mat. — Y, llegados al lugar
Caluarie Monte llamado,
començaron apartar,
por le bien crucificar, 510
los que le an acompañado.
¡O, qué fué auer de quitar
del Hijo su sancta Madre!
Comiénçanse de mirar
y llorar, 515
desamparados del Padre.

A un cabo nos apartaron
con la Madre medio muerta.
Luego allí mi Dios cercaron
las gentes que le lleuaron, 520
con furia más que despierta.
Y en oýr las martilladas
fueron, del hincar los clauos
nuestras entrañas rasgadas,
y arrancadas 525
como de leones brauos.

Los ribaldos y sayones
en tierra hincaron la cruz.
Vímosla entre dos ladrones,
más alta que los lançones, 530
resplandeciendo con luz.
Començámosla adorar
con diuina reuerencia,
y, adorándola, mentar
y cantar 535
la gloria de su excelencia.

Aquí se ha de demostrar o descobrir vna cruz, repente a desora, la qual han de adorar todos los recitadores hincados de rodillas, cantando en canto de órgano:

O crux aue spes vnica / hoc passionis tempore /
Auge pijs iusticiam: / reysque dona veniam. 540

D. — Alça tu boz, Geremías, [aiiiijva]
con dolorosos pregones,
y lamenta en nuestros días
tus ansiadas profecías
y clamorosas canciones. 545
Pues lo por tí profetado
del sancto humilde Cordero,
Jerusalén lo ha [a]cabado,
pues clauado
le tiene en cruz de madero. 550

Je. — Largo tiempo es ya passado,
hijos míos, si miráys
que ni cesso ni he cessado

* F.: *rcpente.*

537 Lihani (*Farsas*, 218): *tpe* por *spe*. La verdad es que F. no da *spe*. La supuesta *s* inicial no da la altura de la *S* alta. Parece una *t* defectuosa o mal entintada.

548 F.: *cabado.*

de llorar con gran cuydado
lo que vosotros lloráys. 555
El coraçón, las entrañas,
tengo secas con pesar.
Mis tristezas son tamañas,
tan estrañas,
qu'el llorar m'es descansar. 560

O, pauor muy tremibundo,
trabajo más que infinito,
qu'el gran Hazedor del mundo
sufra dolor foribundo
por pagar nuestro delito. 565
Días ha que a esta nación
de aqueste pueblo maldito,
le lloro su perdición,
con aflición,
y allá gelo dexé escrito. 570

¡O, fortíssimo Sansón!
¿cómo estás tan mal tratado?
¡O, muy gracioso Absolón!
¡O, muy gran rey Salomón!
¡cómo estás descoyuntado! 575
Lloren todas las naciones,
con entrañable afición,
las muy ásperas passiones
y afliciones
del gran Tethagramatón. 580

¡Ay de ti, desconsolada!
¡Ay de ti, triste, abatida!
¡O, Jerusalén cuytada! [aiiijvb]
¡Cómo serás asolada!
¡Cómo serás destruýda! 585
Mira quánto profeté
de tu gran malicia ciega.

585 F.: *destryda.*

Mira quánto lamenté
y lloré
este tu fin que se llega. 590

Pues que ya al tu Rey mataste,
en ti se conuertirá
la maldad que exercitaste.
Pues tú le crucificaste,
piedra en ti no quedará. , 595
Por vencer fuyste vencida
de aquel muy gran Rey de gloria,
y su muerte aunque afligida,
entristecida,
fué esclarecida vitoria. 600

De la qual esta vandera,
con cinco plagas bordada,
queda en señal verdadera
d[e]aquella cruz de madera
do fué nuestra fe sellada. 605
Aquest'es el estandarte
con que somos vencedores,
Y el Demonio ya no es parte,
con su arte,
de dar penas ni dolores. 610

P. — Moysén bien prefiguró
essa bandera, por cierto,
quando la serpiente alçó,
con la qual sanó y libró
todo el pueblo en el desierto. 615

D. — O pelícano muy vero
que te dexas desgarrar,
con amor muy verdadero,
y muy entero,
por bien tus hijos criar. 620

Mat. — O quán gran dolor me dió
quando a la Madre sagrada

a Juan por hijo le dió,
y también a él dexó [aiiiijva]
a su Madre encomendada. 625
M. — Quien contempla verle dar
por beber vinagre y fiel,
más dulce l'es el llorar,
sin dudar,
qu'el açúcar y la miel. 630

Mat. — ¡Si vieras, aunqu'espirado,
darle vna lançada fiera
que le abrió todo el costado,
por el qual ha destilado
sangre y agua verdadera! 635
P. — Sello y fin de sus tormentos
essa sancta llaga fué,
y fuente de sacramentos,
alimentos
do se ceua nuestra fe. 640

Mat. — ¡Qué fué verlo desclauar
de la cruz sus pies y manos,
y en el regaço le echar
de su Madre a reposar,
ya contentos los profanos! 645
M. Ja. — Con sus lágrimas lauaua
las llagas y las heridas.
Con su velo las limpiaua,
y enxugaua
con angustias doloridas. 650

Mat. — Con voz muy ronca llamaua
los que yuan por el camino,
muy humilde les hablaua,
y humilde se querellaua
con vn solloço benigno. 655
Y a los que seguían vía

626 El sentido pide *A quien contempla...*

o yuan algo prolongados,
con sospiros los traýa,
y les dezía
con gemidos aquexados: 660

O vos omnes, ¡heus, heus!
qui hanc transitis per viam
non est dolor sicut meus
filius meus factus reus
videte matrem Mariam. [aiiiijrb] 665
Videte cui ligauerunt
iudei manus et colum.
Videte quem despexerunt
et dimiserunt
eius disciapuli solum. 670

Heu tibi, misera mater.
Heu tibi, misera filia.
Ecce, ecce meus Pater
Sponsus, Filius et Frater
qui habet vulnerum millia. 675
Attendite et videte
Iesum nostrum Redemptorem.
Lachrymante mecum flete
et dolete
videntes meum dolorem. 680

Ecce iaz quem cognoverunt
pastoresque in Bethlem,
et reges adorauerunt
et cum palmis receperunt
gentes in Hierusalem. 685
Adest modo spoliatus
qui pauperum pedes lauit.
Adest modo flagellatus
et vulneratus
qui totum mundum creauit. 690

671 F.: *Hen.*
672 F.: ***bablaua*** **(acaso con** ***h*** **emborronada, y no** ***b*****).**

Jam spinis coronatus
adest qui fecit nationes.
Pedes, manus perforatus
adest iam crucificatus
positus inter latrones. 695
Adest modo in gremio meo
iam corpus geniti mei.
Ecce bermis, ecce leo
qui a Deo
fuit missus agnus Dei. 700

Ma. — Y después que se allegauan
al son d[e]aquestos clamores,
todos con ella llorauan,
llorando la consolauan
y ella hablaua con amores: 705
Mirad ya quán maltrataron [aiiiijva]
a mi Hijo los judíos.
Pies y manos le enclauaron.
¡Quál pararon
los dulces amores míos! 710

Mirá este cuerpo sagrado
cómo está lleno de plagas,
muy herido y desgarrado.
Todo está descoyuntado.
¿Vistes nunca tales llagas? 715
Mirá qué fiera lançada
que traspassa el coraçón.
¡O qué herida tan resgada!
¡Ay, cuytada!
¡sola y sin consolación! 720

M. Ja. — De rato en rato besaua
su elada boca fría;
pies y manos no oluidaua.
Suspiraua y desmayaua
y con Él se amortecía. 725
Sus ojos en Él ceuando,

no se hartando de lo ver,
y cient mill gemidos dando,
y llorando,
sin cessar ni fenescer. 730

Ma. — Quán desconsoladas fuymos,
mezquina entre las mezquinas,
quando quitarle quisimos
la corona, y no podimos
arrancarle las espinas. 735
Y, aunque en el casco atoradas,
poco a poco las sacamos,
y sus carnes delicadas,
desuenadas,
llorando aromatizamos. 740

D. — Vamos, hermanos, a vello.
Pues que en vida no le ví,
razón es de conoscello,
seruillo y obedescello,
aunque desdichado fuý. 745
Mat. — No es possible, hermano mío,
verlo ya, qu'es sepultado.
D. — O, Dios del gran poderío, [aiiiijvb]
y señorío,
¡cómo estoy desconsolado! 750

Finis

Muéstram[e]ora el monumento
de aquel Dios de perfición,
porque ya mi sentimiento
me combate con tormento,
y a muerto mi coraçón. 755
M. — Que me plaz. D. — Pues no tardemos.
M. — Anda, que cerca está'quí.
P. — Todos, todos le adoremos
y alauemos.
D. — ¿Y adónde está? 760
M. — Veslo allí.

Aquí se han de hincar de rodillas los recitadores delante del monumento cantando esta canción y villancico en canto de órgano.

Adorámoste, Señor,
Dios y Hombre verdadero,
el qual, con muy sancto amor,
sufriste muerte y dolor
por el pecado primero. 765

O, precioso monumento
donde nuestro bien se encierra,
¡Dios del cielo y de la tierra!

Adorámoste humilmente
con entrañas cordïales. 770
O, monumento excelente,
vida para los mortales.
O, salud de nuestros males,
paz viua de nuestra guerra,
donde nuestro bien s'encierra. 775

De aquel diuino secreto
tú eres el secretario,
del Cuerpo sacro, perfeto,
tú eres el sanctüario.
O, muy precioso sagrario 780
donde nuestro bien s'encierra,
¡Rey del cielo y de la tierra!

Di, ¿por qué mueres en cruz, [aiiiiijra]
vniuersal Redemptor?
¡Ay que por ti, pecador! 785

Contemplando tu grandeza
te vi chiquito nascer,
y poco a poco crescer
en nuestra naturaleza.
Sufriste much'aspereza 790

siendo del mundo Señor.
¡Ay que por ti, pecador!

Vite niño disputar
con los sabios en el templo.
Vite siempre dar enxemplo 795
cómo deuemos obrar.
A nadie te ví dañar,
mueres como malhechor.
¡Ay que por ti, pecador!

Vi la gran solemnidad 800
que se hizo tanto bien,
quando entró en Jerusalén
tu diuina Magestad.
Predicaste la verdad,
mueres como malhechor. 805
¡Ay que por ti, pecador!

Vite el jueves despedir [aiiiiijrb]
de tus amigos y hermanos,
y lauarles con tus manos
sus pies que te han de seguir. 810
Dí ¿por qué quieres morir
en cruz como robador?
¡Ay que por ti, pecador!

Vite preso y açotado,
vite tres vezes negar, 815
y vite abofetear
escopido y remessado;
y, d'espinas coronado,
te llaman blasfemador.
¡Ay que por ti, pecador! 820

Vi tu cuerpo delicado
lleuar a cuestas la cruz.
Escurecida su luz,
denegrido, amortiguado.

Dí ¿por quién has derramado 825
tanta sangre por sudor?
¡Ay que por ti, pecador!

Véote, Señor, clauado
en essa cruz que truxiste.
Quando sed he Tú dexiste, 830
fiel y vinagre te han dado,
y en abriendo tu costado
perdió el sol su resplandor.
¡Ay que por ti, pecador!

Y allí luego se cumplieron, 835
juntamente con tus días,
todas quantas prophecías
de Ti, Señor, se escribieron.
Di, Senor, ¿cómo pudieron
matar a su Hazedor? 840

¡Ay que por ti, pecador, 841

Laus Deo

Fué impressa la presente obra en Sala/manca por el muy honrrado varón Loren/ço de Liom Dedei. A x días del mes de noui/embre de M. quinientos e quatorze años.

GLOSARIO [1]

A

a, prep.: Sobre su empleo, véase p. ...
a, interj.: *¡A, Juan!* (f. 418); *¡A, Pedro!* (f. 420).
Se emplea para llamar a las personas. Exactamente el mismo uso de hoy día en Cabranes. Aparece antes de interrogación y antes de vocativo en el habla de Babia y Laciana.
Ha, Pedruelo! Encina, 67; *A, Jusquino,* Torres Nah. *Com. Calamita,* Jorn. I, verso 347; *Ha muger! Ha Libina! Id., íd.,* I, 144.
Comp. el actual "Ah de la casa!"
(*abá*), *auá,*[2] interj.: *¡Auá! que quiero saltar.* (f. 216» 'apartáos'.
Covarrubias dice: "*avaos* vale lo mesmo que desviáos; *avá* 'apartá' ".
aballar, intr.: *Aballemos, -Aballemos* (A. 212) 'irse'.
Recogido en Bardón, García Rey y Lamano; *Aballemos,* Encina, 25; *Aballaos afuera, Autos,* II, p. 159, v. 242. Se emplea como transitivo en *Autos,* II, p. 319: *Ve tú y aballa las manadas.*
aballar la pata (B. 255) 'huir'; Encina, *Canc.* f. XLV, v° a (También en Encina *aballar el pie,* p. 4). Para Cañete 'echar la zancadilla', que no consta en ningún otro lugar.

[1] Cuando un vocablo se encuentra repetido en el texto con el mismo valor, no recojo, por lo general, más que una sola localización.
[2] Estudiada por Menéndez Pidal en RFE, V, 1920, pp. 1-4.

abarrisco, adv.: *Es red que lleva abarrisco* (B. 584) 'en junto, sin distinción'. Correas, 604 'como avenida de río, sin dejar nada'; Lihani (*El lenguaje,* p. 352) hace distinción entre *abarrisco* m. y *aubrrisco* adv. (que es errata por *abarrisco* o *auarrisco*). (A mi ver no existe más que una sola forma, el adverbio); *el pedrisco / que lleva todo a barrisco, Mingo Rev.* Copla XXVIII. En la Glosa de F. del Pulgar "que de todo punto lo lleua y destruye todo".

abondo, adv.: *con placer, abondo y rodo* (f. 103) 'abundantemente'. Está recogido en la mayoría de los vocabularios del territorio leonés; Encina, *Canc.* f. XXXVII r.b.

aborrescer: tr. *y otros la vida aborrescen* (C. 208) 'aborrecer'. Alternan las formas *-ecer, -escer* (en *padecer,* por ejemplo).

aborrir, aburrir: 1) *por que redemies mi vida / que ya la traygo aborrida* (A. 92-93), 'detestar'. // 2) 'estar descontento de algo': *So aborrido / verlos muertos por antojos* (C. 159-60). // 3) El paso de 'detestar algo' a 'huir de ello' es muy fácil. *¿Quien me vió aborrir pesares?* (C. 92); *Los pesares aburramos,* Encina, 115. // 4) El abandonado, *aborrido,* está triste, y hastiado: desesperado ("determinado a perderse", dice Covarrubias): *que este diabro de amor / te traye a ti aborrido* (C. 662-63) y también (C. 2). // 5) Al abandonar algo, se puede hacer aventurándolo, desperdiciándolo, casi tirándolo: *y aborrí vn marauedí* (C. 119); *aburrir dos ochavos, Autos,* II, p. 322.

aburar(se), v. tr.: *todo me quemo y aburo* (A Diál. 75). Covarrubias: "Vale quemar. Es término bárbaro y poco usado entre gente cortesana." Usual hoy día en Cabranes como *amburar,* 'abrasar'.
Se encuentra también en Los Argüellos (con valor de 'quemar una tela'), en el bable de Occidente y en Las Hurdes.

acaronas, adv.: *por acaronas del suelo* (A. 629), 'al ras'; "Cortar el pelo *acarón*", 'al rape'. Acevedo, *Bable de Occidente.*
acarão, 'junto o a par'. Citado como arcaísmo en Fernão de Oliveira (1536), Gramática, XXXVI.

acauañarse, v.: *por ver dónde se acauaña / Veringuella y su ganado* (A. 11-12). 'aposentar la cabaña, morar'.

adamada, f.: *Mill vezes te e requerido / que seas mi adamada* (A. 97-98), 'enamorada, novia'; Encina, 98.

adamar, tr.: *Ñunca tal adame yo.* (A. 111) 'amar con pasión'; *éste adamo y quiero, Autos*, II, p. 98, v. 246.

adario, m.: *que os percundió grande adario* (D. 455) 'bienandanza'. Cañete lo da sin seguridad como 'desdicha'. También Lihani (*Lenguaje*, p. 356) afirma este valor para el port. El Dicc. RAE da *hadario* como adj. ant. 'desdichado'. Con el mismo o parecido valor se puede ver en Correas: "hadario es andar descosido" (p. 232). El *adario* que nos ocupa es de esas palabras que tienen un sentido general, bueno o malo, y que luego se especifica. Aquí es 'acontecimiento bueno', pero quizá en otros casos sea malo. Lo mismo ocurre en port. con *fadairo*, 'suerte, hado', que puede ser bueno y malo. Comp. Gil Vicente, *QTF*, 357: *ma fadairo.*

adefuera: *¡Adefuera, y de verano!* (f. 97). Lloreynte no conoce a Pascual porque "estaua amodorrido" o lleno de sueño, pero en cuanto lo reconoce y Pascual le pide la mano, contesta con una frase exclamativa, expeditiva: '¡claro que sí!', 'ya está hecho!', '¡no hablemos más de eso!' El *adefuera* equivale a *afuera*, que puede emplearse exclamativamente y en forma absoluta (V. Dicc. H°), con un valor de '¡vámonos!, ¡ea, vamos!' Encina, *Repelón*, 230: *¡Ahuera, que andan por alto / Ña praza los repelones!* También está muy cerca del *¡afuera!*, 'déjenme sitio', *Autos*, II, 325: *Pues altto, camina presto, / ahuera! que llevo azeyte!* Hay que poner dicha exclamación en relación con el lenguaje del juego. Correas: *Afuera, que va de reales!* y *Afuera, que va sobre apuesta!*

El *de verano!* es lo que se dice para desentenderse de una cosa (Dicc. RAE).

aflito, m.: *pues nuestro Dios soberano / está puesto en tal aflito* (a. 100). 'aflicción'. Tiene la misma forma que el participio fuerte de *afligir*, 'angustiar' (*aflito*, Encina, 37). *corrió la vieja maldita / por me açotar muy afrita* (D. 173-174). Existe *afletu* 'aflicción' en bable

afracar(*se*), tr.: *afrácaseme este sprito* (C. 23) 'aflacarse, debilitarse' (la respiración).

afrigulado, p. p. de *atribular*: (V. *Equivalencias rústicas*, p. 56. A. Diál. 47 y D. 579).

agenado, p. p. de *agenar* (como *enajenar*): *perdido é ya mi sentido / del todo punto agenado* (C. 3-4) 'fuera de sentido, privado de razón'.

agujeta, f.: (A. Diál. 5). 'Cinta, correa o cordón con herretes en las puntas, que servía para atar o cerrar algunas prendas, como los cordones de zapatos modernos'. En A. 542, *gujetas.* (En Cabranes *guyetes*).

ahé, interj.: (A. 273). Véase *Alahé.*

ahorrar, tr.: *el gauán quiero ahorrar* 'quitarse una prenda de vestir' (B. 81). El Dicc. RAE lo da como ant.; Encina: *si ahorro el gauán* (p. 250); "... y ahorrarse es quitarse la capa y vestidos que sobran para estar ágil para hacer cualquier cosa, ... ahorrado el que está en calzas y jubón", Correas, p. 527; en La Ribera, *desahorrar,* 'desnudarse'.

ahotas, adv.: *Ahotas ño corredor* (D. 94) 'ciertamente'. Se emplea con más frecuencia con *que: Ahotas que tumbas mucho* (D. 146).

Y aun ahotas que después / ño se dormiesen los pies, Encina, 237; Correas, p. 527, da (quizás por errata) *a hostas* "a osadas. Encarecen y afirman lo que se dice". V. Dicc. H., p. 1198, y Teyssier, p. 38.

ahunco, m.: *Ño tengas essos ahuncos* (A. 117); *Los ahuncos y descrucios, / sobrecejos, respelluzios* (C. 671-672) 'agobios, congojas'. Creo que sirve el mismo valor para los dos ejemplos. El Dicc. H. (p. 1208) hace una distinción, siguiendo a Cañete, entre 'temor' y 'congoja'. Existe actualmente en toda la provincia de Badajoz, como *ajunco* (V. Dicc. H., pág. cit. y para Mérida, Zamora Vicente, p. 58).

ahúto (*ahutar*): *¡Cómo ahúto barbihecho / maguer soy barbiponiente!* (D. 21-22) 'parecer'. El Dicc. H. lo da como de origen y significado dudoso. Recoge el valor 'mancebo' apuntado por Cañete.

Lihani (*El lenguaje,* p. 361) da diversos ejemplos de un verbo *ahutar* de Herrera Gallinato y Galán. El valor encaja bien en este texto. Tiene el mismo significado que el *abultar* de Cabranes, y su mismo origen (*vultus* en García de Diego).

ahuziar, tr.: *Ño la ahuzio. ¡Tirte afuera!* (A. 328) 'confiar en'. "*Ahuciar.* Lo mismo que esperanzar y dar confianza" (Autoridades, 140). *Qu'antes hora no te ahucio,* Encina, p. 10; *No te ahuzio por entero / la cuenta del ca-*

lendario. Torres Nah., *Com. Troph.* Jorn. II; *afiuziar,* Lib. BA. 1256 d.

aína (*ayna*), adv.: *Aýna diré / qu'en mi vida no oý tal* (D. 344-345). 'aprisa'. Empleadísimo en la literatura desde Mío Cid hacia acá. (V. Dicc. H., p. 1213). Pervive en muchos lugares del dominio leonés (V. Cabranes). A veces tiene sentido de interjec.: *¡Aýna, Bras! Tú y Beringuella* (A. 612).

ainar, intr. y pron.: *Cuydo estáys desambrinada / y aynada* (B. 390-391) 'sofocarse, cansarse'. Existe actualmente como dialectal, en Cáceres, por ejemplo. (V. Dicc. Histórico, p. 1214).

al, pron. indet.: *Pues creed que so el sayal / que aún ay al.* (B. 66-67). 'algo, otra cosa'. *So el sayal, hay al.* Refrán citado por Correas, p. 464; *hablemos en al, Autos,* II, p. 48, v. 176.

alahé (*ahé*), interj.: *¡Ala hé!, mia fé, digo ha* (D. 514). Procede de *fé,* y parece que conserva la *h* aspirada (V. Aspiración, p. 46). El significado básico es afirmativo. V. Gillet, *Propalladia,* III, p. 347; *Vita Christi,* copla 126; Teyssier (p. 64) encuentra dos veces esta forma en los *Autos* de Gil Vicente.

albardán, m.: *Ya ño es tiempo de albardanes / que a los que andan hurtando* (C. 526-527). 'truhán'; *Ni andeis hechos albardanes / comiendo vïanda vil,* Encina, 23; *albardán,* "gracioso que gana la vida haciendo y diciendo sandeces", Aguado, p. 228; "No es tiempo de albardanes, que ya es muerto el rey don Pedro" (Correas, p. 347).

albogue, m.: *Ya ño quiero churumbella, / los albogues ni el rabé* (C. 61-62). En el Dicc. RAE hay tres valores para esta palabra: 1) Especie de dulzaina. 2) Instrumento de viento hecho de cañas. 3) Platillos de latón que marcan el ritmo en las canciones populares. La acepción más corriente es la de 'flauta o dulzaina'. V. Glosarios medievales: *alboges o çanponna*; Covarrubias, 67 b, dice: "*alboge.* Es cierta especie de flauta o dulçaina de la qual usavan en España los moros especialmente en sus çambras". Aparece en el Lib. BA. 1213 b: *tañiendo su çampoña e los albogues, espera.* Como instrumento de flauta doble puede verse en una ilustración de juglares en la *Cantiga* núm. 220 (Ms. Escurialense). Reproducción en Menéndez Pidal, *Poesía juglaresca,* p. 49.

alcauala, f.: *¿Vos queréys el alcauala?* (C. 111) 'tributo que pagaba el vendedor'. *¿Has de haber tú ell alcabala?* Encina, 5. En los Glosarios Medievales tenemos: *alcauala* 'glabela', p. 71, y *alcavala* 'exacio', p. 102. Covarrubias dice (p. 75 a): "alcavala y gabela es todo una cosa; y es nombre hebreo".

alcuño, m.: *de Aldrán viene todo alcuño* (D. 215) 'linaje'. Covarrubias: "*Alcuna.* Vale linage, casta, decendencia". En Dicc. RAE: *alcuño,* ant. 'sobrenombre, apodo'. Este mismo valor en El Cuarto de los Valles y en Cabranes.

Aldrán, n. p.: *de Aldrán viene todo alcuño* (D. 215) 'Adán'. Lihani (*El lenguaje,* p. 361) explica que el nombre Adán está rústicamente deformado por el influjo de *aldrán,* que en el Dicc. RAE vale como 'mayoral'; *por tus pastores y aldranes,* Encina, *Canc.* XL r. a. También podría verse en esta forma: *Aldrán* es un lusismo, puesto que coincide con *Andrão* de Gil Vicente, y con la más cercana *Aldrão* de la *Com. Alfea* de Simão Machado (V. Teyssier, pp. 146-147).

alemaña, f.: *¿Es algún huerte alemaña* (B. 20) 'alimaña'.

alfamare, m.: *y vn alfamare vermejo* (A. 516) 'manta'; *alfamar* en Lib. BA., 1254. Covarrubias: *alfamar...* "que vale manta colorada porque de ordinario tienen esta color los alfamares".

alfarda, f.: *Darl'é alfardas orilladas* (A. 530) 'paño que cubría el pecho de las mujeres'. Es el valor que da Corominas, I, pág. 112 b.

alfardas con sus orillas, Encina, 96; *Mi dama buen capillejo / y alfardas bien orilladas,* Encina, *Canc.* XCIX, r.a. Citada como nombre de tocado en las Ordenanzas de Tejedores de Toledo (Bernis).

aliño, m.: *O, qué aliño / para mi triste vivir!* (B. 179-180) 'arreglo', 'negocio'. *¡Qué aliño de gorguera, rota y por pagar!* Correas, 415; *Mira qué aliño,* Correas, 609.

aliuiar, tr.: *Nadie de vuestra quadrilla / ha manzilla / de quanto puede aliuiar* (C. 457-459) 'hurtar, aligerar'; Covarrubias: *aliviar,* 'moderar y disminuir la carga'; Torres Nah. *Com. Tin.* I, p. 348.

aljama, f.: *rabís, Aljama y Sinoga* (a. 388), Dicc. RAE: 'junta de moros o judíos'; *sinoga y aljama, Autos,* II,

p. 281, v. 69-70; Covarrubias, 90 b: "Vale ayuntamiento y concejo".

aljuba, f.: *su mantón y aljuba y hopa* (A. 536). Dicc. RAE: 'Vestidura morisca, especie de gabán con mangas cortas y estrechas que usaron también los cristianos españoles'. Covarrubias, 91 b: 'género de vestidura morisca', y Cañete añade "que cubre brazos, pecho y espalda"; Bernis: "En la Edad Media, traje moro, y traje cristiano de encima".

almadraque, m.: *y vn buen almadraque viejo* (A. 515) 'almohada o colchón'. Dicc. RAE: m. ant. Cojín. Covarrubias, 93 a: 'es un colchón basto en que duerme la gente de servicio, quando no se desnudan por estar aprestados para lo que se puede ofrecer, como son los jergones de los alabarderos'. T. Nah. *Diál.* Intr. 87: *y vn gran almadraque qu'el tío le dio.* Todavía en el campo de la prov. de Albacete se emplea la palabra *almaraqueja* para designar la colchoneta o cubierta del tarimón.

almario: *¿soys bisodia o soys almario?* (D. 279). Lihani (*El Lenguaje,* p. 364), lo da como forma rústica con sentido de 'armario'. Hermenegildo lo da como "nueva palabra calcada sobre *armario*". Cañete sugiere que es una "traducción macarrónica de las palabras latinas *Ave María.* Pero la forma *almario* 'armario' existe fuera del lenguaje rústico (*Lib.* BA. 1632 c). V. *bisodia.*

Almuña, n.p.: *En todo el val de Villoria / ni el Almuña* (D. 36-37) 'la Armuña, campo de Salamanca'. No es necesario ir a buscar una Almuña al municipio de Valdés, en Oviedo, como hace Lihani (n. al verso D. 36).

altabaque, m.: *y porque llegué a vn altabaque* (D. 172) 'cestillo'. Dicc. RAE: 'cestillo o canastillo pequeño hecho de mimbres; *atabaque,* Glosarios, 94 (apoforetum).

altibaxo, m.: *mill altibaxos peguemos* (A. 628) 'saltos de arriba a bajo y viceversa'; *las fiestas de rato en rato / altibajos, zapatetas* (Encina, 97); Covarrubias: "En la esgrima o pelea, los golpes que se dan perpendiculares a hender, de arriba abajo" (p. 202 a). Existe como 'cierta danza' en *Lib.* BA. 1001 a. Significado que encaja bien en este lugar.

allende, prp.: *allá ayuso allende el río* (f. 8). Dicc. RAE: 'de la parte de allá de'. Covarrubias, 92 a: "*allende* vale essotra parte, como allende el mar".

allobadar, tr.: *Tú mimisma me aojaste, / tú misma me allobadaste / y de ti estoy llastimado* (A. 141-144) 'causar maleficio el lobo'. (En Asturias existe la creencia de que la persona que ha sido mirada por un lobo, o tocada por él, queda enferma. Esto es el *allobadar.*) Covarrubias, p. 103 a, dice: "*alobadado*: el ganado que ha mordido el lobo, o tiene la enfermedad que llaman lobado". La misma idea en Encina: "algunos lobos o lobas / mehan aojado" (*Canc.* f. XLVI v b).

amajadar, tr.: *No ha mucho rato / quando amajadaua el hato* (f. 258-259); Dicc. RAE: 'poner el ganado en la majada o redil'.

amodorrido, adj.: *¡Miafé! estaua amodorrido* (f. 95) 'con sueño muy pesado, con modorra'. Lo mismo que *amodorrado*; Encina, 169: *¿De qué estás amodorrido?*; *Lib.* BA. 1101.

ansarón, m.: *y comer buenos lechones / y castrones y ansarones* (f. 31-32) 'ganso'. Dicc. RAE: 'ánsar'; *Glosarios,* 110: 'pato'; Nola, *Libro de guisados*: 'pollo de ánsar'; Covarrubias, 124 a: "Dezimos *ansar* y *ansarón.* Dizen los niños: ganso, pato y ansarón, tres y uno son". En Mogarraz, de donde era Prauos, el pastor de la Farsa C, andan por las calles del pueblo libremente los ansarones. (V. fotografía.)

anxó, anxí, m. adv.: *Callá, que yo lo diré / a vuestro padre que os vi / anxó, anxí* (B. 474-476). Cañete y Hermenegildo dan: 'así, asá'. Lihani: 'de veras, por cierto'. El *asi, asá,* tiene un sentido indeterminado que no va bien en este caso. El pastor piensa acusar a la doncella diciéndole a su padre que la vio abrazada a un hombre. El buen sentido es, pues, 'de tal manera'.

aosadas, m. adv.: *y aun aosadas / que si buscarla querrés* (D. 167-168) 'ciertamente'. Correas, 534 a: *A osadas.* Dícese encareciendo algo que cumplidamente se dijo o hizo; Torres Nah. *Com. Seraph.* Intr. v. 129; *Autos,* II, p. 73, v. 334: *que aosadas que no es en vano*; *A osadas que voy honrado*... Encina, 230.

apero, m.: *Dios te dé malos aperos.* (A. 300) 'instrumentos de labranza o cualesquier útiles de trabajo'. Puede ser 'choza o cabaña de pastores' (Autoridades). Puede ser incluso 'rebaño de ganados' (Dicc. RAE).

apito, m.: *con prazer demos apito* (A. 600) 'silbido o grito rústico'; *Dales muy huertes apitos / que los aturries a gritos.* (Encina, 81); Torres Nah. *Com. Jacinta,* Intr. v. 74; Hoy día queda *apitar* 'azuzar a los perros' en Berrocal, p. 567.

apoderas, apodoño: Palabras bárbaras, corrupción de alguna frase latina. *Dixi domino de apodoño / de apodoño de apoderas / de apoderas de las heras /* (D. 472-474).

aprender, tr.: *que se aprendió en afición / y abrasóme mi sentido.* (A. Diál. 55-56); *aprender* ant. por *prender.* Dicc. RAE.; Correas, 214: "La estopa cabe el fuego, apréndese luego o cedo".

aquellotrar(se): *y aquellótrate de vero* (A. 477) 'alegrarse'. Gillet (*Notes,* pp. 239-244) estudia el origen sayagués de esta palabra y de toda la familia de los *quellotros,* y anota abundantes ejemplos. Para *aquellotrar* encuentra tres significados principales: 1) entender o comprender; 2) enredar o hacer un lío; 3) alegrar. También puede verse: Romera Navarro, "Quillotro y sus variantes" (HR. 1934, pp. 217-225) y García Blanco, BRAE. 1949, p. 415.

que me tiene aquellotrado, Coplas *Vita Christi,* copla 130, v. 7.

ardid, adj.: *muy ardid y muy artero* (a. 163) 'astuto, sagaz'. Dicc. RAE.; *ardid* 'mañoso, sagaz, agudo y de grande ingenio'. Es voz anticuada de Aragón (Autoridades); *zagal de buen ardid,* Encina, 19; *fardid,* 'animoso', Lib. BA. 485 d.

argulloso, adj.: *Con furor muy argulloso / y furioso* (C. 647-648) 'agudo'. En muchos vocabularios regionales del leonés se ve el cambio de *orgullo* en *argullo* y derivados. Covarrubias, dice: "*argulloso.* El bullicioso, apresurado y muy solícito. Del nombre latino *argutus.*"

armandija, f: *Sé armar yo mill armandijas* (D. 111) 'trampas'. El Dicc. RAE da la voz *armandijo* como ant. Como *armadija, armadijo* 'trampa'.

arquibanco, m.: *y vn arquiuanco pintado* (A. 517) 'arca que sirve de asiento'; Gil Vicente, *Don Duardos,* p. 84, v. 1341.

arrear(se), tr.: *¡Miafé! todas me dessean / y con gran muedo se arrean / por sobarme la pelleja.* (D. 28-29-30) 'arreglarse, engalanarse'. Covarrubias, p. 151 a: "*arrear* es adornar y engalanar de arras las joyas que el desposado da a la desposada, y de allí se dixo arreo, el atavío, y arreado, el adornado"; Dicc. RAE: 'adornar, hermosear, engalanar'; Lihani (*Lenguaje,* p. 371), da 'apresurarse' y en la edición, *Farsas,* p. 198, enfoca, a mi parecer equivocadamente, todo el pasaje. Su interpretación es "las zagalas me miran en la iglesia, todas me desean y se apresuran a manosearme con demasiada familiaridad el vellón o la piel". Es increíblemente fantástica toda esta escena, precisamente en la iglesia, donde hombres y mujeres han estado separados durante siglos. Cambiemos el arrearse por 'engalanarse', y no de cualquier manera, sino *con gran muedo,* 'con todo primor', y démosle al *sobar la pelleja* no el sentido directo, sino el de 'ablandar, conquistar'. Corresponde al léxico de tratar las pieles, lo que entra muy bien en el lenguaje de los pastores. En las Coplas *De Vita Christi* (copla 127, versos 8, 9, 10) se lee: *que la mi perra bermeja / le sobará la pelleja / a quien algo nos quisiere.* Tambien un sentido muy cercano en A. 384, *sobar el pillejo* 'hacer entrar en razón, castigar'.

arrebatar, tr.: *¡Juro a tal, si te arrebato / que te buelua del revés!* (C. 500-501) 'atacar, golpear'; Torres Nah. *Com. Soldadesca,* Jornada V.

arrellanar(se) (*rellanarse*), v.: *Quiérome aquí rellanar / por perllotrar bien mi pena* (C. 71-72) 'tumbarse, o sentarse cómodamente'. Covarrubias: "Vale sentarse con mucho descuido y floxedad: *re* acrecienta la sinificación, llanarse, abaxarse y allanarse; porque el que se asienta tiene el medio cuerpo enhiesto y levantado, y el que se arrellana déxase hundir y aplanar. Arrellanado el sentado assí".

arrepiso, p. fuerte de *arrepentir*: *¡Dios! que estoy muy arrepiso / por no me auallar tras ellos.* (f. 437-438). Autoridades, p. 581, da para *repiso* "Voz antigua, que ya se usa solo en estilo baxo". Menéndez Pidal, *Mío Cid,* I, p. 285, estudia *repiso* y también lo cita como part. fuerte en *Gram. Hist.* § 122,1: "y en la lengua moderna vive aún *repiso* en alguna región, como Cuenca"; *Autos,* II, p. 196, v. 310: *y está ya dello arrepiso*; Correas, p. 182: "El que tuvo lugar y no quiso, que le llamen el arrepiso".

(*h*)*asbondo,* adv. (V. *abondo.*)
Harto hasbondo as rellatado. (A. 550) y también (D.202) 'abundantemente'.

asbonda, impers.: *No digas más por agora / que ya harto asaz asbonda* (A. 458-459) 'basta'.

asbondar, intr.: *Ya lo asbondo a conocer* (B. 318) 'alcanzar sobradamente' (mejor que el valor 'empezar' de Lihani, p. 371). Para *avondar, abondar,* port. en Gil Vicente, (V. Teyssier, p. 103).

asmar, tr.: *asmo yo que hu mayor* (D. 93 'pensar'; Encina, p. 3: *Asmo, soncas, acá estoy.* Hay abundantes testimonios de esta voz. Covarrubias: "en la lengua antigua castellana *asmar* vale tanto como pensar"; *Coplas de Mingo Revulgo,* copla XXIV.

asnejón, aum. de *asno*: *¡Oyste, asnejón!* (B. 440); Torres Nah. *Com. Tinel.* Jorn. II, v. 3; Era frecuente esta suerte de aumentativos con valor despectivo. Comp. en *Autos,* II: *salvajón* y *alimañón,* versos 182-184 de la página 249, y el *azemilón* de la página 380, verso 167.

astroso, adj.: *por astroso y por hazino* (f. 22) 'desgraciado, miserable'. Lib. BA.: *astroso lobo,* 402 c, *ventura astrosa* 1685 a; en el *Vocabulario del siglo XV,* figura entre los insultos *astroso* (fol. 31v), en RFE XXXV, 1951, p. 335; en los Glosarios, pp. 43 y 243 figura "*cosa astrosa* (litigiosus). Es decir, *litigar* es cosa desastrosa"; Covarrubias, p. 161: "... al que no tiene ningún astro que le favoreciesse, y vive toda su vida miserable, abatido y sin que nadie en vida ni en muerte haga caso de él... a éste llamamos *astroso*".

atan, adv.: *atan graciosito* (f. 612) 'tan'; *bramidos atan grandes.* Lib. BA. 99 a; *atan,* 'tan': Rodríguez Marín, *Un millar...*; Autoridades: *Atan* "lo mismo que ahóra decimos *Tan.* Es voz antiquada". Cita un ejemplo de la *Chrón. Gal,* part. I, fol. 149.

aturar (*aturrar*), tr.: *Anda, vete, mamaburras / dende ya, que nos aturas* (f. 204-205). Puede haber una doble interpretación:

1) Del verbo *aturar.* El Dicc. RAE, como ant. 'detener o hacer parar a las bestias'; *aturemos, jura Diego / ... bien será que no fuyamos, Coplas Vita Christi,* copla 131. Tiene sentido de 'detenerse'.

2) Teniendo en cuenta que la rima con *burras* exige *r* fuerte, puede considerarse como perteneciente al verbo *aturrar* o *aturriar.* En el Dicc. RAE como salmantinismo: 'ensordecer'; *aturriar a gritos,* Encina, p. 81; en el

port. trasmont. *aturrar* 'facer muito barulho aos ouvidos de alguem' (Figueiredo).

Yo creo que se trata de esta última significación, pues toda la serie de versos hace referencia a los gritos: *Ño te queremos oýr* (201), *Oýd, oýd si queréis* (206), *No t'emos d'escuchar* (208).

auá, interj. V. *abá.*

auallar. V. *aballar.*

B

(en) *balança* (C. 842). V. *valança.*

barbeza, f.: *De todos los rededores / los pastores / vendrán a tomar barbeza* (C. 874-876) 'carne de cordero' posiblemente 'asado de cordero' o también puede ser 'tasajo de cordero'.

Cañete interpreta 'refacción abundante para cada uno'. Hermenegildo, p. 199, recoge esta misma definición y cita erróneamente otra *barbeza* de los *Fueros.* Lihani da 'carnero asado' y cita como relacionados con la misma palabra el *berbiz* catalán y el *barvés* judeo-español. Asenjo Barbieri, en su edic. del Teatro Completo de Encina, da el valor 'refacción ligera?'

Las dos ocasiones en que Encina da esta palabra son: "*Y allí sí vinieron / muchos zagalejos / y aun barveza dieron / a largos concejos / a moços y a viejos*" (*Canc.*. C r b). "*Vamos a tomar barveza / y a gasajar con su Madre*" (p. 24 del Teatro Comp.). Este último ejemplo es el que cita O. Macrí (*Aggiunte,* s.v. *bravo*). Bajo *bravo* debe ordenarse acaso la forma *barbeza,* si es que está por *braveza,* y no por 'autoridad propia de la barba': "Tod omne que per sua barbeza mandare alguna ren a otro, delo; si lo non soltare..." (*Foros de Castelo Rodrigo,* V, 29, p. 123 de la edición de Lindley Cintra, y también en el *Fuero de Usagre*).

El origen de nuestro *barbeza* hay que buscarlo en lat. *vervex* (y *berbex*)[3] que da rum. *berbec*(*e*), log. (*b*)*arvege,* fr. *brevis* y prov. *berbitz,* a. ital. *berbice* y judeoespañol *barvés.* A estos derivados puede añadirse el ju-

[3] Meyer Lübke, *REW.* 9270.

deo-español *barvéza* 'brevis'[4] citado, como ejemplo de consonante sorda sonorizada al tomar la terminación *a* del femenino, por Espinosa (*Arcaísmos dialectales,* p. 74).

En cuanto a la significación, es carne de cordero preparada de alguna manera agradable sin duda. En las *Coplas de Vita Christi* (copla 145, versos 6 a 10), se nos asegura que el gran gasajo para los pastores, comparable a oír el canto de voces celestiales, es comer "migas con ajo y *borregos en tasajo*". Esa comida, ya preparada, de la que se podría echar mano para celebrar cualquier acontecimiento, podría muy bien ser nuestra famosa *barbeza.*

barbihecho, adj.: *¡Cómo ahuto barbihecho...* (D. 21) 'con la barba recién afeitada'. Dicc. RAE.

barbillambrado, adj.: *y el cabrón barbillambrado* (A. 501). 'con la barba de color rojo encendido'. (Véase Dicc. RAE: *rojo alambrado.*) Según Corominas *alambre* del lat. tardío AERAMEN 'bronce'.

Cañete: 'con la barba partida'; Lihani: 'de barba roja'.

barbimohyno, adj.: *¡O, falso barbimohyno!* (B. 487). 'engañador'; Cañete: 'de barba negra'; Lihani: 'de barba engañosa'. Covarrubias explica: "Díxose *mohino,* de *muso,* que en lengua toscana vale el hozico de la bestia, parte a donde se manifiesta su cólera y malos siniestros, y porque las mulas que tienen el hozico todo negro son maliciosas..."

barbiponiente, adj.: *maguer soy barbiponiente* (D. 22). Dicc. RAE: Dícese del joven a quien empieza a salir la barba.

barreña, f.: *cuencas, barreñas, cuchares* (A. 511) 'cazuela o cacharro rústico'. Es natural que el nombre venga del cacharro fabricado de barro, pero concretamente el de los pastores, labrado en madera, sigue llamándose *barreña.* En Berrocal se llama así la 'vasija de barro para contener la leche destinada al queso'. Covarrubias: 'Vaso grosero de tierra, de que suelen usar los pastores y gente del campo, en que comen sopas o leche'. En el *Vocabulario extremeño* de Santos Coco, aparece la barreña como 'cazuela grande de madera de encina, donde comen los mozos del campo el gazpacho'. Los

[4] Subak, *ZRPh.* 1906, XXX, p. 156.

dos ejemplos de Encina responden al tipo de vasija labrada de haya: *Labraréle yo de haya / mil barreñas y cuchares* (p. 97); *una barreña de haya / la que di lunes llabré* (154); *escamando con sosiego / peçes en vna barreña* (Sánchez de Badajoz, *Farsa theologal,* v. 95-96).

barrunto (*varrunto*), m.: *que los campos tienen ojos / ... y los montes mill varruntos* (A. 114-116) 'espías'. *barrunte* 'espía', Aguado, p. 260; Covarrubias (p. 197 b) explica: "La ley onze, título 26 de la segunda partida, llama barruntes a los que oy llamamos espías, y dize assí: Barruntes son llamados aquellos omes que andan con los enemigos, e saben su fecho dellos, porque aperciben a aquéllos que los embían que se puedan guardar".

barzón, m.: *Tirte allá con tus barzones* (A. 27). En algunas partes designa esta palabra instrumento (o alguna parte de él) relacionado con la agricultura o con los animales de labor. Por ejemplo: 'correa fuerte con que se uncen los bueyes', en Costa Rica; 'correa de cuero crudo que sujeta el pértigo de la carreta o del arado al yugo' en Guatemala. Hay otra acepción de Salamanca (Lamano) y de Extremadura y Andalucía (Dicc. RAE): 'paseo ocioso', o bien 'holganza en la labor'. Correas recoge 'paseo para no trabajar'. Cualquiera de estas acepciones vale para que Beringuella despida al pastor sin hacerle caso.

bastardado, adj.: Como *bastardo,* dicho como insulto (C. 306).

batricajo, m.: *Hasta (a) el triste del herrero / le dio ogaño vn batricajo* (B. 222-223) 'golpazo, golpe'; Encina, 79: *y al tocino arremetió / y un batricajo le dio*; Torres Nah., *Seraph.,* Intr. 63: *sono que di vn bastricajo.*

bayón, m.: *encienso macho y bayones* (C. 324). Dicc. RAE 'espadaña', como de Extremadura y Salamanca.

beleño, m.: *Aunque estó como en beleño* (f. 75). Dicc. RAE 'planta narcótica', "Al que come beleño, no le falta sueño". Correas, p. 36.

bendizidera, f. (C. 45): Como el *bendicera* ant. del Dicc. RAE: Mujer que santiguaba con señales y oraciones supersticiosas, para sanar a los enfermos.

berbilleta, f.: *el capote y berbilletas / ya lo tienes aborrido.* (A. Diál. 6-7) 'baile o canción'. Cañete: 'Diminutivo de *servilletas* o *xervillas,* calzado que usaban los mozos y mozas de servicio'; Lihani: 'corrupción y diminutivo de *servilla*'. También admite que puedan ser cintas o paños importados de Berbi (Bélgica).

Cabría la posibilidad de que la *h* de herbilletas estuviese confundida con una *b*. *Jervilla* o *servilla* es 'zapato de mujer abierto por el atar' (Correas, 252). En el Guzmán de Alfarache (2.ª parte, lib. III, cap. III), aparece *jervilla* como 'calzado de andar por casa'. Ahora bien, ni el calzado para andar por casa, ni el calzado de mujer más o menos abierto parecen propios de un pastor. Además, la existencia de la palabra en Encina le quita los visos de errata: *húrdole mil remoquetes, / hágole mil sonsonetes, / cálcole mil çapatetas, / tráyole mil berbelletas / y aun ella más merecía* (*Canc.* fol. XCIX, r.a.). En la serie que compone Encina (remoquetes, sonsonetes, çapatetas) todos son términos que no indican cosas materiales como es el calzado. Más bien parece referirse a un canto o un baile. Oreste Macrí (*Adiciones al Corominas,* Bol. Bibliot. Menéndez y Pelayo, Santander, 1962, XXXVIII) cita: *berbelleta,* 'baile o canción', que viene muy bien para el sentido de la voz en Lucas Fernández.

besibre, adj.: *Vn ángel vimos besibre* (D. 369). *Visible,* con la protónica incierta y el grupo *bl* como *br,* los dos rasgos leoneses.

besibro, m.: *Ya no ay besibro que saba / decrallarme este rencor* (C. 41-42) 'saludador, curandero'. Así Cañete, al que sigue Hermenegildo. Lihani: 'curandero'. El sentido va perfectamente. Habría que suponer un derivado del bajo latín *visibilis,* de la familia de *videre,* algo muy semejante al *vesivilo,* 'visión o fantasma' de Cuenca y Murcia (Corominas, 702 a). Sería 'el curandero', 'el que ve o el que visita'. Pero no hay más que la suposición.

bienquerencia, f.: *Do ay bienquerencia* (C. 259) 'buena voluntad, cariño'. Dicc. RAE.

bisodia, f.: *¿Soys bisodia o soys almario?* (D. 279). Como otras por el estilo (*Santoficeto, Crialayson, Don Cotidiano*), es palabra cómica, levantada sobre una latina del Padrenuestro. Son fórmulas estudiadas por Joseph E. Gillet en "Doña Bisodia and Santo Ficeto", HR., vol. X, 1942, pp 68-70).

boballa, adj.: *Boballa, es de amarillo* (A. 199). Entra en la serie de formaciones despectivas de *bobo,* como *bobayu, babayu* (en Cabranes); *bobalias,* donaire para llamar a uno bobo (Correas, 451); *bobarrón, bobalías,* todos son nombres fingidos. (Covarrubias).

(Me parece inadmisible el *bobo-allá* de Lihani, n. al verso 199.)

bolla, f.: *Tocino, vino, cebollas / bollos, bollas* (C. 437-438). En Cabranes, como otro de los tan numerosos puntos de contacto con esta lengua, los bollos son más pequeños y menos extendidos que las bollas.

bollo maymón, m.: *Sabe hazer bollo maymón* (D. 201). Según Covarrubias es 'pan mezclado con hechizos de bien querencia'; Dicc. RAE 'roscón de masa de bizcocho'.

bordado, adj.: *y su corona / de doze estrellas bordada* (D. 537-538) 'bordeada'.

bordión, adj.: *O, do al diabro el bordión* (D. 298) 'tosco, torpe'. Este es el significado de *borde* en And. y Nav. según el Dicc. RAE, y también en alguna parte de La Mancha. Todos los valores de *borde* giran alrededor de lo bastardo, lo que no es según la regla. *Bordión* puede ser aumentativo de *borde* con una *i* epentética tan corriente. En relación también con *bordiona,* 'ramera' en el Dicc. RAE.

borro, m.: *Tiradvos allá, don borro* (A. 342) 'ignorante'. En el Dicc. RAE 'cordero que pasa de un año y no llega a dos'. En La Bureba 'carnero adulto'. En Cespedosa de Tormes 'cordero hasta de un año'. En Berrocal 'ganado machorro en las ovejas' (p. 570). En Autoridades "cordero de un año, y lo mismo que *borrego.* Translaticiamente se llama al ignorante y tardo en discurrir".

botón de llumbre, m.: *date vn gran botón de llumbre* (A. 138). Covarrubias: *botón de fuego* 'el cauterio que se da con cierto hierro, cuya extremidad tiene forma de botón'.

bragado, adj.: *y el buy vermejo bragado* (A. 505). En Berrocal (p. 443) es la res 'de pelo rojo y con la parte del vientre blanca'.

braguivaxuelo, adj.: *Aunque me veys / vn poco braguivaxuelo* (B. 55-56) 'corto de calzones y piernas'.

brigollenío, adj.: *tu sollo brigollenío* (A. 186) (V. *Una dificultad,* p. 57).

bronco, m.: *Mas desecha el bronco y ceño* (D. 265) 'aspereza'. Covarrubias: *bronco,* 'lo tosco, grosero y por desbastar'.

buenamiente, adv.: *Que me praz de la traer / de buenamiente por ti.* (A. 177-178) 'de buena gana'. Este valor en Acevedo, *Bable Occ.*; Torres Nah. *Com. Troph.* Jorn. II, v. 341; *Plázeme de buena miente / de te dar todo ... mi hato.* (Encina, *Canc.* XCVIII rb.)

buy, m.: *y el buy vermejo bragado* (A. 505) 'buey'. Existe en varios lugares del dominio leonés, por ejemplo en Maragatería (Garrote) y en La Cabrera (Casado Lobato, p. 162). Lo mismo en Lib. BA, 431 d.

C

ça... V. en la Z.

cabezón (*cabeçón*), m.: *asen de sus cabeçones* (a. 389). Dicc. RAE: 'lista de lienzo doblado que se cose en la parte superior de la camisa y rodeando el cuello'. 'Abertura que tiene cualquier ropaje para poder sacar la cabeza'; en tierra de Aliste 'escote de la camisa'; en el bable de Occ. (Acevedo): 'abertura de las ropas para sacar la cabeza'; equivale a las solapas de la chaqueta "agarroulo por os cabezois". Otros autores, como Garrote, dan 'el cabello que rodea la nuca'; Correas: *traer por los cabeçones,* 'traer por la fuerza'. *Autos,* II, p. 229, v. 401: *y engarrafad / de aquí de los cabeçones.*

cabra mocha, f.: *remamar la cabra mocha* (f. 30) 'cabra sin cuernos, de buena o abundante leche'; *Glosarios*: mocho (emutilatus), p. 119; "como el carnero mocho, que no tiene cuernos". Covarrubias, bajo *mocho*; en Berrocal, *mocho* es el 'animal que sólo tiene un cuerno'; Encina: *Gran placer es sorber leche / que aproveche, / e ordeñar la cabra mocha* (p. 386). Un refrán nos explica esta predilección pastoril por la cabra sin cuernos: "La cabra mocha, leche es toda" (Correas, p. 98).

cachinegro, adj.: *la cachinegra y putona* (A. 276) 'de nalgas negras'. En Salamanca *cacha* es 'nalga' (Dicc. RAE); *cachiprieto* en Tor. Nah. *Com. Troph,* Intr. 65.

cadaldía, adv.: *qu'es más ñuevo cadaldía* (C. 150) 'cada día'. El Dicc. RAE lo da como ant. Aparece en Lib. BA,

1345 y en numerosos textos medievales; Gil Vic., *Don Duardos*, v. 1384.

caler, intrans. impers.: *No te cal tomar reposo* (f. 70) 'convenir, importar'; *Fileno, no cale que más me perjures*, Encina, 196; *cata que te cale poner firme, Coplas de Mingo Revulgo*, XXXII. Y glosa Fernando del Pulgar: "que le cumple andar camino derecho"; "Por decir no cal, no cal, perdí a Bernedal o Bervegal" (Correas, p. 400).

calcar, v. tr.: *Y'os calco mi bendición* (C. 816); *calquemos mill çapatetas* (f. 573). Lihani (p. 386) da el valor 'pasar, dar', que no me parece exacto. Si damos a los dos ejemplos el valor actual de *calcar* en Cabranes, tenemos el sentido perfecto: 'colocar algo apretando'. Las zapatetas se aprietan al golpear con el pie en el suelo, y la bendición se les "coloca" con más o menos fuerza. También vale la misma significación para Encina: —*Calca, calca buen bocado.* / —*No me cabe* (p. 78). Coincide el valor con el del castellano moderno *recalcar*.

calostrar, v. tr.: *ño la sabrás callostrar* (D. 140) 'sacar calostros, ordeñar'. Correas, p. 242: "hijo descalostrado, medio criado".

calçones: (D. 58). Bernis: "De menos categoría que las calças. No complicados con cuchilladas y forros".

cana, f.: *Echado hauéys vna cana* (D. 453). Como el actual "echar una cana al aire"; Correas, p. 565 a: "*Echar una cana* por tomar algún descanso y placer en juego o entretenimiento: echemos una cana: holguémonos un rato".

candial, adj.: *Tu gesto bien da señal / candïal* (687-688) 'señal buena, señal de que la enfermedad va mejor'. Aparece esta palabra recogida en *Un Vocabulario castellano del siglo XV* (RFE, XXXV, 1951, p. 336). En bable actual: "cara candialina" 'de buen aspecto'.

capillejo, m. dim. de *capillo*: *Darl'é alfardas orilladas / y capillejos trenados* (A. 530-531). Encina, p. 96: *gorgueras y capillejos; Y aun buen capillejo / de hilo trenado*, Enc. *Canc.* Cva.; *Capillo* era cubierta para la cabeza, de varios tipos. Covarrubias, p. 297 a: "Las labradoras de Tierra de Campos usan unos capillos que les sirven de sombreros y mantellinas, y las señoras de aquella tierra los traen por bizarría de sedas, de telas y de bordados". (V. *trenado*).

capote: (D. 55); Bernis: "Traje de pastores, galeotes y gentes humildes en general".

caramillo: *di al diabro el caramillo* (D. 470). No es el *caramillo* instrumento musical, sino que tiene un valor de 'asunto, lío, negocio'. Comp. *Pícara Justina,* ed. Puyol, t. 2, p. 71: "Por una palabrita que en el ayre os dixe... armastes todo el caramillo que ha passado".

carear, tr.: *¿Y a dónde está careada? / Allá en somo...* (A. 207-208). El Dicc. RAE da 'dirigir el ganado hacia alguna parte', y también como salmantino 'pacer el ganado'. Suele construirse con la dirección que se tome expresada por *cara a* o *carria: allá carria la majada* (A. 206). Lo mismo en Encina, p. 81: *¿Carean de cara acá?* y también *carra: Vámonos carra el ganado,* Encina, 88.

carillo, -a, adj. y sust.: *Pues dínoslo ya, carillo* (f. 267); *Pues verás, mira, carilla* (A. 161) 'querido, compañero'. Aunque Lihani (*Lenguaje,* p. 200) afirma que aquí el sufijo *-illo* no tiene valor de diminutivo, no es cosa que pueda asegurarse. Todos los *carillos* parecen ofrecer el aire de diminutivos cariñosos.

Marinilla / la carilla de Pascual (Encina, 179); *Ansina aveis cazurrado / vuestro carillo chapado...?* (*Autos,* II, p. 158, v. 237-238). Lo emplea Gil Vicente (V. Teyssier, p. 41). En *Un Vocabulario castellano del s. XV* (RFE, XXXV, 1951, p. 326) se lee: "los mozuelos de las aldeas de Castilla y sus hermanillas, carillos los dizen".

caronal, adj.: *Papiharto y el Çancudo / son mis primos caronales* (A. 442-443) 'carnal'. Atestiguado en varios textos medievales, y pervive en el judeo-español (V. Corominas, s.v. *carona*). Aparece en Gil Vicente (V. Teyssier, p. 42). Hay que ponerlo en relación con *caronas.*

(a) *caronas,* adv.: *Mill altibaxos peguemos / por acaronas del suelo* (A. 628-629) 'a ras de'. Actualmente se emplea en castellano sólo para las bestias (ser blando de carona, corto o largo de carona). Corominas (696 b) lo deriva de un *caro caronis* popular en vez del clásico *caro, carnis,* y da a Berceo como primera documentación. Existe *a carón* 'al rape' en el Bable de Occ. (Acevedo) y también en gallego y portugués.

Carrascal: *Soy Prauos del Carrascal* (C. 234). Actualmente hay un *Carrascal del Obispo,* al N. de la carretera de Tamames, cerca de Berrocal de Huebra (V. *Verrocal*).

También existe *Carrascal de Barregas,* junto a Doñinos de Salamanca, entre Salamanca y Ledesma.

carria: *allá carria la majada* (A. 206). V. *carear.*

castrón, m.: *y comer buenos lechones / y castrones y ansarones* (f. 31-32). Voz recogida en numerosos vocabularios dialectales. Todos los testimonios pueden agruparse en dos tipos: 1) macho cabrío semental (en Lamano; 2) macho cabrío castrado (Covarrubias). Dicc. RAE: 'macho castrado'.

cauiñete, m.: *tengo cinto y cauiñete* (D. 53). Cañete apunta: "gañivete y gannivete; cuchillo que llevaban los gañanes en el cinto para degollar las reses (es vocablo provenzal)"; Lamano recoge *gañivete* y *canivete.* Covarrubias (627 a): "El cuchillo que el gañán trae en el cinto, con que degüella las reses, o el que trae el bodegonero con que parte la carne; pero lo más cierto es ser francés *ganivet* o *canivet*". Es corriente en el portugués actual *canivete* 'navaja pequeña'; Gillet, *Notes,* p. 808, da numerosas variantes: *ganyvete, cañivete, caviñete, cañagüete,* etc.

cegera, posible errata por *cugera,* f.: *Sé armar yo mill armandijas / ñagazas, llazos, cegeras* (D. 111-112). Cañete da el valor 'cajilla dispuesta para coger un enjambre', repetido por Hermenegildo y Lihani. A mi parecer se trata de un (*a*)*cujera* 'lazo pequeño para coger aves', recogido en el Dicc. H., p. 604. (Habría sufrido la aféresis de la *a,* como *añagaza,* del mismo verso.) Acaso esté también en relación con *quijera* 'hierro que guarnece el tablero de la ballesta'. Dicc. RAE. No encuentro más testimonios de esta voz.

centillas, f.: *Solías andar guarnido / con centillas y agujetas* (A Diál. 4-5). 'Cordones o cintas tejidas de diversas materias'. Debe de ser la misma palabra que el *cintillo* castellano.

cercillo, m.: *cercillos sobredorados* (A. 532) 'zarcillos'; *Daréle buenos anillos, / cercillos, sartas de prata* (Encina, 96); *cercillo* (auricularius) en los Glosarios, p. 93.

cerco, m.: *También sabe en cerco entrar* (D. 194). Dicc. RAE: *Cerco* 'Figura supersticiosa que trazan en el suelo los hechiceros y nigrománticos para invocar dentro de ella a los demonios y hacer sus conjuros'. *Pues entrar en vn cerco, mejor que yo y con más esfuerzo; avnque yo tenía harta buena fama...* (*Celestina,* Acto

VII); *Verdad es que el ánimo que tu madre tenía de hacer y entrar en un cerco y encerrarse en él con una legión de demonios. Coloquio de los perros,* ed. Rodríguez Marín, Clás. Cast. p. 291; *Un cerco quiero hazer / como mil vezes he hecho* (Sánchez de Badajoz, *Farsa de la hechizera,* v. 281-282).

cerrado, m.: *los verdes sotos y prados / y cerrados* (B. 367-368). Dicc. RAE: 'Cercado, huerto con valla y tapia'.

cerristopa, f.: *camisas de cerristopa* (A. 535). En Cabranes '*cerro* es el tejido de hilo de más finura y calidad, y la estopa es más basta'. Lamano recoge el valor de 'camisa de fiesta, con la parte delantera superior de cerro y el resto de estopa'. Bardón: *cerro* 'trenza de lino preparada para poner en la rueca'. Muy semejante es lo que dice el Dicc. RAE: *cerro*: 'manojo de lino o cáñamo, después de rastrillado y limpio'. Se encuentra el valor de 'hilo fino' para *cerro* en Los Argüellos y Alto Aller.

cestrepicote, m.: *Tengo jubón de frolete / sayo de cestrepicote* (D. 51-52). Cañete: 'Nombre de una clase especial de picote, tela basta hecha de pelo de cabra?'; Covarrubias: "*Picote* es una tela basta de pelos de cabra, y porque es tan áspera que tocándola pica, se dixo picote"; *y un sayo cestrepicote* (Encina, *Canc.* LV, v b).

Christino y Febera (C. 191 y 198): Personajes de la Égloga de Cristino y Febea, de Encina, p. 381.

cielo (*hacer del cielo cebolla*), fr.: *Vnos dizen que es el cielo / bien ansí como cebolla* (f. 136-137) 'tomar al revés las cosas' (Correas, 591). Debía de ser una frase muy corriente; Covarrubias dice: "*Todos estos nombres tiene el embaydor que nos haze (como dizen) del Cielo cebolla, por la liberalidad que tiene en trocar las cosas y assí el juego se dize también juego de manos*". Alexo Venegas (*Agonía del tránsito de la muerte...* NBAE, XVI, 190 b): *... siga la confusión babilónica y confunda las tentaciones y anteponga y posponga... y trueque, como dice Horacio, cuadrado con lo redondo, e como orgulloso sofista presuma hacer del cielo cebolla y vuelva en blanco lo negro*".

cocho, p. fuerte de *cocer*: *comer buenos requesones / comer buena miga cocha* (f. 28-29) (V. *miga*); Berceo, *Sacr.* 149, *Duelo,* 59.

codo (*sacudir de codo*): *de codo le sacudían* (a. 213) 'sacudir con el codo' (V. preposición *de*) *dar del codo al que está vecino es advertirle secretamente de alguna cosa* (Covarrubias).

codorro, adj. y sust.: *vn golpe con esta porra / que os aturda, don codorro* (A. 344-345). Dicc. RAE: Dícese de la persona terca, usado en Salamanca. También lo recoge Lamano.

cofradía, f.: *¿Quién me vio en las romerías / cantar, saltar y bailar / sin cansar / regozijar cofradías?* (C. 97-100) 'Congregación o hermandad que forman algunos devotos...' Dicc. RAE; "*Cofradía de tras cerca, mucho vino y poca cera.* Porque es junto al lugar do van, y llevan comida" (Correas, p. 114 b).

cohonder, tr.: *¡Él te quiera cohonder!* (a. 180) 'confundir', como ant. en el Dicc. RAE.

collaço, m.: *Cantáy si queréys, collaços* (f. 551) 'compañero, criado de un mismo amo', así en Cabranes; Covarrubias: "Es lo mismo que colectáneo, el que ha mamado con otro una mesma leche. En Castilla la Vieja y en algunas partes del Andaluzía llaman collazos a los moços que cogen los labradores para que les labren sus tierras, moços del campo". Glosarios, p. 3: *collaço* (bernaculus) (vernáculo es 'doméstico, de la misma casa o patria'); Torres Naharro, *Com. Aquil.*, Jorn. II, v. 1: *Hao! collaço dormilón!* Lib. BA, 1277 a, b: *fazié a sus collaços fazer los valladares / rehazer los pesebres, limpiar los alvañares.*

comunal, adj.: *Buen consejo es comunal.* (A. 434) 'común, apropiado'. Para el paso entre la idea de ser 'común a todos' y la de 'producir placer', V. M. Morreale, *H. Rew.* vol. 37, núm. 1, p. 135; Lib. BA, 553, b, c: *escoge la mesura e lo que es comunal: / como en todas las cosas poner mesura val.*

conbusco, prn.: *¡A!, ¡ño praga[a] Dios conbusco!* (B. 455) 'con vos'. Covarrubias: "*convusco.* Palabra antigua. Vale con vos o con vosotros".

concallecido, adj.: *Todo estó concallecido* (B. 280) 'enfermo'; Cañete: 'enfermo, abatido'; Lihani: 'acongojado, abatido'; Lamano: 'pocho, purulento'. Se usa actualmente en Mérida: *concalecío* 'enfermo'. Lihani (p. 397) cita lugares de la región salmantina donde existe la voz citada; Correas, 628 b: "Penetrado de bubas. Lo que concalecido".

confación, f.: *hizo confación de vngüentes* (a. 413) 'confección'. Dicc. RAE: *confacción,* ant. 'confección'.

conjuñir, tr.: *ño ay zagal de tal mamoria / y aun si digo en vanigrolia / ño ay quien comigo conjuña* (D. 38-39-40) 'hacer par, igualarse'. Cañete: 'compita, se ponga al lado'; Lihani: 'competir, igualar'.
"Concordare es coiungir e fazer que sean de vn coraçon" (*Vocabulario* de Alonso de Palencia, fol. 89 v.).

conorte, m.: *Gran deporte y gran conorte / deuemos todos tener* (f. 541-542) 'consuelo'; *es la fabla e la vista de la dueña tan loçana / al omne conorte grande, plazentería bien sana* (Lib. BA, 678, c, d). Covarrubias, 349 b: "*conortarse,* consolarse un hombre a sí mesmo, buscando razones para no tener por tan pesado su trabajo".

contino, adv.: *pues contino / me acude el viejo dolor* (C. 279-280) 'continuamente'. El Dicc. RAE lo da como ant. Lo recogen Bardón: 'en banda, todo seguido', y Lamano. Lo emplea Gil Vicente, *Don Duardos,* p. 82, verso 1281; *Contento debrían los males hacerte / que por seguirte me siguen contino* (Encina, p. 197); *con vida muy aflijida / confusa, penosa y triste / serás contino pugnida.* (*Autos,* II, p. 146.)

cordojo, m.: *Estoy de cordojos lleno* (C. 127) 'aflicción', 'pesar'; Lib. BA, 61, c, d: *désto ove gran pesar e tomé grande enojo / e respondíle con saña, con ira e con cordojo*; Encina, p. 66: *trasijado de cordojos; quel cordojo y sobrecejo.* Íd. *Canc.* XCIX rb; Torres Nah. *Com-Troph.* Jorn. I, v. 62. Lo emplea Gil Vicente, V. Teyssier, p. 44. Covarrubias: *cordojo* 'cuidado y aflicción', quasi cordis dolor, vocablo antiguo.

corona (*ser de corona*): *yo's desposo / aunque ño so de corona* (C. 810-811) 'tener tonsura'; Encina, p. 251: *Porque sea de corona, / ¿cuida que ño l'han d'habrar?; El señor cura non baila / porque diz que é de corona / baile, señor cura, baile, / que Dios todo lo perdona* (Cantar popular asturiano).

Coronel, n. pr. (*Dama Coronel*): *¡O, gran dama Coronel, / corona de toda España,* (B. 100-101). He aquí una de las variantes de la historia de María Coronel: "Doña M.ª Coronel, hija de don Alonso *H*ᵉᶻ Coronel, señor de la villa de Aguilar... casada con don Juan de la Cerda, nieto del infante don Fernando de la Cerda. Siendo en extremo hermosa y teniendo dello noticia el rey don

Pedro el cruel, mandó que se la lleuasen a su palacio. Ella, por no hazer injuria a su marido... hizo heruir vn poco de azeyte y echóse muchas gotas dél por todo el cuerpo y pecho y braços e assí se afeó y se puso llena de ampollas. Y fue desta manera delante del rey, y auiendo dél oydo sus deshonestas peticiones, le dixo... que holgara seruirle como lo deuía, y descubriéndose dixo que era enferma del mal contagioso de Sant Lázaro. Lo qual visto por el rey, la embió libre de aquella offensa a su casa". JUAN PÉREZ DE MOYA, *Varia historia de sanctas e illustres mugeres*... Recopilado de varios autores por el bachiller Juan Pérez de Moya, natural de la villa de Sant Esteuan del Puerto... En Madrid, por Fco. Sánchez. Año de 1583; libro I, art. CXXj, folio 153 v. La historia o leyenda de María Coronel, desarrollada por varios autores, es fuente para *La Corona merecida* de Lope de Vega. (V. ed. Montesinos, Teatro Antiguo Español, tomo V, Centro de Estudios Históricos, Madrid, 1923). Para más bibliografía Salvador (*Consideraciones,* p. 20).

correncia, f.: *trasijado de correncia* (C. 347). Dicc. RAE: 'diarrea, flujo de vientre' como fam.; Encina, p. 231: *Que más cara me costara / quizás que alguna correncia*; Sánchez de Badajoz, *Farsa de la ventera,* v. 18-19: *Son cámaras tan continas / que anda ell ombre de correncia.*

corruto, p. de *corromper*: *los verdes sotos y prados / y cerrados / ternán su frescor corruto* (B. 367-369); Encina, 143: *Agua e nieve / E vientos bravos corrutos.*

cossijo, m.: *qu'estos males y enconijos / son cossijos / que nos traen modorrados* (C. 75-77) 'desazón, molestias'; Corominas (I, pp. 844 b-845) lo hace derivar de *acosar* (lo mismo que *enconijo* de *enconar* y *tropecijo* de *tropezar*). Aparece en muchos textos como *cojijo, coxijo,* y *coxixo*: Lib. BA, 947, a-b: *De toda esta lazeria e de todo este coxixo / fize cantares cazurros*; Covarrubias: *coxijo* 'Qualquiera cosa que nos inquieta, importuna y da pesadumbre'; Lamano recoge *cosijo* y *cojijo* como 'picazón', y *enconijo* como adjetivo 'malhumorado'.

costillas, f.: *me caen mill passarillas / sin armarlas en costillas* (D. 118-119) 'ballesta o trampa para pájaros'. Éste es el valor recogido en Mérida (Zamora Vicente, p. 86); Covarrubias: "perchas, ciertas ballestillas de costillas con que caçan las perdizes y otros páxaros"; *Jergueritos y pardales / Y patojas en costillas* (Encina, 98).

costumero, adj.: *Quiérome aquí rellanar / con gozo muy prazentero / como zagal costumero* (f. 16-17-18) 'perezoso, rehacio'; Lib. BA, 1254 d: *al contar las soldadas ellos vienen primeros / para ir en frontera muchos ay costumeros.*

Bien semejás costumero / en vuestra abra mesurada (D. 289-290) 'diestro, ejercitado' (también podría tener el valor del caso anterior); Lib. BA, 437 b: *que la tu mensajera / sea bien razonada, sotil e costumera.*

cramor (B. 216).

crauellinas (D. 553).

crauo (D. 252).

Las tres palabras y la siguiente son ejemplos de la evolución del grupo CL > CR, fenómeno muy desarrollado en leonés. (V. Zamora Vicente, *Dialectología*, pp. 137-138).

crego, m.: *¡Pardiós! Si lo sabe el crego / que me dé gran penitencia!* (A. 123-124) 'clérigo'; *Dezí ¿vaislas a poner / con qualque crego a soldada? Autos*, II, p. 522; *¿Tú quieres que llame al Crego / o traya al Físico luego* (Encina, p. 174). Empleado por Gil Vicente (V. Teyssier, p. 44).

creyer (C. 839). 'Creer' con *y* antihiática, fenómeno de tipo occidental, aunque también se presenta en otras regiones.

criado, adj.: *Vino Judas delantero / su discípulo criado* (a. 161-162). *Mal criado en ti crié / pues me diste tal vegez. Criéte desde niñez* (A. 266-268) 'persona que ha recibido de otra la crianza, alimento y educación'. Así en el Dicc. RAE. Correas, 130: "*Criado de agüelo, nunca bueno. Criado es la criatura que se cría*"; *Lib.* BA: 1303 y 1261.

crudío, adj.: *mal le trata / con castigo muy crudío* (B. 256-257). El Dicc. RAE recoge *crudío* 'bronco, áspero' como ant. El mismo es el significado en este caso. Covarrubias, p. 373 a, cita *crudío* 'lo que no tiene en sí suavidad'. Empleado en el *Diálogo del Amor y un viejo*, verso 570; Encina, *Canc.* fol. XLiij vb: *amor crudío y fiero.*

cuenca, f.: *cuencas, barreñas, cuchares* (A. 511) 'escudilla de madera'. Dicc. RAE: 'escudilla de madera que suelen traer algunos peregrinos, los mendigos y otras personas'. En Mérida: *cuenca* (y *cuenco*) 'cazuela de madera de los pastores, que se hace después de haber estado enterrado el tronco de madera durante algún tiempo'.

cuero y correas: *Yo te prometo hasta el cabo / ponga yo cuero y correas, / qu'el domingo que vinier* (C. 722, 723-724). Es como una apuesta en que se juega todo, lo principal y lo accesorio. *Del cuero salen las correas* 'de lo principal sale lo accesorio' (Covarrubias); *poner cuero y correas* 'todo' (Correas, p. 630).

curruchado, adj.: *mill zagales curruchados / he topado, y perchapados / mas siempre los he vencido* (D. 48-49-50). El sentido es 'presumidos, compuestos'. Quizás esté en relación con *currutaco.*
Seguramente es la misma palabra que da nombre a un baile popular de Colombia: *curruchada*; *curruchas* (Malaret, *Supl.* s.v.).

CH

chançoneta, f.: *cantemos mill chançonetas / y mill sones perchapados* (f. 574-575) 'coplas y composiciones en verso, ligeras y festivas, hechas por lo común para que se cantasen en Navidad o en otras festividades religiosas'. Así en el Dicc. RAE; Covarrubias: 'villancicos que se cantan las noches de Navidad en las yglesias en lengua vulgar, con cierto género de música alegre y regozijado'; Torres Nah. *Com. Troph.,* II, v. 25; Gil Vicente, V. Teyssier, pp. 42-43; Lib. BA, 1021 b, c: *fize bien tres cantigas, mas non pud bien pintalla: las dos son chançonetas, la una de trotalla.*

chançonoría, f.: Alteración rústica, con cruce de *chanzón* o de *chançoneta,* por *chancillería,* 'tribunal superior de justicia': *de partirme he n'este día / para la chançonoría* (A. 415-416).

chapar, tr.: Es fundamentalmente 'cubrir o guarnecer con chapas' (Dicc. RAE). De ahí 'fijar la herradura a modo de chapa'. Así, con referencia a la herradura dice Covarrubias: *chapársela* 'assentársela como chapa', 'clavar'. Este es el valor en: *Y al otro que por la cholla / todo el crauo le chaparon* (D. 251-252)[5]. De este significado se pasa al de 'asentar, encajar'; Encina, p. 242: *Que se chapen llugo en casa / Primero que ñada habren* 'que se presenten, que se encajen'. (Me parece mejor este sentido que no el de 'cerrarse' como quiere O. Macrí, *Aggiunte,* RFE, XL, p. 153.)

chapado, adj.: Partiendo del participio del verbo anterior 'recubierto de chapa de metal', si es metal noble, se llega al sentido de valoración aplicado a muy diversas personas y objetos. Se dice de cosas: *Y con tan chapada habra / todo estó regozijado* (A. 151-152); *flor de sago y doradilla / y mançanilla / es muy chapada hesica* (C. 325-326-327); *quiero hazer chapada lumbre* (f. 38). Se aplica también a personas con el sentido de 'sano, bueno, perfecto': *Yo bien ancho y bien chapado / estó, y relleno y gordo* (B. 294-295); *La más chapada y más vella / que en este mundo se vio* (f. 491-492), *chapada, linda, loçana* (Torres Nah. *Com. Jacinta,* Jorn. IV, v. 215); Encina, p. 5: *Es tan justo y tan chapado, / Tan castigador de robos*; Íd. p. 9: *Hora digo que en ti está / Un buen chapado zagal*; *Autos* II,, p. 158: *Ansina aveis cazurrado / vuestro carillo chapado / y quitádole el rresuello?*; para su empleo en Gil Vicente, V. Teyssier, pp. 43-44). Covarrubias: *chapado* 'el hombre de hecho y de valor, porque va guarnecido con su virtud y esfuerço'.

cherrihau (V. *marramau*).

chirlo-mirlo, m.: *desossarte he pieça a pieça / y bola de tu cabeza / —¡Ay! ¿qué cosa es chirlos-mirlos?* (C. 511-512-513). Según el Dicc. RAE es 'cosa de poca importancia' y forma parte del estribillo de un cantar infantil; en Correas, 314, parece que esta palabra representa a uno de esos animales ilusorios que se toman como pretexto para engañar a los crédulos, como los *gamusinos* de Mérida, o los *corzobeyos* de Cabranes. "Mi marido va a la mar, chirlos-mirlos a buscar" (Contra los crédulos, vanos y baldíos...).

chueca, f.: *¿Quieres jugar a la chueca?* (f. 178). El Dicc. RAE define así el juego de la chueca: 'Juego que se hace poniéndose los jugadores unos enfrente de los otros en dos bandas iguales, procurando cada uno que

[5] Este personaje al que le "chaparon" todo el clavo en la cabeza, fue Sísara, general cananeo. V. *Libro de los Jueces,* IV, 21.

la *chueca,* impelida con palos por los contrarios, no pase la raya que señala su término'. Gillet, *Notes,* p. 598; Covarrubias: "... el juego que llaman de la chueca, poniéndose tantos a tantos; y tienen sus metas o piñas, y guardan que los contrarios no les passen la chueca por ellas, y sobre ésto se dan muy buenas caydas y golpes". Encina, p. 303: *Tal dolor tengo y pasión / que ya no juego al cayado / ni a la chueca, ni al mojón*; Torres Nah. *Com. Jac.* Intr. v. 67-68: *a la chueca.*

churumbella, f.: *Ya ño quiero churumbella / los albogues ni el rabé* (C. 61-62) 'instrumento de viento que usaban los pastores, semejante a la chirimía'; Autoridades: "Instrumento de viento a modo de chirimía, que algunos llaman churumbeja". Covarrubias dice es palabra Toscana (de *Ciarambela*); *y tú la tu cherumbella* (*Coplas De Vita Christi,* copla 146, v. 10); *Yo le diré mill cantares / con la churumbella nuevos* (Encina, p. 155).

D

dáca,[6] exclamación: *¡Dáca, sus, dáca! Tornemos / nuestro juego a començar* (f. 214-215); *¡Sus, dáca! Al juego tornemos* (f. 297). Es algo así como '¡ea, vamos!' Compuesta de *da* y *acá,* pero que no guarda ya el sentido de *dar*: *daca, yérgete, Minguillo* (*Vita Christi,* copla 125, v. 3). Y si guarda el sentido de *dar* pierde el de *acá*: *Daca acá, Beneito hermano / sorberé.* (Encina, p. 86.)

Danes: (B. 163) Debe de ser *Dafne,* ninfa hija del río Peneo. Apolo concibió violenta pasión por ella, mas la ninfa desoyó sus súplicas. Un día, Apolo la perseguía, y cuando ya iba a darle alcance, la joven ruega a su padre que la libre de su perseguidor. Dafne quedó convertida en un pequeño árbol, un laurel, y Apolo abrazó su tronco solamente. Es uno de los grandes temas del mundo mitológico. (*Dicc. del Mundo Clásico,* Ed. Labor, 1954).

[6] No me parece acertado el valor que da Lihani: 'ahora' y 'desde ahora' equivalente a *de acá* (pp. 210 y 211 de sus *Farsas*).

dar a huego: *Derreniego del amor / doyle a rabia y doyle a huego* (A. 1-2).
a rabia: *¡Doyle a rauia!* (A. 240).
al diablo: *¡Doy al diabro el panfarrón!* (C. 539).
Todas estas expresiones expresan indignación contra alguien, a quien se manda a mala parte.
Daría yo a rravia el pensar / y al demonio la pensada (*Autos,* II, p. 267, v. 75-76).

dauina, f.: *Sabe de agüero y de hechizos / y es dauina* (D. 195-197) 'adivinadora, hechicera'. Un caso de protónica no fija. Es muy corriente que aparezca una *e* en ese lugar: *adevino 'aruspes',* Glosarios, p. 119; *ni quiero seguir camino / de divino ni adevino / ni me plaze de lo ser.* (Encina, *Canc.* LVIII v a.)

daxar: Puede parecer una errata por *dexar.* Pero hay la posibilidad de que sea una forma dialectal en la que el peso de la *a* etimológica se haga notar. *Daxay la infantina estar* (B. 415).

de, prep.: Abunda con las expresiones que indican medio o modalidad:
de codo le sacudían (a. 213)
¡Quit' allá! No habres de dedo (C. 519)
Muy chapado de entendido / solías tú, zagal, ser (C. 690-691)
Viuís de garauatea (C. 433)
No dexemos el ganado / que lo lleuarán de robo (f. 514-515)
¿Y tan huerte es de galán? (B. 42).
También hay que destacar las formaciones partitivas con esta proposición: *dessas garatussas* (C. 221); *tanto del prazer* (D. 11); *de sus dientes* (D. 207).

debrocar, intr.: *Ya ño soy quien ser solía / Del todo voy debrocado* (C. 11-12). *Quejas y corderitos / y cabritos / de yuso van debrocados* (C. 55-57). *Si aquesto yo no le hiciera / ya debrocaua de muerte* (C. 333-334). El Dicc. RAE recoge *debruzar,* intr. 'Inclinar, caer de bruces'. Éste parece ser el sentido de *debrocar* en L. Fernández. Lo confirman ejemplos de Encina, 351: *yo de sueño ya debroco*; Gil Vicente, *Auto Pastoril Castellano,* 21-22: *Començaré de cantar / mientras me debroca el sueño*; *cumple que nos debloquemos* (al hacer una reverencia) (Gil Vicente, *Auto da Fé,* 95). Los tres editores (Cañete, Lihani, Hermenegildo) de Lucas Fernández coinciden en atribuir a dicho verbo el valor 'enfermar'. Teniendo en cuenta que los pastores "sayagueses" emplean el *debrocar* con causas muy diversas (el amor, el desamparo, la enfermedad en los tres ejemplos de nuestro autor) resulta excesivo apuntar siempre el "enfermar" como equivalente general. El port. moderno y el gallego *debruçar* y los vocabularios regionales, señalan el valor de 'inclinar, volcar': *debrocar* 'volcar una vasija' (Lamano); en Babia y Laciana: *abrucar,* 'verter de una vasija'; *abruecare* 'volcar un recipiente' (Bardón). En Las Hurdes *debrocar* 'inclinar una vasija'. Lo mismo en el Dicc. RAE, como de Salamanca y León, 'inclinar o ladear una vasija u otra cosa'; *embrucar* 'desocupar una vasija poniéndola boca abajo' (*Bable Occ.,* p. 136); *embrocar* 'poner algo boca abajo, como una olla para que se escurra' (Armas, *Dicc. guatem.*). Si secundariamente puede resultar que el que *debroca* está enfermo, ésa es otra cuestión. Un ejemplo más que lo confirma: Rato, en su *Vocabulario,* p. 42 b, recoge *debrocar* 'torcer el pie'. Es como si el pie se volcase, y, naturalmente, *pie debrocado* es 'pie enfermo'.

decendiente, p.a.: *llamaremos los parientes / decendientes de abolorio* (C. 872-873). En el Dicc. RAE, como ant. por *descendientes.* Covarrubias: "Decender de sus mayores por línea recta de tal casa es proceder della. Decendiente el que procede de aquel linage".

decralar, y *decrallar,* tr.: *Y aun Mingo si se decrala / por Pascuala* (C. 185) 'declarar'. *Ya no ay besibro que saba / decrallarme este rencor* (C. 41-42). Resultados de metátesis y palatalización de *l,* respectivamente, del castellano *declarar.*

decrinar (declinar), tr.: *El son de tarabolán / tan, tan, tan, / ¿sabéys, señor qué decrina?* (C. 414-416 'querer decir, significar'; *que andauas desfigurado / y desgreñado / que ño decrinauas tú* (C. 664-666) 'discurrir, razonar'; *Bien semeja en su mongil / qu'es hombre que bien decrina* (D. 414-415) 'saber latín, saber mucho'. El significado fundamental de este verbo es 'significar' (V. Teyssier, p. 46). Es fácil el paso a 'razonar, regir', como el caso segundo. No me parece aceptable 'ir perdiendo en salud y lozanía' como quiere Hermenegildo para el C. 666, ni tampoco el 'parecerse' y 'predicar' de Lihani,

Lenguaje, p. 418. En los vocabularios regionales se encuentra: *declinar* 'denotar' en La Bureba; 'significar' en Lamano; 'indicar, manifestar' en García Lomas, página 139. Como 'significar' está usado por Torres Nah. *Com. Troph.* Intr., 35, y también Gil Vicente, *Auto da Fé*, 21-22: *Sabrás me tú rellatar / qué declinan estas lumbreras?* Para el ejemplo de 'razonar'. V. Covarrubias: "*declinare* es dicernir y apartar una cosa de otra".

dedo (*hablar de dedo*): *Desgarrarte he todo crudo / don xetudo / ¡Quit'allá! Ño habrés de dedo.* (C. 517-519) 'hablar con demasiada autoridad o ser fanfarrón'; *Mucho habras, Gil hermano, / en derecho de tu dedo* (Encina, 105). Covarrubias: "Hablar con el dedo, señalando que uno haga esto y otro estotro, es de hombre arrogante y sobervio". "Cada uno habla en derecho de su dedo" (Correas, p. 100). Creo que es de todo punto inaceptable el 'no tendréis ni una parte del dedo' de Lihani (*Farsas*, p. 194, nota al verso 519).

demodrada, adj.: *¡Pardiós! Cosa es demodrada* (D. 585). Posiblemente una alteración rústica de *demostrada.* (Así en Cañete, Hermenegildo y Lihani.)

dentera, f.: *Sufres Tú pena mortal / por el mal / de aquella antigua dentera* (a. 138-140). Dicc. RAE 'envidia'. Puede tomarse como la envidia o deseo de nuestros primeros padres, como dice Hermenegildo, p. 311, o mejor como el pago de esa envidia, porque "*Uno come la fruta acéda, y otro tiene la dentera,* refrán que explica que suelen pagar algunos la pena de la culpa que cometen otros. Es tomado de la Escritura en la prophecía de Ezechiel, cap. 18, v. 2" (Autoridades).

deogracias, exclamación de extrañeza. *Deogracias, padre. ¿Qué as* (a. 63). Se empleó la exclamación para llamar a una puerta antes de entrar (Autoridades), valor recogido por Rato. Aquí pudiera estar como saludo, pero creo que va mejor en esta ocasión, y en vista de las extremas quejas de S. Pedro, este segundo valor de Autoridades: "Se suele usar por nota de admiración o extrañeza en las ocasiones que se ve executar alguna acción impropia del estado, dignidad o edad del que la practica, que entonces es común el decir Deogracias, como va esso?"

departir, intr.: *Dinos, dinos, dinos ora / si burlas o si departes.* (D. 371-372) 'conversar, razonar'; Covarrubias:

departir es razonar, quando uno pregunta y otro responde; pero quando uno se lo habla todo no departe, porque no da parte"; Correas, p. 372: *O miente o departe*; Encina, p. 164: *¿Amenázasme, zagal / o qué es eso que departes?*

desambrinado, adj.: *Cuydo estáys desambrinada* (B. 390) 'muy hambriento'. Lo registra Lamano. Aparece en varios textos como *desambrido* (*Autos,* II, p. 311, v. 529); y también *desſambrido*: *Andava y un milano volando desſambrido / buscando qué comiese* (Lib. B.A., 413 a).

desastrado, adj.: *Las desastradas Marías* (a. 298) 'infausto, con los astros en contra'. Como *astroso.*

descordojar, tr.: *Ya qualquier alma aborrida / descordoje sus dolores* (f. 482-483) 'soltar o echar fuera el dolor o cordojo'; *Descordoja tu cordojo.* (Encina, p. 99); *descordojar* 'desechar dolores' (Dámaso Alonso, *Antol.,* página 572); *Descordoja ya tu saña / desensaña tus cordojos* (Encina, *Canç.* XCIX v b).

descruziar de, intr.: *Descruziemos ya de penas / qu'es Cristo nascido ya* (D. 365) 'liberarse de algo'; *Mudar quiero la costumbre / descruziar quiero del mal* (f. 39-40); *Gasajemos esta vida / descruciemos del trabajo* (Encina, p. 115); Gil Vicente emplea *descluziar* (V. Teyssier, p. 47). Existe un *cruziar* 'estar atormentado, penar' en *Lib.* BA, 112 d.

descrucio, m.: *Los ahuncos y descrucios / sobrecejos, respelluzios* (C. 671-672). Posverbal del verbo anterior: 'esfuerzo por liberarse'.

descuetro, m.: *Por los bosques pego gritos / con gran descuetro y tristura* (A. 31-32); *De aquí descruzio el trabajo / el descuetro y sobrecejo* (D. 4-5) 'aflicción'. Encina, *Canc.* XCVII v a): un pastor dice (su pastora se casó con otro): *tal descuetro y desaliño / por mi mal / me será más que mortal.*

deshollinar, tr.: *Cuytada de la morcilla / que la lancilla / pudiere deshollinar* (C. 454-455-456). *Deshollinar es limpiar,* y por ello 'hurtar'. Parece que hace referencia al color negro de las morcillas.

deslegar, tr.: *Sabe legar, deslegar. / Haze cient mill bebedizos* (D. 191-192). "*Desligar* es deshacer y destruir el impedimento que por medio del diablo se ha puesto a algún casado para que no pueda usar del matrimonio." (Autoridades). V. *legar.*

desleir, tr.: *arrójome por el suelo / deslíome ya y desmuelo* (A. Diál. 77-78). El actual verbo *desleir* 'disolver', tuvo una acepción originaria de 'extenuar, debilitar al extremo' (de *delére,* borrar, destruir). Así aparece en Berceo (V. Corominas, p. 143 b) y éste parece ser el significado en Lucas Fernández. Hay un ejemplo muy semejante en judeo-esp.: *desleir el corazón* 'acobardarlo, desmayarlo': *... vaya y tórnese a su casa y no deslía el corazón de sus hermanos.* V. Gaspar Remiro, BRAE, IV, p. 119.

desllotrado, adj.: *¡Ay! ¡Veréys cómo os váys / y me dexáys / en tan desllotrada pena!* (B. 322-324) 'grande, desmesurada' (V. *quellotro*).

desllotrar, intr.: *los duelos suyos y agenos / dizcas que con pan son buenos / para desllotrar del mal* (f. 42-43-44) 'salir, escapar', 'apartarse'.

desmaýdo, adj.: *andamos tristes, perdidos / desmaýdos / con congoxosos tormentos* (B. 228-230) 'desmayados, sin fuerzas'; *falló tod el su pueblo commo (muy) desmaydo, Fernán González,* 468 c; *esmaído* en *Alex,* 224 d (V. Corominas, II, 147 a). Era frecuente el cambio de conjugación en algunos verbos y participios: V. *amodorrido* (amodorrado) en este mismo texto, y *condeníu* por *condenado* en Cabranes.

desminuýdo, adj.: *y van cantando / por en somo del exido / vn cantar desminuydo* (f. 426-428) 'leve, suave'. Según el Dicc. RAE, *disminuir* es hacer menor la extensión, la intensidad o número de alguna cosa. Aquí sería la intensidad. En cuanto a la *e* de la sílaba inicial puede aparecer por cambio de prefijo *(dis-des)* o por disimilación de la vocal ante la *i* repetida siguiente.

desmoler, tr.: *y l'afición / me desmuele estos pulmones* (C. 20) 'desgastar'; *Desmuele ya, pecador, / esa envidia que en ti mora* (Encina, 6). Lib. BA, 712 c: *mensaje que mucho tarda a muchos omnes desmuele.* Como pronominal: *arrójome por el suelo / deslíome ya y desmuelo(me)* (A Diál., 77-78) tiene en Cabranes el sentido de 'tener una preocupación intensa y constante *(esmolése)*.

(d')espantar: *¿Vos cuydáysme (d')espantar?* (A. 425). 'espantar, causar admiración'. *Espantarse* 'admirarse' en *Lib.* BA. 1387 d. Dos posibilidades para la interpretación de este verbo: a) *cuydáysme d'(e) espantar?*; b) la

misma composición, pero ya con el verbo *despantar* formado. Me inclino por la primera (comp. C. 295), aunque el verbo existe ya en las *Coplas de Mingo Revulgo*: *... aquesta tal cuadrilla / a quién no despantará?* (copla XXVII).

(*a*) *desora,* m. ad.: *que vn ángel vino a desora / cantando por dulces artes* (D. 374-375) 'súbitamente', 'de repente'; *y fue que veo a deshora al que me mataua de hambre, sobre nuestro arcaz, boluiendo y reboluiendo* (*Lazarillo de Tormes,* Clás. Cast., XXV, p. 125); Glosarios, p. 64: *adesora* (rrepente); p. 65: *adesora* (subito); *Coplas De Vita Christi,* copla 28, v. 1; copla 202, v. 9).

despepitar(*se*), prn.: *Dezid, n'os despepitáys / y cansáys?* (B. 372-373) 'hablar demasiado o con mucha vehemencia'. La Doncella acaba de soltar 36 versos de quejas amorosas y el Pastor le echa en cara su "retrónica incrimpolada". Es decir, la Doncella ha hablado "sin pepita". No me parece acertado recurrir por este caso a la metáfora de "tuer", "ôter les pépins", "comme quand on vide un melon" como hace Teyssier (pp. 47-48). Lamano recoge (p. 393): *despepitarse* 'hablar con fuerza, en voz alta, gritando y apresuradamente'.

destermiñar, tr.: *Pues ño me destermiñés* (A. 310) 'sacar de sus términos', 'hacer perder la paciencia'. *Las aguas que participan de mucha sal, beuidas desterminan mucho el vientre y le ponen en rebulución.* (Juanelo, *Libros,* I, p. 30 v.)[7]

destorpado, adj.: *y los miembros destorpados / los ojos todos sangrientos* (a. 402-403) 'estropeado'. El Dicc. RAE da *destorpar* desus. como *deturpar,* ant. 'afear, manchar, estropear'.

desvenado, adj.: *y sus carnes delicadas / desuenadas / llorando aromatizamos* (a. 738-740), 'pálido, sin venas'. Hay también otra posibilidad: *desvenadas* no de *vena,* 'vaso o conducto de la sangre', sino de *vena,* 'fibra'. En el *Libro de los caballos* se habla de dar a comer *corazones desvenados y sangre desvenada* 'hechos fibras'. Con este significado tendríamos las *carnes desvenadas* 'con las fibras al aire, quizá con los nervios al aire'.

[7] *Los XXI Libros* (a. 1575) *de los ingenios y máquinas de Juanelo Turriano.* Ms. Bib. Nacional de Madrid, 3372.3376.

detenencia, f.: *Lluego ¿en este casamiento / no abrá ya más detenencia?* (A. 468-469) 'detención'. El Dicc. RAE considera esta voz como ant. y da este valor.

deyuso, adv.: *Ouejas y corderitos / y cabritos / deyuso van debrocados* (C. 55-57) 'abajo'. *Embiél esta cantiga que es deyuso puesta / con la mi mensajera...* Lib. BA, 80 a-b; Autoridades: "Voz antigua que significa debaxo o abaxo".

diabro, m.: *¡Valas! ¡Válaste el diabro!* (A. 105) 'diablo' por equivalencia *bl-br.* Encina, p. 145: *El diabro te lo dará / Que buenos amos te tienes; Autos,* II, p. 158, v. 241: *Mal aya el diabro con vos!*

Dido: (B. 91) Reina fundadora de Cartago. Cuando el rey de Tiro dio muerte a Acerbas, su marido, huyó. Solicitada en matrimonio de forma amenazadora por el rey de Libia, antes que traicionar la memoria de Acerbas, se dio muerte, arrojándose a una pira que ella misma había preparado.

dientes de ahorcado: *Tiene soga de ahorcado / y de sus dientes* (D. 206-207). Considerados como talismán. V. Torres Nah. *Com. Aquilana,* III, 304.

dijueves, m.: *qué te traxe del mercado / dijueves allá de villa* (A. 163-164) 'el jueves'. Existe el mismo procedimiento en catalán y en castellano antiguo: V. A. Castro, *La peculiaridad lingüística rioplatense,* p. 146, donde se considera *día lunes, día martes,* etc., como palabras viejas y fuera de uso, con ejemplos del siglo XV. Encina, p. 154: "Una barreña de haya / la que *dilunes* llabré".

diona: *Más la precio que vna res / y aun ¡juro a diona! que a tres* (A. 196-197). Eufemismo por *Dios.* No creo que sea "Diana", diosa de la caza, como comenta Lihani (*Farsas,* p. 180). Hace el mismo oficio de eufemismo que *diez* (*¡Juro a diez!*) (A. 45). Usado en las mismas circunstancias en Cabranes: *¡diola, rediola!*

dizcas: *Vn ángel vimos besibre / que dizcas nasció en Bethlén* (D. 369-370) 'dicen que', con la terminación adverbial *-as.* Covarrubias: *dizque.* "Palabra aldeana, que no se deve usar en Corte". Vale tanto como dizen que; Autoridades (s. v. decir): "Contracción de las voces *Dicen que,* usada mui freqüentemente para abreviar la locución".

dobrado (*paños dobrados*), adj.: *todos sus paños dobrados*

/ le pienso de endonar (A. 528-529) 'de tela doble, gruesa'. *Lleve el frayle su capilla, / y el clérigo su bonete, / y su capote doblado / lleve el tosco labrador,* 'de tela doble, gruesa, que sirve para el abrigo y para resistir el agua' (Guillén de Castro, *Las mocedades del Cid,* Comedia I, Acto III). En el Dicc. RAE: *doble* 'En los tejidos y otras cosas, de más cuerpo que lo sencillo'; Dicc. de Terreros: *doble* 'aquello que tiene más cuerpo que el ordinario, como el tafetán y otros géneros'.

dominó (f. 233). Comp. *dominé* en *Lib.* BA. 383. Para las dislocaciones del acento en la pronunciación del latín medieval, véase Corominas, nota en *Lib.* BA a la copla 374 y ss.

don, m.: *don hy de puta rapaz* (A. 289); *Don maxote, ño pensés / de habrar tanto por desprecio* (A. 306-307); *Desgarrarte he todo crudo / don xetudo* (C. 517-518). Se emplea el título con sentido irónico para reforzar el insulto por contraste; *donos traydores* en el *Poema de Fernán González,* 641 b; Más ejemplos en Gillet, *Notes,* 276.

donas, f.: *Tú, ¿qué donas le darás?* (A. 522) 'regalos de boda que el novio hace a la novia' según el Dicc. RAE. En Cabranes, en la Ribera del Orbigo, etc., significa 'ajuar de la novia'; y *mil donas le daré* (Encina, 96); *andan de casa en casa vendiendo muchas donas* (Lib. BA, 700 b).

Doñinos: *Antona de Doñinos* (C. 714). Acaso sea *Doñinos de Ledesma,* al S. de Ledesma. Hay, no lejos de éste, un *Doñinos de Salamanca,* cerca de la carretera que va a Ciudad Rodrigo, cerca también de *Carrascal de Barregas.* A propósito de estos lugares, recuérdese que el Piernicurto de *El Repelón* (Encina, 245) contesta al estudiante que le quiere sacar de qué pueblo preciso es, *Que d'allá, d'hacia Lledesma.*

doradilla, f.: *flor de sago y doradilla / y mançanilla* (C. 325-326) 'yerba medicinal'; Covarrubias, 483 b: "Es una yerva que suele nacer en las paredes húmedas. Díxose assí por ser dorada por el embés". Dicc. RAE: "Helecho de abundantes hojas... Se cría entre las peñas y se ha usado en medicina como vulnerario y diurético". Laguna-Dioscórides llama *doradilla* a la *lengua ceruina* o *phyllitis,* p. 341, y también al *scolopendrio* o *aspleno,* p. 359.

dornajo, m.: *duernas, dornajos y llares* (A. 512) 'vasija de madera'. Dicc. RAE: 'Especie de artesa pequeña y redonda, que sirve para dar de comer a los cerdos, para fregar o para otros usos'; *durnaju* 'vasija de madera' en La Sisterna; *dornajo* (vas cataso) (Glosarios, p. 171); *y un dornajo de migajas* (Encina, *Canc.* LVJ r.a.).

ducho, adj. o part.: *Pues días ha que ño lo he ducho / mas si me dusño el capucho / más ñadaré que una trucha* (D. 148-150) 'acostumbrado'; Covarrubias, página 487 a: "En lenguaje antiguo castellano, vale tanto como acostumbrado. Algunos dizen *duecho*: *No estoy duecho*", '*no estoy acostumbrado*', etc.; Lib. BA, 246 b: *al tomar te alegras, / el dar non lo as ducho*; Menéndez Pidal (ZRPh, 1910, p. 645) cita un *duecho* en Lucas Fernández. Debe leerse en Encina, p. 122: *Quien es duecho de dormir / Con el ganado de noche.*

duelo, m.: *los duelos suyos y agenos / dizcas que con pan son buenos* (D. 42-43). Correas, p. 483: *Todos los duelos con pan son buenos.* Éste es el refrán viejo. Ya le varían de esta manera: "Todos los duelos con pan son menos".

durar, intr.: *Ño llogres la jouentud / Más que durarán los guijos* (A. 304-305). Correas, 562: *Durar por piedra / como piedras,* 'durar mucho'.

dusñar, tr.: *mas si me dusño el capucho* (D. 149) 'desnudar'. Encina, p. 403: *Dusna, dusna el balandrán / Que es afán.*

E

e, conj., *y*: Aparece únicamente en la introducción en prosa de la *Comedia de Bras, Gil y Beringuella,* cuatro veces (Aij, r.). Covarrubias: "*E* vale por la letra *y* copulativa".

echacuerbo, m.: *¿Soys echacuerbo o buldero / de cruzada?* (D. 286-287) 'charlatán, embaucador'; Corominas (s. v. *echar*): "El *echacuervos* era el vendedor de bulas falsas o el expendedor de productos maravillosos, cuyos efectos se prometen, pero nunca se realizan... el matiz típico de la idea es el del sujeto ridículo y despreciable (así en Autoridades, 356 a), aunque impostor: el que 'echa cuervos' que no vuelven nunca ni pueden volver".

Gil Vicente (*Auto dos Reis Magos,* 122-124) emplea el derivado (*e*)*chacorvear,* citado por Teyssier, p. 42.

echar una cana: *Echado hauéys vna cana.* (V. *cana.*)

Egidio, n. pr.: *Qu'es fray Egidio* (D. 297). Covarrubias: "Santo abad confesor, natural de la provincia Narbonense... Este nombre tenemos corrompido y llamámosle San Gil. Y ordinariamente le usurpan en las poesías pastoriles".

embair, embabido, p.p.: *haz al hombre andar perdido / y embauido / por cerros y carrascales* (C. 35-37); *He estado casi embabido / mirando...* (f. 424). Según el Dicc. RAE tiene este verbo una acepción general de 'embaucar, hacer creer lo que no es', y otra de Salamanca 'entretenerse en alguna ocupación o diversión'; Covarrubias: "*embair* vale tanto como engañar persuadiendo con mentiras". En las Hurdes, *embairse* es 'entretenerse'; en el Cuarto de los Valles: *embaíu* 'abstraído, embelesado'; *embair* 'entretenerse, perder el tiempo' en Cespedosa, p. 257.

embaydora, adj.: *Éssa es gran embaydora / gran diabro, encantadora* (D. 163-164) 'embaucadora'. Glosarios, p. 96: enbaydor (aparitor); Covarrubias: "... todos estos nombres tiene el *embaydor* que nos haze, como dizen, del cielo cebolla por la liberalidad que tiene en trocar las cosas, y assí el juego se dize también juego de manos". Covarrubias: "... el maestro hinche el entendimiento y la memoria de la doctrina, y el embaydor de falsos conceptos..."

embaçado (*tener*), m.: *¿No tengo ya embaçado? / Sí, dome al Sprito Sancto.* (A. 546-547) 'estar sin huelgo de tanto hablar'. Corominas, 228 a, cita este testimonio de A. de Palencia: "Britum es bledo... piensa se venir del griego porque ellos llaman *blas* al pasmo o *embaçado*" (47 d). Es muy abundante el verbo *embazar*: *E que si ellos (los lobos) ueen primero all omne que ell omne a ellos, quel embaçan que non puede fablar por una grand pieça de tiempo.* (Alfonso X, *Gen. Estoria,* ed. Solalinde, p. 559, col. 1, t. I.) *todo me enbaço / de yr delante el Señor.* (*Vita Christi,* copla 142, v. 9-10); "*embazó.* Cuando uno se quedó atajado y confuso delante de otro" (Correas, 568); *un mastín ovejero, de carrancas cercado; el Lobo, quando l'vido, luego fue embaçado* (Lib. BA, 332 c-d).

embiso y enuiso, adj.: *No podieras conocellos / aunque fueras más enuiso* (f. 439-440). *No, qu'en todo soy enuiso* (D. 101) 'sagaz, advertido'. El Dicc. RAE lo da como antiguo; *quien toma deve dar: dízelo sabio enviso,* Lib. BA, 173 d; *Mingo Rev.*, copla XX: *Mas no eres envisado.*

embreuajar, tr.: *Ño me embreuajes con yel* (C. 787) 'dar brebaje o brebajo'. Dicc. RAE: 'bebida, y en especial la compuesta de ingredientes desagradables al paladar'. También recoge *brebajo,* de Salamanca, 'refresco compuesto de salvado, sal y agua, que se da al ganado como medicina'.

embrio, m.: *Como leona parida / sobre los sus embrios brama* (a. 477-478) 'cría, cachorro'; Gili Gaya, *Tesoro,* p. 859 a. Cita s.v. *embrio.* A. R. Fontecha, 1606, 'criatura antes que nace', y s.v. *embrión*: Henríquez, 1679, ...*embryo* seu *embryon.*

emponçoñoso, adj.: *Dexa el cuerpo emponçoñoso* (C. 380). Dicc. RAE: *emponzoñoso* antiguo, como *ponzoñoso* 'que tiene o encierra en sí ponzoña'.

encantadora, f.: *Éssa es gran embaydora / gran diabro, encantadora* (D. 163-164). Covarrubias: "*encantadores.* Maléficos, hechizeros, magos, nigrománticos; aunque estos nombres son diferentes y por diferentes razones se confunden unos con otros".

encienso macho: *Con madresilua y gamones / sanarás, y maluarisco / ...encienso macho y bayones* (C. 321, 322-324). "El *llamado stagonias que es el mejor*". L. de Úbeda, Biblióf. Madrid, IX, 169.

encomendar, tr.: *Las burras ha encomendado / y de los llobos librado* (D. 208-209) "...y no pocas veces se toma supersticiosamente por encargar y fiar al diablo, esperando de él que haga lo que se desea, no siendo lícito hacerlo" (Autoridades, III, p. 446 b).

enconijo, m.: posverbal de *enconar.* V. *cossijo.* Corominas, p. 845 a-b, da el origen *enconar* para *enconijo, tropezar* para *tropecijo,* y *acosar* o *acosijar* para *cossijo,* que le parece la forma más antigua (viva todavía en Méjico). Luego se extendió la palatal y apareció *coxijo y coxixo. Qu'estos males y enconijos / son cossijos / que nos traen modorrados* (C. 75-77).

encruzijada: *que si buscarla querrés / cada noche la topéis / por estas encruzijadas* (D. 168-170). Para mención de las encrucijadas en Autos y Comedias como elementos que recuerdan la cruz de los conjuros, V. Frida Weber de Kurlak, *Relaciones literarias: La Celestina, Diego Sánchez de Badajoz y Gil Vicente.* Philological Quaterly, vol. 51, núm. 1 (Jan. 1972), pp. 105 y ss.

ende, adv.: El Dicc. RAE lo da como antiguo. Puede significar 'allí, en aquel lugar', 'de allí o de aquí', y también 'de esto' o 'de ello': *Aun estáysme ende abrando?* (A. 374) 'de ello'; *¡Yergue dende, moxquilón!* (F. 59) 'de ahí'; *Deja los hábitos ende* (Encina, 402). Covarrubias: "Del adverbio latino *inde*; es término castellano antiguo y grosero como *yérgete de ende*". Existe actualmente en gran parte del dominio leonés. (V. Zamora Vicente, *Dialectología,* p. 137).

endonar, tr.: Dicc. RAE desusado, como *donar*: *Pues yo le quiero endonar / mi fedegosa* (D. 596-597); *Yo leche le endonaré* (Encina, 153); Covarrubias: "De *don* se dixo *endonar,* término antiguo".

enfengir (*enfingir*), intr.: Dicc. RAE 'fingir', como ant.: *Desque traés la melena / ... muy pendada... / enfengís ¡Dios ñorabuena!* (B. 434-437). *Ora enfinges, Bonifacio. / ¡Ay! ¿No tengo d'enfengir / de mi casta y gerenacio?* (D. 151-153); Encina, 104: *Enfinges de esforcejudo / Adonde no es menester*; Glosarios, p. 48: *enfengir* (simulo); *y enfingen de muy doctores* (Torres Nah. *Troph.,* p. 131).

engrillarse, prn.: Dos valores distintos para este verbo:

a) 'ponérsele a uno los pelos de punta':
son tentayme este colmillo / ya me engrillo (B. 71); *con prazer todo me engrillas* (f. 404).

b) 'engreírse, ensoberbecerse': *Yo también. ¿D'esso t'engrillas* (D. 142). Corresponde a la forma más antigua según Corominas *engreerse* o *engreirse* (de INCREDERE).

Del presente *engrío* por una consonante antihiática o por una influencia imprecisa de *grillo* sale toda una serie paralela, *engrillarse.*

c) Hasta de un tercer valor 'adornarse, componerse' (v. Autoridades) de *engreirse* tenemos una forma paralela con *ll* en Encina: *Dome a Dios que ya semeja / Doñata de las de villa / ¡Mía fé, ya se nos engrilla!* (p. 118). No creo que el *engrillarse* que nos ocupa tenga nada que ver con el *engrillarse* 'entallecer', como quiere Lihani (p. 185).

enojudo, part.: *Ya me tienes enojudo* (C. 308). La forma de los participios en *-udo,* muy común en el siglo XIII, cayó en desuso. En los textos antiguos se encuentran: *atrevudo, conosçudo, vençudo, sabudo,* etc. (V. R. Menéndez Pidal, *Gramática Histórica,* § 121, 2).

enruynar, tr.: *¡Ea, ya! ¡Ño m'enruynéys!* (D. 85) 'hacer ruin', 'despreciar' (V. *ruyn*).

entecar, tr.: *No t'entecará ya el lodo* (f. 107), 'perjudicar'. La primera acepción fue la de 'caer víctima de enfermedad crónica'. El Dicc. RAE recoge *entecarse,* 'enfermar, debilitarse' como de Burgos. Para la evolución semántica, V. Corominas, II, p. 300, a-b; *enteca* en el Lib. BA, 1017. Lamano da *entercarse* 'mancharse' como del dialecto antiguo, pero parece que es acepción sacada de este ejemplo de Lucas Fernández.

entero (habrar por entero): *Ayna me querré reyr / sin sentir / ¡como habra tan por entero!* (C. 678-680). Dicc. RAE da para *entero* el valor 'cabal, cumplido, sin falta alguna'. El soldado hablaría demasiado bien, demasiado correctamente, y redicho.

enterriado, adj.: *Vos que auéys de dar consejo / estáys más enterrïado?* (A. 392-393); *¿Allí está la enterrïada?* (C. 742) 'terco, obstinado'. El Dicc. RAE recoge como de Salamanca *enterriar 'odiar, tener tirria'.* En Lamano *enterriar* 'aborrecer'; en Las Hurdes: *enterría* 'odio, malquerencia'; en Mérida: *enterría* 'tirria, encono'; en Cabranes: *entirriase* 'ponerse enfadado, violento'; Torres Nah. *Com. Calamita,* Jorn. II, v. 374: *Si me entirrio con alguien*; Correas, p. 184: "empacarse. Lo que enterriarse, resistir, no se reduciendo con ruegos".

enuararse, prn.: *De rato en rato m'enuaro* (A. 21). Dicc. RAE: "envarar(se) 'entorpecer, entumecer o impedir el movimiento de un miembro'; Covarrubias: *enbararse* '... púdose dezir de vara, porque el embarado se queda derecho, sin poderse torcer a una parte ni a otra"; Steggink, *Tiempo y vida de Santa Teresa,* p. 149: cuando la Santa se encerró con el niño, "atravesóle sobre sus rodillas y estuvo un poco ansí llevando la boca cerca del niño y avahándole; de allí a poco el niño quedó *desenvarado* y vivió".

enxalmadera, f.: *menos la bendizidera / enxalmadera /*

qu'es vna sabionda vieja (C. 45-47). Dicc. RAE: *ensalmadera,* ant. 'ensalmadora', 'persona de quien se creía que curaba con ensalmos'.

enxalmar, tr.: *No me aprouecha enxalmar / ni curas, ni medicinas* (B. 561-562) 'curar con ensalmos', 'componer los huesos dislocados o rotos' (Dicc. RAE). Torres Nah. *Comedia Jacinta,* Jorn. V, v. 140: *enxalmar descalabrados.*

enxelco, m.: *Quiérome aquí rellanar / por perllotrar bien mi pena / de enxelcos perhundos llena* (C. 71-73). Dicc. RAE: *enjeco,* 'incomodidad, molestia', y también como ant. 'perturbación, perjuicio'; *enxeco* 'apuro, aprieto', en la *Historia Troyana,* 75, 19.

escalentar, tr.: *que ño juguemos / son juego qu'escalentemos* (f. 170-171). Dicc. RAE: ant. 'calentar'; *escalentar* (calefacio) en los Glosarios, p. 56; *te escalentó, Vita Christi,* copla 63, v. 8; Cuarto de los Valles: 'calentar cosas en el horno'; Torres Nah. *Tin.,* III, 158.

escaño, m.: *cama y escaño llabrado* (A. 518). Dicc. RAE: 'banco con respaldo, y capaz para sentarse tres, cuatro o más personas'; Lamano: 'banco con asiento que puede servir de cama'; Covarrubias: 'cierto género de banco ancho con espaldar'; Glosarios: *escanno* o *uanco* (sedile) (p. 32).

escomenzar, tr.: *Anda ya. Escomiença andar* (A. 329). Es verbo que se emplea todavía en el dominio leonés. Lo recogen Garrote, Lamano y García Rey, y aparece en Cabranes; Autoridades: "Lo mismo que Comenzar o Empezar. Es voz antiquada. *Part. I,* tít. 4, lín. 49: *Ca estonce escomenzó á haver conoscencia de Nuestro Señor Jesu Christo*".

escorrozo, m.: *Toma, ¡verás qu'escorrozo!* (A. 396), 'cosa indignante'. Dicc. RAE: 'regodeo, deleite o complacencia'. Esta acepción está enmendada por Menéndez Pidal en *Rom.* XXIX, p. 348. Recogido por Lamano y los demás vocabulistas charros. Correas, p. 416: *¿Qué es corrozo? No tener que comer y tomar mozo.*

escurecer, intr.: *Vamos, qu'escurece ya* (A. 632). Dicc. RAE: 'oscurecer', ant. Ú. aún por el vulgo. Lo recoge Espinosa en sus *Arcaísmos,* p. 7. Se usa en Cabranes. Covarrubias también lo registra.

essento, adj.: *Pues ¡sus! abraçáy con tiento. / Ponte essento* (C. 577-578) 'desembarazado'. Es la forma popular del *exento* del Dicc. RAE. Lamano recoge *ensento,* 1) 'solo, aislado', 2) 'grave, serio'; Torres Nah. *Com. Serap.* I, 205. Hermenegildo da 'sin empacho ni vergüenza'.

esprito, m.: *Mis cabras y mis cabritos / asmo que tienen espritos* (f. 119-120); esprito es la forma popular, occidental (acaso lusismo) frente a la forma culta *espíritu.* Recogida por Lamano, y en Cespedosa, p. 138. Sánchez de Badajoz, *Farsa theologal,* v. 867-868: *¡O, Señor, qué gran crueza! ¡Que se me uan los espritos!*

esquebrajar(se), prnl.: *Verás cómo m'esquebrajo / por contenta te tener.* (A. 155-156) 'romperse', 'hacer cortesías o quiebros'; Encina, p. 94: *¿Cudais que los aldeanos / no sabemos quebrajarnos?*

ésta: *Yo lo juro en mi concencia / y aun por ésta que la beso* (C. 800-801). Quiere decir *esta cruz,* hecha con dedos cruzados que se besan. Encina, p. 234: *¡Para ésta con que me signo, / que ñunca a la villa vaya!* Sánchez de Badajoz: *Farsa de la Natiuidad,* 1836-1837: *Y aun por ésta / si queréis her vna apuesta.*

estentino, m.: *¿Na cholla o los estentinos?* (C. 317) 'intestinos'; en Cabranes, *l'estantín*; Glosarios, p. 106: *estentino* (intestinium).

estopa, f.: *llugas, pañicos, calçones / d'estopa dos camisones* (D. 58-59). Covarrubias: "Lo gruesso del lino que queda en el rastrillo quando se peyna y rastrilla. *La camisa de nuestra novia, cuerpos de lino y faldas de estopa* — en lo esterior al uso, y en lo interior a la comodidad"; Bejarano, R. de Dial. y Tra. Pop., VI, p. 262-263: "Según la calidad del hilo resulta el lienzo, la estopa, el atruesco. Con el lienzo se hacían sábanas, camisones para los charros, manteles... Con la estopa también, pero sobre todo costales".

estorcijar, tr.: *¡Ay, Antona! Tus amores /m'estorcijan sin dudar* (C. 762-763), 'causar estorcijones o retortijones'; *Coplas de Mingo Revulgo,* copla XXX: *morterada cruda / mascada y bien aguda / que te haga estorcijar.*

estornija, f.: *¿A qué jugo jugaremos? / ¿Al estornija y al palo?* (f. 167-168). Dicc. RAE: 'tala, juego de muchachos'. Según Cañete es el juego de la tala, que hoy se llama *billalda.* Covarrubias se inclina por el juego de los *trompos,* o trompicos, en los que se encajaba una rodajuela que sonaba.

estremulado, adj.: *Estoy todo estremulado. Ya mis fuerças son turbadas.* (A. Diál. 25-26). Como *estremuloso.*

estremuloso, adj.: *y el coraçón congoxoso, / y ansí viuo stremuloso* (A. Diál., 105-106); Dicc. RAE: 'trémulo, temeroso'; *Mingo Revulgo,* copla XXIV: *Yo soñé esta trasnochada / de que estoy estremuloso.*

estrena, f.: *A, ¡Dios te dé buena estrena!* Dicc. RAE: 'principio o primer acto con que se comienza a usar o hacer una cosa'; Encina, p. 106: *Espera, santiguarm'he / por que san Jullán me dé / buen estrena este verano.* También puede significar 'dádiva, alhaja o presente que se da en señal de felicidad'. V. Encina, p. 99: *Pues me quieres y te quiero / Quiero cumplir tu mandado. / Mi zurrón y mi cayado / Tomad luego por estrena.*

estropezar, intr.: *otros el pie le ponían / por le hazer estropeçar* (a. 214-215). Dicc. RAE: ant. como *tropezar.* Verbo citado (así como *escomençar*) por J. de Valdés, *Diálogo,* 97; Covarrubias: "Es vocablo bárbaro y sinifica lo mismo que tropeçar".

F

famulario, m.: *Gran famulario / deuéys ser* (D. 276-277). Palabra formada sobre *fámulo,* 'sirviente de la comunidad de un colegio'. En Covarrubias: "En los colegios tienen una manera de sirvientes, que acuden a la comunidad no sirviendo en particular a ninguno de los colegiales, y tienen un cierto hábito, y son estudiantes pobres..." El cruce con *faldulario,* 'ropa desproporcionada que cuelga', o por lo menos su resonancia, da un aire cómico a la expresión. Todo el trozo en que está incluida tiene un matiz de broma insultante que hace responder al ermitaño: "No queráys ansí hablar / pastorcicos malcriados". El pensar en un posible *famulario* 'visorrey', como aparece en algunos textos (V. Lihani, *Lenguaje,* p. 448), hace aumentar el contraste cómico.

fatuleras: *Verbum caro fatuleras* (A. 378). Uno de los numerosos casos de corrupción de palabras latinas con efectos cómicos.

fe: Forma que convive con *he,* con aspiración. V. *Aspira-*

ción, p. 46. *A la he, mia fe, digo ha* (D. 514); *Dilo, dilo, dilo a hé* (A. 273); *A la hé, a hé, a hé* (B. 60); *A la hé, juro (a) san Pego* (B. 540); *A la hé, tiene huerte sciencia* (f. 160); *Dançay, que ¡mia fé! yo* (A. 595); *Pues yo ¡mi fé! mucho os quiero* (B. 150); *en buena fe* (B. 400); *A buena he* (C. 400) expresiones equivalentes a 'ciertamente', 'en verdad'; *A la fé, diz la vieja,* Lib. BA, 743 a; Encina, 237: *A la hé, ansí hice yo*; Torres Nah. *Com. Trophea,* II, 198: *Mia fe, ha*; V. Gillet, *Notes,* 347; y Teyssier, p. 54.

Febera: *nimpha llamada Febera* (C. 198). Debe de ser la ninfa Febea que el dios Amor manda a tentar al ermitaño Christino, en la égloga de Encina *Cristino y Febea, Teatro Comp.*, p. 379.

fedegosa, f.: *Pues yo le quiero endonar / mi fedegosa* (D. 596-597). 'Zamarra de piel que llevaban los pastores, y que, más o menos curtida, daría mal olor'. V. *Lusismos,* p. 44.

ferrete, m.: *tengo cinto y cauiñete, / caperuça de ferrete* (D. 53-54). Veo dos posibilidades para interpretar esta palabra: a) la caperuza tendría el extremo afianzado con un pequeño trozo de hierro, como el de las agujetas; b) tejido o paño teñido con cierto tinte de hierro o de otro metal. En Autoridades, se cita entre otros un ejemplo de *La nueva Recopilación de las leyes del Reino,* lib. 7, tít. 13, lín. 65, que dice: *Que no tiñan con añir en las tintas, ni con molada ni zumaque, ni ferréte ni agalla de monte... sino en las cosas y en los paños que en estas mis Ordenanzas será mandado gastar el ferrete.*

filete, m.: *Pues dáca, dame vn filete. / Ño te atreuas. Anda, vete.* (A. 78-79) a) Cañete explica 'refregón, abrazo'. Algo semejante debe de ser el *darse el filete* ('refregón, caricia') del lenguaje popular moderno. // b) *¿O filet(e) es? ¿O manija? / Que ño, ño, sino sortija.* (A. 166-167) En las doce diversas acepciones que de esta palabra da el Dicc. RAE, existe la idea común de algo fino, estrecho, como una lista o hilo. Aquí es donde Cañete da el valor 'ajorca'. Puede aceptarse si se pone en relación con la *sortija.* Pero, mientras no haya más testimonios, yo prefiero darle el valor del tercer ejemplo de LF: *Darl'é texillo y filetes / y bolsa de quatropelo* (A. 538-539), 'trencilla o remate de hilo tejido que se empleaba para rematar o bordear prendas de vestir'. Para aceptar este valor en el ejemplo b) hay que verlo en relación con el verso anterior: *¿Es gujeta, o es cintilla?* (A. 165).

físico, m.: *Ni aun el crego, sin dudar, / físicos, saludadores, / saben curar mis dolores* (B. 565-567) 'médico'. El Dicc. RAE lo da como ant. y añade: úsase en muchos pueblos de Castilla. *Vita Christi,* copla 74, v. 2; Glosarios, p. 10: *físico* (medicus); Encina, p. 174: *¿Tú quieres que llame al Crego / O traya al Físico luego, / Que lo cate / Ante qu'este mal le mate?*; Lib. BA, 252 *c-d*: *afogarse quería, demandava... / físicos e maestros...*; Covarrubias: "y assí los llamamos *physicos* en quanto saben la theórica de la medicina, y médicos en quanto con la práctica nos curan".

frolete, m.: *Tengo jubón de frolete* (D. 51), *florete,* con metátesis de *r-l.* Dicc. RAE: *florete* 'lienzo o tela entrefina de algodón'.

G

galabardo, m.: *Doy al diabro el galabardo* (C. 560). Dicc. RAE: como ant. *galavardo* 'hombre alto, desgarbado y dejado; inútil para el trabajo'. Covarrubias, la misma definición; Autoridades: *galavardo* 'el hombre alto, desvaído y dexado, inútil para el trabajo'. No me parece acertado el valor de 'alabardero' que da Lihani (*Lenguaje,* p. 452).

galán, adj.: *Ansí ño, galán garçón* (D. 96). Dicc. RAE: 'de buen semblante y airoso'; en Cabranes, *galán, galana* se emplea como vocativo de cariño; Encina, *Canc.* XXXIV v.a.: *garçones galanes.*

galido, adj. *¡Dios, qu'estás luzio y galido!* (f. 106). Parece un *garrido* con equivalencia L-R.

galo, m.: *O los galos del lugar* (f. 274) 'gallos'. Si no es errata, parece una forma occidental (port. *galo*); *entre galos soi gallina* (*Criticón,* II, 337).

gallafear, intr.: *¿Andáys a torrezmear / o quiçá a gallafear / por aquestos despoblados?* (D. 283-285); *gallofear* es "andarse a la gallofa" o comida de caridad de los conventos. Corominas (II, 643 a) deriva este verbo de *ga-*

llofa 'mendrugo de pan que se da como limosna' y así queda registrado en multitud de textos. V. por ejemplo: *gallofas e bodigos lieva í condesados, / destas cosas romeros andan aparejados* (Lib. BA, 1206, c-d); Covarrubias, 625 b: "*gallofo,* el pobretón que sin tener enfermedad, se anda holgaçán y ocioso, acudiendo a las horas de comer a las porterías de los conventos... y *gallofa* el pedaço de pan que les dan. *Gallofear* andarse a la gallofa"; *gallofería,* en Torres Nah. *Com. Tin.,* Intr. 82. Pero todas estas voces tienen una *o* frente al *gallafear* de L. F. Este cambio, junto a "por aquestos despoblados" en los que no habría conventos para dar comida, sino casas o corrales aislados, lleva a pensar que el pastor Gil insulta a fray Macario llamándole "robador de gallinas" (V. *Equivalencias* rústicas, p. 56).

gamella, f.: *y assadores y caldera / y gamella y ralladera* (A. 509-510). Covarrubias: 'Un género de barreñón redondo'; 'artesa para dar de comer y beber a los animales, para fregar, lavar y otros usos' (*Libro de los caballos,* ed. G. Sachs, RFE, Anejo XXIII, 1936); 'artesa para amasar' en La Bureba; Glosarios, 9, 24, 33, 71: *gamellón* (linter, lintris, 'tinaja de madera', y así en varios vocabularios más. Lib. BA, 1221 c: *para las sus triperas, gamellas e artesas,* 'barreño para los mondongos'; *gamellón* 'pesebre', en Berrocal.

gamón, m.: *Con madresilua y gamones / sanarás...* (C. 321). Dicc. RAE: 'Planta de la familia de las liliáceas...'; en Cabrales, 'planta parásita del cáñamo'; Laguna-Dioscórides, 'asphodelo' (p. 245); Covarrubias: "Yerva conocida de un tallo; es pasto sabroso de los puercos, tiene virtud para muchas enfermedades".

garatusa, f.: *¡Mia fe! dessas garatusas / hartas ya, por mi pecado, / me traen amodorrado.* 'cosas molestas'. El Dicc. RAE da a este vocablo el valor 'halagos y caricias para ganar la voluntad de una persona'. Lo mismo sigue Cañete. También puede significar 'lances y tretas de los juegos' según el Dicc. RAE. También es el que vale para Encina, 232: *Dios, que desta garatusa / Ternémos bien que contar.* También vale el significado 'tretas' en Encina, *Canc.* XCVIII v a: *Al demoño me semejas / bien sabes de garatusas / pues de la verdad rehusas.* En Gil Vicente (*D. Duardos,* verso 1382) significa algo así como 'mujer trapacera'.

garauatea, f.: *Viuís de garauatea. / Gallinas, pollos ni pollas / ... ño escapan de vuestras manos* (C. 433-436). Posverbal de *garabatear* 'echar los garabatos para agarrar o asir una cosa', 'robar'. 'Vivís del robo'.

gargalismos, m.: *gargarismos* con equivalencia R-L: *y van cantando / ...vn cantar desminuýdo / haziendo mill gargalismos* (f. 426-429). Posiblemente el pastor quería decir *gorgoritos.*

gasajado, m.: *Tomemos mill gasajados.* (f. 572) 'contento o placer'. El Dicc. RAE lo da como ant.; Encina, 88: *Tomemos hoy gasajado / Que mañana vien la muerte*; Lib. BA, 758 b: *siempre an gasajado, plazer e alegría.* También lo emplea Gil Vicente, V. Teyssier, p. 49.

gasajar, tr.: *Deuémonos gasajar / pues qu'es Dios de Dios venido* (f. 544-545) 'alegrar', 'celebrar con alegría'; Encina, 24: *Vamos a tomar barveza / y a gasajar con su madre.*

gasajo, m.: *divisalla y conocella / ¡Ñunca tal gasajo vi!* (A. 47-48). Dicc. RAE: *gasajo,* ant. como *agasajo* 'regalo o muestra de afecto con que se agasaja'. En los ejemplos antiguos parece más bien tener el valor de 'placer o alegría'; Encina, 21: *Si de gana la tomamos, / Gran gasajo sentiremos*; Encina, 25: *Gran gasajo siento yo / ¡Huy hó!*; *De Vita Christi,* copla 145, v. 6: *¡O hi de Dios, qué gasajo abrás, Mingo, si la escuchas!,* copla, 150, v. 9: *... del gasajo que sentí / el ojo me reylava.*

gasajoso, adj.: *Los ángeles gasajosos / andan esta madrugada* (D. 581-582). El Dicc. RAE da 'alegre, regocijado', como también recoge Cañete. Pero alegres y gozosos están los planetas y los cielos. Los ángeles están 'halagadores y zalameros' (*gasajusu* en el Alto Aller), y a la vez 'acogedores', con aquel "apazible y agradable acogimiento que uno haze a otro quando le recibe y hospeda en su casa" (Covarrubias), en la ocasión del encuentro entre cielo y tierra.

gauán, m.: *Mi gauán le quiero dar* (D. 595) 'capote con mangas y capilla que usaba la gente del campo'. *Quijote,* Rod. Marín, 1927, II, 26; Bernis, p. 90: "En 1618, un libro español de sastrería da los patrones de un gabán de paño, vueludo, con mangas y capilla o capuchón. Este vestido, propio para protegerse de las inclemencias del tiempo, había sido usado en la Edad Media por gente de muy diversa condición. A principios del siglo XVI, el gabán aparece todavía en inventarios de caballeros nobles, pero en ese siglo suele encontrarse en los textos como prenda usada por pastores y labradores".

gelo m.: Forma arcaica del pronombre dativo junto al acusativo: *por gelo dar señalado* (a. 165); *y allá gelo dexé escrito* (a. 570); *mostrógelo enpurpurado* (a. 354); *el qual gelo contradize* (D. Introd.). La forma moderna también aparece: *Yo se lo rellataré* (B. 477).

gerenacio, f.: *de mi casta y gerenacio* (D. 153) 'generación, linaje'. Encina, 5: *No te vien de gerenacio.*

gesta, f.: *allégram'acá essa gesta* (A. 476); *Gesta traes obispal.* (f. 112), 'cara, semblante'. No aparece en los vocabularios usuales, ni tampoco en el Dicc. RAE, ni en Autoridades, ni en Corominas, la palabra *gesta* como 'cara o semblante'. A estos ejemplos de L.F. hay que añadir el de Encina: *Tu gesta bien da señal / de muy malo.* (60) En una frase paralela a ésta, L. F. emplea *gesto*: *Tu gesto bien da señal / candïal* (C. 687-688). Eso quiere decir que posiblemente existirían las dos formas para 'cara, expresión'. No creo que tenga nada que ver con *jeta,* como quiere Hermenegildo (nota en la página 268); *s'os pegue a la lengua, pues de mal jesta / non sabeys trobar... Canc. Baena,* 408, verso 14.

gestadura, f.: *Y sólo por allegrar / buestra murria y gran tristura / y gestadura* (B. 78-80) 'gesto'; Dicc. RAE: 'cara o rostro' como ant.; Encina, *Canc.* XCVIII, v. a: *en cuerpo y en gestadura / no ay otra tan repicada*; Encina, *Canc.* LXXV v, b: *e otra que dizen Pascuala / de muy huerte gestadura*; F. Díaz, *Farsa* (Bibliof. Madr. Teatro s. XVI, p. 323, 94): *Yo tiembro; de vello / todo se me ha erizado el cabello / —A mí no, pardiez, que en su gestadura / gente paresce de allí del altura...* Lo emplea Gil Vicente, V. Teyssier, p. 50.

gloriana, f.: *Mucho estáys de glorïana* (D. 451); Cañete interpreta 'alegría, gozo celestial'; Lihani: 'lleno de gloria, bienaventuranza'. Parece una formación nueva sobre *gloria,* que no atino a descifrar. El "echar una cana" de poco más abajo le da un sentido como de 'gloria festiva' o algo así. Parecería un cruce con *jarana* si esta palabra no fuese posterior.

Gontinos: Posible errata por *Continos*. Éste es el nombre de una dehesa en San Pedro de Rozados, a pocos kilómetros al sur de Salamanca. Pertenece a los Mercedarios, y existe la tradición de que allí escribió Tirso su *Condenado por Desconfiado.*[8]
Es Antona de Doñinos / que en Gontinos (C. 714-715).

gorguera: Covarrubias: "Adorno del pecho y cuello de mujer".

grima, f.: *En grima y reñer, beber* (A. 296); *que por grimas y cordojos / de amorío, se ha vencido* (C. 157-158; 'disgusto, pena'; Encina, 61: *De cuido, grima y cordojo / Asmo que debe ser ojo.*

grimoso: *Deuéys dexar / essa grimosa querella* (B. 98-99). El Dicc. RAE y Hermenegildo dan a este adjetivo el valor de 'horroroso'. Lihani explica 'temerosa, repugnante'. Yo creo que es únicamente 'penoso, triste'.
Para el origen y acepciones de *grima,* V. Gamillscheg, RFE, XIX, 1932, p. 235.

grolla, f.: *otros dizen qu'es la grolla / de nuestro bien y consuelo* (f. 138-139) 'gloria'. La palabra *gloria* por metátesis, equivalencia R/L y palatalización ha dado las formas siguientes: *grolia* (D. 198), Lamano; *grolla* (f. 138); Encina, 20. (V. Teyssier, pp. 50-51); *grolifiquemos* (f. 408); *grorificación* (f. 414); *grorificado* (f. 415).

guadrimaña, f.: *Andáys de aldea en aldea / comiendo de guadrimaña* (C. 430-431) 'tretas, embustes'. Así el Dicc. RAE, como desus: *guadramaña.* La misma forma *guadramaña* existe en las *Coplas de Mingo Revulgo,* copla V: *ármanle mil guadramañas*; Asenjo Barbieri, *Canc. Musical,* p. 182: *Sábete que el amorío / es una tal guadramaña / que a la más huerte cabaña / pone so su poderío*; Baltasar del Alcázar, *Poesías de...* p. 113: *Vocablos del tiempo viejo / Como digamos engorra, guadramaña, maxmordón* (citado por Rodríguez Marín, *Un millar...,* p. 49); Encina, *Canc.* XCVIII v, a: *tus lazos y guadramañas.*

guardar, tr.: *Guarda, que te harás pedaços* (f. 227), 'aguarda, espera'. Dicc. RAE, como ant.; Covarrubias:

[8] Éste y otros datos geográficos han sido proporcionados por el profesor de la Universidad de Salamanca D. Luis Cortés Vázquez, al que agradezco desde aquí su amabilidad.

"*Guardarse* vale recatarse de lo que le puede acarrear a un hombre daño". Lib. BA, 635 b: *Guarda que non lo entienda / que lo lievas emprestado.*

guarescer, intr.: *... sin esperança / d'esperar de guarescer* (A. Diál. 85-86); Dicc. RAE: *guarecer* 'recobrar la salud', como ant.; Encina, 190: *Que es necesario, si quiés guarescer / Muestres la causa de tu padescer.*

guarir: *¿Cómo fuiste ansí guarido?* (A. Diál. 139) 'sanado'. Dicc. RAE: como ant. 'recobrar el enfermo la salud'; Lib. BA, 592 c: *que perderé melezina so esperança de guarir*; Covarrubias: "*guarir* significa el escaparse de la dolencia, sea enfermedad o herida o peligro".

guarnido, adj.: *Solías andar guarnido / con centillas y agujetas* (A. Diál. 4-5) 'guarnecido o adornado'. Covarrubias: "*guarnir* trae origen de la lengua francesa y significa lo mismo que guarnecer"; Lib. BA, 1081 c: *de gentes bien guarnidas muy bien acompañado.*

güero, adj.: *los huebos güeros y sanos...* (C. 439) 'huero'; Covarrubias: "Dixóse *güero* el güevo que no sale de él pollo, y corrompido es de muy mal olor. *Un güevo y ésse güero*".

guindear, intr.: *Verá. El ojo le guindea* (A. 567) 'el ojo se le sube, se le tuerce, 'está nerviosa'. Es una de las bromas que entre todos le gastan a Beringuella, la nueva desposada ("No me querás vergoñar", responde ella). El verbo puede ser variante de *guindar* (que Corominas hace salir del escandinavo a través del francés) y que significa 'subir algo en alto, torcer'. El Dicc. RAE recoge el significado de 'resbalar, escurrirse' como leonesismo, que encaja muy bien en este texto. El valor que da Lihani: 'volverse soberbio' está sugerido por el verso siguiente: "Ño hay quien la habre ya ni vea".

guisopo: *Y ¿en qué tengo de jurar? / ¿En guisopo o en vinagera?* (A. 326-327). Lamano registra *guisopo* 'hisopo', y también en Berrocal (p. 452), existe *guisopo.* La frase es burla o remedo del hisopo y el acetre del agua bendita empleada en las aspersiones, Torres Nah. *Com. Aquilana,* III, 358: *el guisope y calderón.*

gujeta, f.: *y gujetas con herretes* (A. 542). Dicc. RAE: *agujeta* 'Correa o cinta con un herrete en cada punta, que sirve para atacar los calzones, jubones y otras prendas'. En Cabranes, *guyeta* con el mismo significado. (V. *agujeta.*)

gulpeja, f.: *y el cabrito y la gulpeja / han de comer de vn bocado,* 'zorra' (f. 520-521); Lib. BA, 87 a: *la golpeja, con el miedo e como es muy artera...*

H

ha, adv. afirm.: *¿Y tanto sabe? —Digo ¡ha!* (f. 158) 'ciertamente'. Covarrubias: "Entre labradores la *ha* vale tanto como *sí,* y suelen añadirle alguna otra partícula, como *ha la ce, a la fe, ha par diez,* que es afirmación con juramento" Torres Nah. *Com. Troph.*, II, 198: *Mia fé, ha*; Encina, 10: *¿Acá moras? —Mia fé, ha!* Lo emplea Gil Vicente (V. Teyssier, p. 51); Correas, *Arte grande,* 214: "há afirma como *sí.* Es algo rústica".

hablar. Se construye con la prep. *en* (*Intr.* a la comedia C), igual que el verbo *contemplar* (también en B. 13).

(*h*)*abra, habrar,* f.: *Bien semejás costumero / en vuestra abra mesurada* (D. 289-290) 'habla'; *habrar,* 'hablar' en C. 519: *Quit' allá, ño habrés de dedo* (Lihani, *Farsas,* p. 194, lo achaca al verbo *haber*); *Como habra tan por entero...* (C. 679). Encina, 17: *Por tu salud, habra, habra.*

hasbondo (V. *abondo*) (A. 550).

hata, prep.: *por montes, cuestas y cumbres / hata que topó con ella* (C. 183-184). Procede del árabe. Origen y evolución estudiados por Corominas (II, 884 b), y por Menéndez Pidal (*Cantar,* II, p. 682-683). En *Mío Cid* convive *fata* con *fasta.* Sobrevive en hablas mirandesas (Leite, *Phil. Mir.*, II, 38) y en Asturias *fata* junto a *fasta* (V. Rato); Torres Nah. *Com. Aquil.*, II, 269: *hata que quieren comer.*

¡hau!, excl.: *Olguémonos, ¿quieres? ¡hau!* (f. 164). Probablemente se aspiraba la h (V. "Aspiración", p. 46).
¡jau!, Dicc. RAE: Para animar e incitar a algunos animales, especialmente a los toros; *Dones, dones, ara ¡jau!* (Torres Nah. *Com. Seraph.* (en *Prop.* II, 11). Lo mismo *hao*: Torres Nah. *Com. Aquil.*, Jorn. II, v. 1: *Hao, collaço dormilón.* Encina, 241: *Digo, hao, y cuál haría / Si los hobieses de ver...* El sentido aproximado puede ser '¡ea!' (Huelga la equivalencia de Lihani: '¿qué, qué te parece, eh?' de *Farsas,* p. 209).

haz: *En buena fe que me praz.* / *—Pues a mí también me haz* (A. 210-211); *qu'el cuerpo se m'az pedaços* (C. 30) 'hace' (presente apocopado leonés y castellano antiguo).

haz: *sufrís mill injurias Vos* / *en vuestra diuina haz* (a. 194-195) 'faz, cara'; Lib. BA, 870 d: *que más val vergüeña en faz que en coraçón manzilla.*

haz: *¡O, inmensa paz de paz!* / *¡O vitoria de vitoria,* / *do fallesce la memoria* / *con memoria de tal haz!* (D. 422-425) 'ejército' o 'batalla'. Creo que este caso puede añadirse a *haz, az* (de aciem), 'tropa ordenada en línea de combate'; *Fernán González,* 447 b: *azes* 'tropas'; *Mio Cid,* 700: *Las azes de los moros yas mueuen adelant.* Ya Nebrija recogía: "*haz* por *batalla,* acies". En este apartado habría que meter el ejemplo del Marqués de Santillana que Lihani (*Lenguaje,* p. 462) valora como 'cara': *que yo nunca fize guerra* / *Fortuna, si bien miraste:* / *nin las señas de mi haz* / *se movieron,* / *nin batallas me ploguieron,* / *si non por obtener paz.* (NBAE, XIX, I, p. 491.)

hazcas, adv.: *Otro ruyn cuydo tenemos.* / *Cada qual hazcas se yguala* (D. 72-73) 'casi'. Lib. BA, 826 d: *está lleno de doblas; fascas que non le entiendo.*

hazino, adj.: *aquel que se tiene en poco* / *es semejado por lloco,* / *por astroso y por hazino* (f. 20-22) 'miserable, desgraciado'; Correas, p. 232: *Hacino sodes, Gómez. —Así han de ser los hombres*; Sánchez de Badajoz, *Farsa theologal,* verso 963-965: *¡O, si viérades aquí* / *el esfuerço del mezquino* / *el más couarde hazino!*; Torres Nah. *Com. Aquilana,* III, 478: *Corre, ve presto, hazino!*

he: *a hé, a la hé,* V. *fe.*

he, expresión de la risa o burla: *¡Ay, ay, ay, cuerpo de Dios! ¡he!* / *¡Cómo viejo y bobo soys! ¡eh!* (A. 351-352). *Aserrojar serrojuelas* / *rite, he, he.* Hay un villancico a este tono en el *Canc. Musical del s. XVI* recogido por J. de Pedraza. (V. Alin, p. 656.)

(san) *Hedro*: *¡Juro a san Hedro! Quiçá...* (D. 83), expresión rústica por San Pedro; *para sant Hedro, te digo* (*Vita Christi,* copla 139, verso 1); *¡Júrote a san Hedro Santo!* (Encina, 64). Lleva aspiración de tipo rústico.

hemencia, f. Dicc. RAE: *hemencia,* ant. 'eficacia, actividad'. Covarrubias recoge (681) b) 'ímpetu, ahínco, codicia, gran diligencia'. Vocablo del aldea. En Lucas Fernández existen los valores siguientes:

a) 'intensidad, fuerza': *¡Como en mi mal no ay hemencia!* (B. 570).

b) 'ahínco, empeño': *con hemencia / alçáys todo lo mal puesto'* (C. 425-426). *Y el pueblo, con gran hemencia, / arremetió a Él muy presto* (a. 382-383). Berceo, *Mil.* 27: *En laudarlos sos fechos / metíen toda femencia.* Lib. BA, 1338 d: *en noblezas de amor ponen toda su hemencia. Autos,* II, p. 337, vs. 209-211: *Vámonos, mi aguardador, / qu'ella va con gran hemençia / derecha hazia el audiencia; Canc. Baena,* 574, v. 24-25: *que deven ser con femençia / onrrados los onrradores.*

c) 'posibilidad, esfuerzo que valga': *no ay hemencia / de poder cholla alcançar / a poder perquillotrar / cómo fué aquesta nacencia.* Nebrija anota 'eficacia'.

d) 'esfuerzo que valga, remedio': *¡Ay, que en mi mal ño ay hemencia!* (f. 565-568).

Lo emplea Gil Vicente (C. Teyssier, p. 51-52). Sobre los problemas etimológicos de este vocablo, V. Malkiel, *RR,* XXXV (1945), 307-323.

herguecho, adj.: *¡Juri a mí! Mucho está herguecha.* (C. 593) 'levantada, erguida'. Corominas, II, 312 b, lo hace derivar del participio *erectus.* Encina, 238: *Siéntate; ño estés erguecho.*

hesica, f.: *flor de sago y doradilla / y mançanilla / es muy chapada hesica.* (C. 325-327) 'medicina', 'física' (igual que *físico,* 'médico'). V. Gillet, *Notes,* 786; V. Malkiel, *Rom. Phil.,* IX, 1955-56, 67; *física* 'medicina' en el *Libro de los caballos,* 81, 24.
O tú, física discreta / que con un poco de dieta / sanas mill enfermedades. (*Vita Christi,* copla 78, versos 3, 4 y 5); *física nin melezina non me puede pro tener.* (Lib. BA, 589 d.)
hesico en Torres Nah. *Propal.* Libros de antaño, 2, 311.

hy de pucha, exclam.: *Ahotas que tumbas mucho / ¡hy de pucha!* (D. 146-147). Eufemismo por 'hi de puta'. Se emplea en América del Sur. Correas, 593: "*hi de puta.* Encareciendo y alabando en bien o en mal".

hodido, adj.: *¡Párate a tuyas, hodido!* (f. 192), *jodíu,* 'ruin, molesto' en Cabranes. Se emplea en todas partes entre el vulgo. Torres Nah. *Com. Troph.,* IV, 88; Gillet, *No-*

tes, 365-366. Cañete (p. 276), va inexplicablemente a buscar un origen francés para esta palabra.

hora menguada: *¿Alguna hora menguada / o serpentina encantada...* (f. 263-264). Dicc. RAE: 'tiempo fatal o desgraciado'; Covarrubias: "*hora menguada* 'hora infeliz, la qual calidad ponen los astrólogos en los grados de las mismas horas"; *Cuando yo nascí / era hora menguada* (Alín, p. 582).

¡hora! (*ora*) exclam.: *¡Hora! Muy huerte llentío / haze aquesta madrugada* (f. 1-2). El Dicc. RAE recoge *¡hora sus! como interj.* ant. Corresponde al port. *ora!* Sánchez de Badajoz, *F. Theologal,* 921, 922: *Ora, ya lo vo a llamar. / ¿Ora, vistes? ¡Dios me guarde!*

hu, 3.ª pers. pret. de *ser*: *Mas ¡cuytado! / Es mi mal qual ñunca hu.* (C. 668-669); *hulo* 'lo fué' (D. 95); *hunos* 'nos fué' (f. 116). Encina, 5. *Digo, digo, pues ¿qué hu?*

hue, 1.ª pers. pret. de *ser*: *También yo en ñuestro llugar / hué monazillo* (D. 466-467).

huego, m.: *Es mi fuerca consumida / con este terrible huego.* (A Diál. 67-68). Convive la forma con *h* junto a la de *fuego: Venció mill furias y fuegos* (C. 627). En Cabranes, actualmente, *jueu* 'fuego'.

huerco, m.: *O, suzio huerco maldito!* (a. 176) 'demonio'. Torres Nah. *Com. Aquil.,* I, 172; Lib. BA, 448 b: *diz: Ya levasse el uerco a la vieja riñosa.* En otros textos aparece también con el valor de 'infierno' y de 'muerte'. En el Cuarto de los Valles: *güerco* 'pájaro que canta cuando alguno está próximo a morir'. Covarrubias: "... Este nombre dieron los antiguos al dios de los infiernos... Buélvese la palabra *orcus* en castellano escuridad del infierno, y tómase por el mismo infierno..." M. Morreale (HR, XXXVII, p. 135) ve este ejemplo de Lucas Fernández como adjetivo. Lo mismo cree Salvador (*Consideraciones,* p. 22). La verdad es que, sin puntuación, nadie puede asegurar que sea adjetivo. A mí me parece sustantivo. Comp. la misma construcción en *falso Judas traidor* (a. 171) y *¡O falsos perros hebreos* (a. 265).

huerte, adj.: *¿Es algún huerte alemaña?* (B. 20) 'fuerte'; *juerte* en Cabranes.

hulgajar, tr.: *Tú deues tenerme en poco / pues me hulgajas* (D. 106-107). Parece una alteración de tipo rústico por *ultrajar* (V. *Equivalencias* con la *g*, p. 56).

humilmente, adv.: *Adorámoste humilmente* (a. 769) 'con humildad'. *Autos,* II, p. 90: *cunple que con fuerças tales / humillmente trabajemos.* Lib. BA, 24 a-b: *Desque el mandado oíste / omilmente l'recibiste.*

huy, interj.: *¡Huy ha, huy ho!* (A. 624). Parece que expresa alegría o regocijo. Encina, con el mismo sentido, pp. 26-28: *Alegrar todos, ahá huy ha!*

huzia, f.: *Ya ño ay huzia ¡mal pecado!* (C. 13) 'confianza'. Dicc. RAE, como ant. Encina, 59: *Ya no hay hucia, mal pecado*; Lib. BA, 818 a: *En lo que nos fablamos / fuzia dever avemos*; Covarrubias: *fiucia* "Vocablo antiguo, quasi fiducia; vale confiança, esperança, de donde se dixo desauciar y desauciado". V. Teyssier, 52.

I

í, adv.: *Yergue d(e) í. ¿Ño te leuantas?* (D. 239); *Ño me persigas ya más. / ¡Tirte d(e) í!* (D. 257) 'ahí'. Adverbio que procede de la confusión de *ibi* y de *hic* latinos. V. Corominas, I, 64 a; V. *Dicc. Etimológico* de García de Diego, 3318; *Mio Cid,* 938: *don yxo y es tornado*; Lib. BA, 302 d: *Assí mueren los locos golosos, do tú y vas*; Encina, 237: *Aballa si quieres d'í.* En el verso D. 239, Cañete, Hermenegildo y Lihani interpretan *di* como del verbo decir.

ygaja, f.: *la ygaja se me desmuele* (B. 284). Dicc. RAE, desus. 'hígado, víscera'.

ignorar, tr: *¿Ignoráysme? ¡Digo, digo!* (B. 176) 'ignorar' o 'conocer'.

yñorar: *Señor, deuéys de yñorar / los engaños de pastores* (C. 760). Pueden tener estos casos dos interpretaciones 'ignorar' o 'conocer' (V. nota a este verso en el texto). *Ya te comienco a ygnorar.* (f. 90) 'conocer'; *Minguillo, sy as mirado / iñoras su vestuario.* (*Vita Christi,* copla 132, v. 1-2); *No iñoro pisca del son* (Torres Nah. *Com. Troph.,* II, 21).

ygreja, f.: *aunque es artera / y sabe cosas de ygreja* (C. 49-50) 'iglesia'. Torres Nah. *Com. Troph.,* Intr. v. 9; Staaf, p. 201. Empleada esta forma por Gil Vicente, V. Teyssier, pp. 52-53. En el Lib. BA, aparecen las tres variantes (Ed. Corominas): *igleja,* 827 b; *iglesia,* 1177 d; *igreja,* 286 c; V. *Staaf,* p. 240.

incrimpolado, adj.: *¡Qué retrónica passáys / tan incrimpolada y fuerte!* (B. 370-371) 'adornada, complicada'. Llorente Maldonado cita *encrimpolarse* 'adornarse', y Chiossone (p. 136). *engaripolarse* 'vestirse con lo mejor que se tiene', en el Táchira. Hay que poner la palabra en relación con *grímpola* 'gallardete', como dice Hermenegildo (p. 146); Lamano recoge *engarripolar* 'vestir con llamativa elegancia'.

J

Jadillas, n.p.: *¿No dixo nada Jadillas? / —No es propheta. Dí más d'Él.* (f. 397-398) "Después de pocos días falleció la fiel esposa del Profeta (Mohammad) —*Jadilla*—, y un mes después su tío Abu Talib". Boletín *Ahmadia del Islam,* abril, 1973, n.º 14, p. 10.

jocundo, adj.: *Oyd la passión rabiosa / que en su humanidad preciosa / sufre nuestro Dios jocundo* (a. 3-4-5). Habría que dar a esta palabra el sentido latino que se ve en *Iucundíssimus* 'beato' 'muy bienaventurado' o algo parecido. Ya Juan de Valdés la incluía, a propósito de su empleo en Juan de Mena, entre los vocablos "muy latinos": "... y puso ciertos vocablos, unos que por grosseros se devrían desechar y otros que por muy latinos no se dexan entender de todos, como son *rostro jocundo, fondón del polo segundo* ... lo qual a mi ver es más scrivir mal latín que buen castellano". (*Diálogo,* ed. Montesinos, Clás. Cast., Madrid, 1928, p. 158-159); *no se os acuerda, o desconocidos, / que vuestro Maestro Jesu muy jocundo / nunca hablaua del reyno del mundo...* (Altamirando, P., *Aparición,* p. 238, v. 219, RRQ, 1922, XIII); *reina tan sobre el mundo, / que todo el mundo es cenisa / delante Él; / mas es tan alto e jocundo / que ningún verle devisa / ni pinzel* (*Canc.* de R. de Llavia, Razonamiento de Fray Gauberte del Monge con el cavallero sobre la vida venidera); *Autos,* II, p. 94, v. 114: *dize ni par ni segundo / no tiene su Dios jocundo / en el cielo ni en la tierra.*

Joeles, n. pr.: *Quando yo m'era moçuelo, / oy dezir a mi ahuelo / que sería Dios encarnado / que Joeles lo ouo habrado* (f. 375-378). Nombre propio que viene del hebreo *Yo'el* 'Yahweh es Dios'. Se cree que fue oriundo de Judea y que no pertenecía a la casta de los sacerdotes. Es uno de los Profetas Menores.

joyosa, f.: *Dexá, dexá la joyosa / lagrimosa* (B. 430-431) 'espada'. Covarrubias: "una de las espadas del Cid Rui Díaz". También existe la creencia de que así se llamaba la espada de Carlomagno. (V. Lihani, *Lenguaje,* p. 474.)

(san) *Junco*: *No, ¡juro a sant Junco sancto!* (f. 266). Fontecha, p. 206: L. de Úbeda, Bibl. Madr. IX, 235; Cerv. *Com. y Entr.* Sch. y Bon., IV, 41); Encina, 95: *Júrote a san Junco santo / Que la quiero yo más huerte* (Gil Vicente, *Visitaç,* 2 r; *juri a Samjunco santo!* Parece uno de los juramentos de tipo eufemístico. Acaso esté por *san Ju-an.*

jurado, m.: *¡Anday acá! Juraréys / en las manos del jurado* (A. 314-315), *jurado* 'alcalde, corregidor' (*Criticón,* III, 210); Dicc. RAE: 'Sujeto cuyo cargo versaba sobre la provisión de víveres en los ayuntamientos y consejos'. Así en Cañete. Covarrubias: 'Oficio y dignidad de las repúblicas y concejos; díxose assí por el juramento que hazen de procurar el bien común'.

juramento de caloña: *Y ¿a qué me queréys lleuar? / —A que juréys de caloña.* Covarrubias: "*Juramento de calumnia.* Dize la ley 23 del sobre dicho título onze, de la tercera partida, que juramento de calumnia quiere tanto dezir como jura que hazen los omes, que andarán verdaderamente en el pleyto e sin engaño".

Juramentos: En Lucas Fernández y demás autores "sayagueses" están estudiados por Frida Weber, "Fórmulas de juramento en los Coloquios espirituales y sacramentales de Hernán González de Eslava", *Studia Phil.,* Homenaje a Dámaso Alonso, III, 585-603 y también en *Lo cómico en el teatro de Fernán G. de Eslava.* Véase también O. Deutschmann, *Formules de malédictio...,* BF, X, 1949, 215-272. V. también Humberto López Morales, *Trad. y Creac.,* p. 189-190. Para la fórmula *juri a...* V. Teyssier, p. 53, y Gillet, *Notes,* 740-741. Hay que tener en cuenta la opinión de M.ª Rosa Lida a propósito de los juramentos de Centurio (*La originalidad artística de La Celestina,* EUDEBA, Buenos Aires, 1962, p. 696), según la cual en tales juramentos "asoma la burla humanística por la devoción vulgar, sobre todo por la que convertía en santos de carne y hueso las palabras no entendidas de la liturgia".

Juramentos en Lucas Fernández:

san *Conejo*: *¡O, pesar de san Conejo!* (C. 148)

cuerpo: *¡Juro al cuerpo!, ¡ño de ños!* (D. 78)

diabro: *dome... al diabro* (A. 263 y D. 413); *al diabro te do yo* (f. 246); *¡doy al diabro el galabardo!* (C. 560); *do al diabro, Autos,* II, 320

diez: *¡Juro a diez!* (A. 45, A. 604, A. 611, f. 127); *juro a diez que...* Encina, 118.

diobre: *Juro a diobre* (D. 64, f. 124); *juri a diobre,* Encina, 230

diona: *¡juro a diona!* (A. 197)

Dios: *¡cuerpo de Dios!* (A. 351)

san *Hedro*: *¡Juro a san Hedro!* (D. 83); *que yo te juro a Sant Hedro, Vita Christi,* copla 144, 7

huego: *¡Ora te encomiendo al huego!* (f. 66)

san *Juan*: *Juri a san Juan* (B. 449); *¡Por san Juan!* (C. 660)

Junco: *¡juro a sant Junco sancto!* (f. 266); *¡Júrote a san Junco santo!* Encina, 95; *San Junco,* Gil Vicente, *Monólogo do Vaqueiro,* 88, y *São Junco sagrado, Barca do Purgatório,* 169

maldiga Dios tu pelaje (D. 62)

mí: *¡juri a mí!* (C. 593, f. 142); *¡juro a mí!* (f. 4, A. 63)

mundo: *¡Juri al mundo!* (B. 190, 589)

nunca: *¡Nunca medres en la greña!* (D. 61)

ños: *juro hago a ños* (f. 92); *¡juro a ños!* (D. 499); *juro a ños.* Encina, 108, 149, 362; *juri a nos, Autos,* II, 360, verso 128; *juri a nos,* Torr. Nah. *Com. Troph.,* IV, 5; *jure a nhos,* Gil Vicente, *Monólogo do Vaqueiro,* 91; *juri a nhos,* íd.; *Auto Pastoril Castellano,* 153

san *Pabro*: *¡Pese a sant Pabro!* (f. 294); *¡por cuerpo de sant Pabro!* (A. 264); *juri a san Pabro,* Encina, 231

¡pardiós! (A. 123, 194, C. 782, D. 217, 259, 585); *Autos,* II, 290, v. 354.

san *Pego*: *juro (a) san Pego* (B. 540); *juro a san Pego,* Encina, 108; *são Pego,* Gil Vicente, *Auto dos Reis Magos,* 266, y *Auto Pastoril Portugués,* 382; *¡pese a sant Pego!* (f. 255); *pese ora a san Pego,* Encina, 101

Sampego: *¡pese ora* (*a*) *Sampego con...* (C. 293); *por Sampego que...* (C. 682)
san *Rodrigo*: *¡pese a san Rodrigo!* (C. 487); *pese a san Rodrigo,* Encina, 66
rabia: *Doyle a rauia* (A. 240); *doyle a rabia y doyle a huego.* (A. 2)
san *Rollán*: *¡Juro a sant Rollán!* (A. 287)
salud: *¡por mi salud!* (A. 59, 255)
san: *¡juro a san...!* (B. 62); *juro a sant que...* Encina, 305; Torr. Nah. *Com. Sold.*, Intr. 30; *Juri a Sam,* Gil Vicente, *Auto Pastoril Castellano,* 317
Sandoval: *¡pardiós!, ¡por Sandoval!* (C. 572); *yo te juro a San Doval,* Encina, 235
Santella: *¡juro a Santella!* (A. 614)
Santillana: *Yo vos juro a Santillana* (D. 454)
tal: *¡juro a tal!* (C. 500)
san Vasco: *¡por san Vasco!* (D. 217)

juro, m.: *Juro hago a ños* (f. 92) 'juramento'; Jacobo de las Leyes (s. XIII). *Doctrinal*: *mayormente quando la jura es fecha en el comienço del pleito, ca entonçe no deue jurar que el juro obligue salud de su alma* (edic. Ureña, 1924); *juro hago a Sant Román / pues que yo también ayude* (F. Natas, *Tidea,* 1913, p. 34); Tirso, *Palabras y plumas,* Acto III, escena 11.

L

labrio, m.: *lastimados / los labrios con los tormentos* (a. 405-406) 'labios'. Dicc. RAE: *labrio,* desus.; Lib. BA, 810 a: *Los labrios de la boca tiémblanle un poquiello*; Torquemada, *Manual de Escribientes,* fol. 26 r: *La B se pronunçia con los labrios anbos.*

lacrimar, intr.: *... dos mill matronas / lacrimando, lastimadas* (a. 489); Forma culta de *lagrimar,* 'derramar lágrimas'. Dicc. RAE, como ant.

lagaña, f.: *que tengo aquestas pestañas / tan pegadas con lagañas* (f. 84) 'legaña'. Dicc. RAE recoge esta forma. También se usa actualmente en el dominio leonés. Registrado en Oseja de Sajambre, Argüellos, Las Hurdes, La Bureba, Cespedosa de Tormes, Cabranes, etc.; Glosarios, p. 71: *lagaña* (lipa).

lagañoso, 'legañoso': *¡Qué ojos tien tan ñublosos!... / lamparosos, lagañosos* (D. 184).

lamparoso, adj.: *¡Qué ojos tien tan ñublosos!... / lamparosos, lagañosos.* Hay que pensar en *lámpara* o *lamparón* 'mancha, especialmente de grasa'. Cañete piensa que se alude al aceite de la lámpara.

lanudo, adj.: *lanudo, xeta grossero* (C. 104). Dicc. RAE: 'Que tiene mucha lana o vello, lanoso. Aquí está empleado con valor de rústico, pastor ignorante, por alusión al traje de pieles'. Con valor de 'rústico, ignorante' se oye en lenguaje venezolano (Chiossone, p. 154).

lança y barril: *y de Esaú que perdió, / por dormir, lança y barril?* 'privilegios'. Cañete sugiere que estas palabras son una alusión burlesca a *pendón y caldera.* Covarrubias explica: "Huvo un privilegio antiguo que los reyes davan a los señores, que era traer *caldera y pendón,* que era la divisa suya, a donde se acogía su mesnada. Traer caldera, conviene a saber cozina para su servicio". Íd.: "Antiguamente concedían en España los reyes a los ricos hombres que les acompañavan y servían en la guerra, *pendón y caldera*; con el pendón acaudillavan los suyos, y la caldera servía de cozerles la comida, y ésta era muy gran honra y particular".

lauajo, m.: *Hasta* (*a*) *el triste del herrero / le dió ogaño vn batricajo / en vn lauajo* (B. 222-224) 'charca'. Dicc. RAE: 'Charca de agua llovediza, que rara vez se seca'; Covarrubias: *lauajos* 'Nombre de lugar'. En Aliste (§ 88): *llabayu* 'manantial'.

legar, tr.: *Sabe legar, deslegar. / Haze cient mill bebedizos* (D. 191-192); Autoridades: "*ligar*: Vale también hacer impotente a alguno para el concúbito y generación. Significa también exorcizar y conjurar los espíritus".

lengua (*tener lengua*): *Y ¿cómo? ¿lengua tenéys?... / Asperá vn poco...* (B. 442 y 444), 'todavía sois capaz de contestarme?' Correas, 649: "*Tener lengua.* 'Por aviso'." Puede interpretarse: 'aviso de que se va a pasar a mayores'. Es el mismo sentido de: *¿Y vos aún habráys, habráys...?* (A. 337) y del verso A. 374: *¿Aún estáysme ende abrando? / ¡Asperá, asperá, asperá!* La misma situación de violencia y amenaza en el verso B. 456: *¿Y aún hablas, dí don villano / —Y aún habro. —Pues esperá.*

letijo, m.: *Pues no estéys más en letijo / ni os queráys más detener.* (C. 882-883). Dicc. RAE: *letijo,* ant. *litigio.* Aparece en Gil Vicente, *Don Duardos,* verso 765; *Autos,* II, p. 122: *huýmos como del fuego / qu'es mundo mar de letijos*; Encina, p. 290: *Y aun sobre él traen letijo / Él y un fraile y un notario*; Sánchez de Badajoz, *Farsa de la ventera,* 57-58: *Con esto tengamos paz / No curar de más letijo.*

lieuar, tr.: *y el Juan los lieua a Bethlén a adorar al Señor.* (Introd. de F.) Dicc. RAE: *lievar,* ant. *llevar.*

lindo, adj.: *Es un hombre del palacio / de linda sangre y facción / y condición* (B. 24-26). Dicc. RAE: *lindo,* 'bueno, cabal, perfecto'.

lodo, m.: *¡Dios que estás luzio y galido! / No t'entecará ya el lodo.* (f. 106-107) 'barro'. Se ha empleado en sentido figurado como 'mancha u ofensa': *poner del lodo.* Dicc. RAE: 'ofender, denostar con palabras injuriosas'; *sacar el pie del lodo,* Autoridades: 'sacar de algún peligro, empeño o trabajo'. Encina, 141: *Todos estamos con llodo / No hay ninguno bien librado* 'complicados en un mal asunto'.

Lucrecia (B. 171): Tito Livio refiere la historia de Lucrecia, dechado de fidelidad conyugal. Ultrajada por un hijo del rey, rogó a su padre y a Colatino, su marido, que la vengaran, y ella misma se dio muerte con un puñal.

LL

lladero, adj.: *le dió ogaño vn batricajo / ... que quedó medio lladero.* (B. 225) 'inclinado, torcido hacia un lado'. Así en Cabranes actualmente: *el carru tá lladeru.*

lladrobaz, m.: *Vos sos vn gran lladrobaz* (A. 285) 'ladronazo'. Parece una acumulación de *ladrón* y *rapaz* o *rabaz.* Encina: *Todos son unos rapiegos / lladrobaces*; Íd. *Canc.* XXXVI, v. b: *lladrobaço*; *ladrabaz* en Sánchez de Badajoz; Corominas, III, p. 11 a.

(*a la*) *llana,* m. adv.: *Mas hallarás a la llana / sólo el Hijo / tomó nuestra carne humana.* (D. 486-488) 'claramente, sencillamente, en conclusión'. No me parece aceptable la interpretación de Lihani (*Farsas,* p. 205) 'en la página, escrito'; *y aquesto dixo a la llana / la Sibila despontina,* Encina, *Canc.* X v. b.

llastrar, tr.: *Harto lo tengo llastrado / y trabajado / en passar vida tan triste* (C. 827-28-29). Dicc. RAE: *lastar* 'suplir lo que otro debe pagar', 'padecer en pago de una culpa'.

llatinar, intr.: *Ño te deues de ygualar / con el padre a llatinar.* (D. 78-79) 'hablar latín'.

Llazarén: *Llazarén, ciudad florida.* (f. 478) 'Nazareth'. Presenta un cambio de palatal inicial, y sustitución de un final poco conocido por uno más familiar.

llazerado, adj.: *¡Ay de mí, triste, cuytado, / llazerado y aborrigo* (C. 1-2). Dicc. RAE: *lacerar* 'magullar, lastimar, herir', *lacerado* 'infeliz, triste, desdichado'; Encina, *Canc.,* fol. XXXIIIra.: *yo lazerado, aborrido.* En Cabranes: *llaceria* 'llaga, desgracia, calamidad'.

llazo, m.: *ñagazas, llazos, cegeras* (D. 112) 'trampa con lazada corrediza para cazar'.

llebrata, f.: *y vn estorniño os daré / y, en buena fé, / vna llebrata preñada* (B. 399-401). Dicc. RAE: *lebrato* 'liebre de poco tiempo'; en Acevedo y Vigón se recoge *llebrato*; también en Aliste, § 14. En Cabranes *llebratu* 'cría de la liebre'.

llebrastillas, f.: *conejos y llebrastillas* (D. 116). Dicc. RAE: *lebrasta, lebrasto, lebrato,* 'liebre nueva'; *liebrastón* 'la liebre pequeña' (Covarrubias, s.v. *liebre*).

llentío, m.: *Hora muy huerte llentío / haze aquesta madrugada.* (f. 1-2) 'humedad fría del amanecer'. Cabranes: *llentu,* adj. 'algo húmedo'; Glosarios, 240: *lenta* (fovea), con referencia a la humedad de la cueva; en San Ciprián de Sanabria: *relentu* 'viento fino, muy frío'; Covarrubias: *liento* 'lo que no está del todo enxuto'.

lleuar, tr.: *Algo me querrás lleuar, / sin dudar, / antes que vamos de aquí.* (B. 417-419) 'cobrar, llevar golpes'; Torres Nah. *Com. Jac.* Jorn. III, v. 130: *lleuar algo* (golpes); en Cabranes: *vas lleváles* 'te voy a golpear'.

llóbado, m.: *Llóbado renal me mate* (A. 571) [si yo te quiero avergonzar]. (En el Dicc. RAE y algunos más, *lobado.* En la mayor parte de los testimonios es palabra esdrújula). Dicc. RAE: 'tumor carbuncoso que padecen las caballerías'; Covarrubias: *lobado* 'es una enfermedad que da a las reses heridas del lobo, lo qual se llama *alobado*'; Encina, 304: *Llóbado malo me acuda / si la verdad yo n'os digo.* Se empleaba esta palabra con valor de enfermedad muy mala, lo suficiente como para

entrar en maldiciones, como en los ejemplos de Encina, Lucas Fernández y también en Correas (p. 268): "*Lobado molido y plomo derretido.* Es maldición".
Lóbado y mala ranilla / hízolo andar de puntilla (Sánchez de Badajoz, *Dança de los pecados,* v. 44-45).

llosa, f.: *y en la llosa / me caen mill passarillas* (D. 117-118). Dicc. RAE: 'Trampa para cazar aves o ratones'. (No parece que tenga el valor de 'terreno' o 'heredad' como en los ejemplos que cita Lihani, *Lenguaje,* p. 482.) Autoridades: "Se llama también cierta trampa que se hace con unas losas pequeñas y delgadas, para coger las aves. Llámase también Losilla. Trahe esta voz en este sentido Covarr. en su Thesoro, y también el P. Alcalá y Nebrixa en sus Vocabularios".

llotrar, tr.: *no es entero gasajado / ni se puede bien llotrar.* (f. 48-49) 'disfrutar, gozar de algo'. Es separación de *que-llotrar* (V. *quellotro*), o bien equivalencia rústica por *llograr.*

llucencia, f.: *Por esso nosotros vimos / denantes muy gran llucencia.* (f. 325-326). Dicc. RAE: *lucencia,* ant. 'claridad, resplandor'. En La Ribera (Llorente Maldonado, p. 178) *lucencia* tiene este mismo valor, y también el de 'ventana'.

lluengua, f.: *son poner / mis duelos en vuestra lluengua!* (C. 116-117). Podría pensarse en una mala grafía *gu* por *g* (como la de *pagua* 'paga', verso a. 259), pero la rima lo invalida. En Asturias existen *llengua* y *lluenga,* y *lluengua* también. Abonan la lectura de *lluengua* como buena, la existencia de: *augua 'agua'* en Rico Avello, *lleugua* 'legua' y *yeugua* 'yegua' en San Ciprián de Sanabria (p. 39-40).

lluga, f.: *llugas, pañicos, calçones / d'estopa dos camisones.* (D. 58-59) 'especie de guantes'. Cañete (al que sigue Lihani) explican 'ligas'. Creo que es preferible ver una deformación rústica (V. *Equivalencias,* p. 00) *de luvas* o *luas* que el Dicc. RAE da como 'especie de guante para limpiar las caballerías'. También anota el Dicc. dos sentidos más que pueden venir bien en este caso: un ant. 'guante de piel', y un 'zurrón de piel de cabra, carnero, etc., que emplean en La Mancha'. Hoy en port. *luvas* 'guantes'.

llugo llugo, adv.: *Ño seas tan reuellada / y tan tesa y profiada / que llugo llugo te yrás.* (A. 70-72) 'enseguida'. La repetición intensifica la expresión del tiempo breve. Lo mismo en Encina, 112: *Esperad, que llugo iremos. / —Llugo llugo, no tardéis.* En cuanto a la reducción del diptongo o no diptongación, hay también en Lucas F. *jugo* frente a *juego.* Aparece en Gil Vicente (*Auto da Fé,* 77). (V. Teyssier, p. 53). Todavía se oye hoy la reducción del diptongo a *u* en Coria (Cummins., p. 35).

M

macandón, adj.: *¡O, do al diabro el bordión, / moxquilón y macandón!* (D. 298-299). Dicc. RAE: ant. 'astuto, falso, embustero'.

Macías, n. pr.: *Macías el mallogrado* (C. 619). Trovador gallego, algunas de cuyas composiciones se encuentran en el *Cancionero de Baena.* Ha llegado a ser el prototipo del amante desgraciado y fiel. Véase K. H. Vanderford, *Macias in Legend and Literature,* Modern Philology, XXXI, 1933, p. 35 y ss. Para noticias sobre este poeta, V. el prólogo de H. Albert Rennert a la edición de las *Cantigas* de Macías, Col. Dorna, Buenos Aires, 1941.

macho (encienso, m.): *y con rábano gagisco, / encienso macho y bayones.* (C. 323-324) Covarrubias: "el mejor y más escogido, llamado *stagonias,* naturalmente redondo. Este tal es entero, blanco y de dentro, quando se quiebra, grasso, y luego, en llegando al fuego, arde. Vide *Dioscoridem,* lib. I, cap. 66."

machorra, f.: *Quatro machorras y vn perro / y el manso con su cencerro* (A. 499-500). Dicc. RAE: *Sal.* Oveja que en festividades o bodas matan en los pueblos para celebrar la fiesta.

madre-senora, f.: *Y aun es mi madre senora / la hermitaña de San Bricio* (D. 161-162). No es la madre, como quiere López Morales (*Tradición y Creación,* p. 172). Puede ser 'abuela', 'tía', o 'madrastra' como hoy todavía en el campo de Albacete.

maguer, conj.: *Como ahuto barbihecho / maguer soy barbiponiente* (D. 21-22); (Cañete da *magüer*). Covarrubias, 780 a: "Palabra antigua, significa tanto como *aunque*".

majadero, m.: *Darl'é vasar y espetera / y mortero y majadero* (A. 506-507). Dicc. RAE: 'Mano de almirez o de mortero'. Encina, *Canc.* LV v. b: *por puñal un majadero.*

¡mal pecado!, exclamación: *A la mía fe, ¡mal pecado! / cuydo que ño la allaré* (A. 13-14) 'por desgracia'. Encina, *Canc.* XXXVI, v. a; *Cancionero de Baena,* f. 9 r: *¡Mal pecado! sólo un día / Non se le menbra de mí;* Lib. BA, 1194, a b: *Bien sabedes, amigos, en como ¡mal pecado!, / oy ha siete semanas, fuemos desafiado / de la falsa Quaresma.*

maluarisco, m.: *Con madresilua y gamones / sanarás, y maluarisco,* (C. 321-322) 'malvavisco'. Se encuentra esta variante en Cabranes y en Cespedosa, p. 154.

mal llogragos: *que murieron mal llogragos / d'esta tan gran vanigrolia* (C. 163-164). Equivalencia rústica (ver p. 56) por "mal logrados".

mamantío, adj.: *El ganado mamantío / cuydo que se ha de perder* (f. 5-6) 'que todavía mama', 'mamantón'. A este último término, recogido por el Dicc. RAE se le ha dado la desinencia adjetival *-ío,* tan abundante en el leonés. (V. p. 57, "Una dificultad.".)

mamilla, adj. (En el texto *mamamilla* por errata): *si es mamilla o si es rendaja / ño la sabrás callostrar* (D. 139-140) 'res que no da leche más que por una sola teta'. Es término de pastoreo que se conserva en Las Hurdes: 'cabra de una sola teta'; *mamía* 'vaca que no da leche por una o más tetas' (Cuarto de los Valles); 'res que tiene inutilizada una ubre' (Mérida); 'res con falta de alguna teta' (Berrocal, p. 448); Covarrubias: *mammilla* 'la teta recogida'.

mamoria, f.: *la mamoria y el sentido / he ya perdido* (B. 282-283) 'memoria'; *De Vita Christi,* copla 155, v. 1.

mamorial, m. pl.: *róbanos los mamoriales;* (B. 218) 'la memoria'; Gil Vicente emplea *los memoriales* con el mismo sentido. (*Auto dos R. Magos,* 29.)

mamulleras, f.: *¡Passo, passo! N'os tiréys / tan rezio a las mamulleras.* (A. 380-381) 'quijadas'. Parece voz formada sobre *mamullar.* Dicc. RAE: 'comer o mascar con los mismos ademanes que hace el que mama; Encina, *Canc.* fol. XCVIII bv: *No marra cosa en su gesta / tiene buenas mamilleras / buena boca sin boheras.*

mancebía, f.: *Dios guarde tu loçanía / y mancebía* (C. 235-

236). Dicc. RAE, ant. 'juventud o mocedad'; Autoridades da esta voz como anticuada; Encina, *Canc.* XLIX: *Allá va bien empleada / la niñez y juventud, / mancebía y senectud.*

mandado, m.: *Dad, señora, dad mandado / en la corte celestial / que tienen su rey cercado / y maltratado* (a. 452-455). Dicc. RAE: 'aviso, noticia' como ant.; Covarrubias: "*mandado* se llama también el recado que se envía a alguna persona"; Guzmán de Alfarache, part. I, lib. 1, cap. 5: *No respondía quando me reñían, ni daba ocasión para ello: los mandados eran un pensamiento*; Covarrubias: "Mandar algunas vezes sinifica embiar recaudo con tercero, y la embaxada *mandado*". *Lib.* BA., 742 d.

mangonero, adj.: *mi borrica / que andaua bien de tu suerte / medio mustia y mangonera* (C. 330-332) 'remolona'. Según el Dicc. RAE: *mangón* en Murcia es 'holgazán, remolón'; *mangonear,* fam. es 'andar uno vagueando sin saber qué hacerse', y *mangonero,* ant. 'aplicábase al mes en que había muchas fiestas y no se trabajaba'.

manija, f.: *¿O filete (e)s? ¿o manija?* (A. 166) 'pulsera'. Dicc. RAE: ant. 'manilla de adorno o pulsera'; Covarrubias: "*manija*: Un género de sortija de hierro guesso, para atar alguna cosa fuerte, y díxose a imitación de las manillas que las mugeres traen en las muñecas por tener aquella forma"; Encina, 91: *Dame, dame una manilla, / o siquiera esa sortija...*

mano: *Vaxa por el prado llano y toma a mano y dexa a mano* (f. 240-241) 'dirección o situación correspondiente a la mano derecha o a la izquierda, que se expresaría con el ademán'; // *dar la mano:* 'alargarla como saludo': *Dame, dame acá essa mano* (f. 96); // *dar la mano*: 'dar la vez, dejar el primer lugar': *¿Quiéresme la mano dar? / —No.* (f. 185); Dicc. RAE: 'En el juego, el primero en orden de los que juegan': *Yo soy mano*; Encina, 308: *Sus, juguemos... / Mas la mano me has de dar. / —Toma tú la mano ya, / Aunque te doy gran ventaja*; Lib. de BA, 1411 c: *agora, por de mano,* 'ahora, para empezar'. Sánchez de Badajoz, *Farsa de la Nat.,* 678-681: *¿Quál queréis destas? / —Aquesta. / —Suya es mano, mas andar.*

mantener (Dios mantenga): *¡Dios mantenga la zagala!* (A. 49). Saludo relegado a la gente rústica o plebeya.

Encina, p. 15, v. 1: *¡Dios mantenga! ¡Dios mantenga!*; p. 89, v. 1: *Pascuala, Dios te mantenga.* Torres Nah. *Com. Troph.,* Intr. v. 1; Gil Vicente lo emplea también en boca de rústicos: *Auto da Sib. Cas.,* 23: *¡Dios te mantenga!* (V. Teyssier, p. 48); *Un Vocabulario del siglo XV* (RFE, XXXV, 1951, p. 325): "es en Castilla vna manera de saludación y algunas vezes es regraçiar el benefiçio que se reçibe". En el siglo XVI menudean las censuras a esta manera de saludar: V. *Lazarillo,* Clás. Cast., XXV (1934), p. 189 y 190: "Acuérdome que vn día deshonrré en mi tierra a vn oficial y quise poner en él las manos, porque cada vez que le topaua me dezía —Mantenga Dios a vuestra Merced"; Fray A. de Guevara recoge (*Epíst. Fam.,* 2.ª p. epíst. 1.ª): *Dios mantenga,* y *Manténgaos Dios.* "Todas estas maneras de saludar se usan solamente entre los aldeanos y plebeyos, y no entre los cortesanos y hombres polidos; porque si por malos de sus pecados dijese uno a otro en la corte *Dios mantenga* o *Dios os guarde,* se lastimarían en la honra y le daría una grita".

marcha (*ser de marca*): *¡Soncas! Bien lo determino / que es de la marcha buena.* (*Marcha* parece equivalencia rústica por *marca* a menos que sea un latinismo para el que no hay razón.) Dicc. RAE: *de marca,* loc. adj. fig. con que se explica que una cosa es sobresaliente en su línea. Está muy cerca esta expresión de *ser de marca mayor* 'con que se declara que una cosa es excesiva en su línea y que sobrepuja a lo común' (Dicc. RAE). Rodríguez Marín, en su edic. del *Diablo Cojuelo,* nota de la página 30, explica que esto se dice por causa de lo que se aplicaba a espadas, puños, y demás cosas sujetas a medida por pragmáticas. La *marca* también tenía que ver con el color. Unos versos antes que éstos, Beringuella le rectifica a Bras Gil su opinión sobre el *pardillo.* (*Boballa, es de amarillo / ¿Tú estás ciego o no lo ves?*). En el siguiente cantarcillo recogido por Correas (p. 442) se ve también relación entre marca y color: "Sal, sol, que te llama mi señor. —¿Qué me quiere?, ¿qué me quiere? —Darte una capa de color. —¿De qué color? —De la marca mayor".

Margarona (o *Magalona*): En las versiones más corrientes, el nombre del protagonista masculino de esta historia no es Ricardo, sino Imberio. Margarona es hija del rey de Nápoles, de quien huye para casarse con el caballero Imberio. Éste, persiguiendo a un águila, pierde a Margarona, y la casualidad los separa. Ella renuncia al mundo y funda un monasterio al que se retira. A este monasterio llega un día Imberio, enfermo e irreconocible, y allí es curado gracias a los cuidados y desvelos de Margarona, y se reencuentran felices. En otras versiones de la misma historia, los personajes reciben otros nombres, como *Otinelo y Julia,* etc.

marramau y cherrihau, onomatopeyas del grito gatuno. El Dicc. RAE da *marramao* con la misma significación. (Comp. en Cabranes *carrumialgu* en *Un cuento popular asturiano, Homenaje a Dámaso Alonso* (Studia Philológica), tomo I, p. 277, Gredos, 1960, Madrid.

marrar, intr.: *¡Ño me marraua otro espacio!* (B. 27) 'No me faltaba otra cosa'. Covarrubias: "*marrar* 'faltar' es bárbaro, y no usado entre gente cortesana".

matiego, adj.: *Anda, ve, que eres matiego.* (C. 292) 'rústico, de las matas'. Con este sentido y como ant. en el Dicc. RAE; Torres Nah. *Com. Troph.* Intr., v. 296: *Mingo Oueja, aquel matiego*; Encina, 94: *Cura allá de tu ganado, Calla si quieres, matiego*; *De Vita Christi,* copla 148, v. 2: *Encendidos y animados / con sus matiegas razones.*

matino, m.: *Y a ti te dé buen matino* (A. 204). Dicc. RAE, ant. 'la mañana'.

maymón. V. *bollo maymón.*

maçuelo, m.: *ahotas que os espantéys / si sabéys / cómo repico vn maçuelo* (B. 57-59). Dicc. RAE: 'mango o mano como de almirez, con que se toca el morterete'. Es instrumento rústico que se emplea, entre otras ocasiones, en los oficios litúrgicos de la Semana Santa. V. *maçuelos de Tinieblas* en Torres Nah. *Com. Aquil.,* III, 334.

Mechías, n.p.: *Do su madre lo parió / estaua profetizado / por el profeta Mechías* (f. 342-344). Miqueas es el único profeta que predijo el lugar donde nacería el Mesías. *Profecía de M.,* cap. V, vers. 2: "Y tú, oh Betlehem..."

medrosía, f.: *lleno estoy de medrosía* (C. 14). Dicc. RAE: 'miedo permanente'.

(en) *melena*: *Y al toro bravo en melena / y a lo verde seco ser?* (C. 267-268) 'bajo el yugo'; *traer a la melena* 'traer a sujección' (Alemán, Clás. Cast. LXXXIII, 92); *venir a la melena* 'ser dócil y manso' (*Celestina,* Clás. Cast. XXIII, 57; *Autos,* II, p. 17, v. 207: *qu'él volverá a la melena / quando pase adversidad.* Cuenta Julián de Ávila en su *Vida de Santa Teresa* que un catedrático que desaprueba a la Santa, habla con ella "Y anssí vino tan manso *a la melena,* que no sólo quedó satisfecho, pero también espantado y muy edificado".

menazar, tr.: *pegaros he en los costados / vn par de sejos pelados / por que no (e)stéys menazando* (A. 371-373). Dicc. RAE: ant. como *amenazar.* Existe actualmente en Asturias.

Menga, n.p.: *Vayte a Menga. —Ño, ño, ño. / Ñunca tal adame yo* (A. 110-111); 'el diablo'. Lib. BA, 849 c-d: *Faga quanto podiere, a osadas se tenga: / o callará vencido o ¡váyase por Menga!*; *el Mengue* es el diablo en algunos sitios, entre ellos, Colunga. Dicc. RAE: *mengue,* fam. 'el diablo'. *V. mengues* 'diablos' en Clavería, *Estudios sobre los gitanismos del español.* Anejo LIII de la RFE, Madrid, 1951, pp. 122 y ss.

Mexías, n.p.: *Salvador Santo Mexías* (f. 386). Es grafía muy común por "Mesías": Sánchez de Badajoz, *Coplas a S. Juan Baptista,* v. 58: *a San Juan, pues el Mexías / dize que desde sus días / podemos forçar el cielo*; Encina, 21: *Aquellos que pernunciaron / la venida del Mexias*; Íd., *Canc.* X r a; *Autos,* II, p. 357, v. 19: *si es bien qu'el santo Mejía / rresçiba circunsiçión*; Lib. de BA, 1635 d: *Virgen Santa María / fija e leal esposa / del tu fijo Mexía.*

mia fé, exclamación afirmativa: *A la mía fé ¡mal pecado! / cuydo que no la allaré* (A. 13-14) 'ciertamente'. Encina, 10: *¿Acá moras? —Mia fé, ha.* Encina emplea también *mie fe* (*Canc.* f. XXXIII v b). Lucas Fernández no emplea nunca esta última forma, a pesar de lo que afirma Teyssier, p. 54 (V. *Aspiración,* p. 46).

miente (*de buena miente*), m. adv.: *Que me praz de la traer / de buena miente por ti* (A. 177-178); *Glosarios,* p. 63: *de buena ment* (ljbenter, ljbens).

miga cocha: *comer buenos requesones / comer buena miga cocha* (f. 28-29), *cocho, -a* es el part. fuerte de *cocer. Migas,* según Covarrubias, es 'cierto guisado rústico de migas o pedazos de pan desmigajados'. El Dicc. RAE explica: *migas* 'pan picado, humedecido con agua y sal y rehogado en aceite muy frito, con algo de ajo y pimentón'. (En gran parte del campo español siguen comiéndose hoy *migas.*) Encina, 386: *E ordeñar la cabra mocha / e comer la miga cocha.*

milanera, f.: *Soys milanera y langosta / por las tierras donde vays* (C. 460-461) 'bandada de milanos rapaces'; Encina, 229: *Que viene una milanera / Tras mí por me carmenar.*

milordo, adj.: *Yo bien ancho y bien chapado / estó, y relleno y gordo / bien milordo* (C. 294-296) 'señor noble' y 'elegante'; Pellicer (1626), *Argenís,* 2.ª parte, p. 163: *A estas palabras de la Reina y mención de Polïarco, dilató su coraçón Elisa, que admirada con tan suave oración: Qué oigo (dixo) Milorda!*

mill, adj.: *tómanme cient mill teritos* (A. 30). No es palatalización leonesa. Debe de ser una grafía latinizante. Lib. de BA, 326 b: *era de mill e trezientos ochenta, año primero*; *Mío Cid,* I, p. 240. Para Nebrija ya la *ll* final sonaba como *l*: "que ninguna dición... puede comenzar en dos letras de un especie e menos acabar en ellas, de donde se convence el error de los que escriven con doblada *r, rrei*... e en el fin de la dición *mill* con doblada *l*". *Ortog. Cast.,* Apud Viñaza, col. 1093.

Mingo y Pascuala (C. 185-186). Personajes de la *Égloga en reqüesta de unos amores* (Encina, p. 89) y de la *Égloga* siguiente (Íd. p. 103).

mimismo, adj.: *y a ti mimismo alabando* (D. 68) 'mismísimo'.

mimisma: *Tú mimisma me aojaste, / tú misma me allobadaste* (A. 142-143). Desde el comienzo de su vida la palabra *mismo* lleva reforzamientos enfáticos (V. Corominas, p. 387 b). Cuando por el uso pierde tal carácter, se le vuelve a dar con el reforzamiento del mismo sufijo que ya entraba en su formación, *-ísimo.* Así el castellano *mismísimo.* El resultado pastoril *mimismo* puede venir del tratamiento rural *-ismo* por *-ísimo* (actual *guapismo, feísmo*) con la pérdida de la *s* primera por disimilación.

modorra, f.: *¿Qué traes en la modorra? / —Es una gorra.* (C. 604) 'cabeza'. Junto a *modorra* existe *modorro* 'jarro para vino' (Lamano); "*dicen que de terneza hizo puche-*

ros / que pudieran ser jarros y modorros" (Torres Villarroel, *Sueños morales,* tomo 8, Madrid, 1795, 189). Hay una relación entre cacharro de barro y casco de la cabeza también con otros vocablos, por ejemplo, *tiesto.*

(*modorra*): *Modorra,* 'enfermedad o aturdimiento de las ovejas' está recogido en numerosos vocabularios. También se extiende a la enfermedad humana: "especie de letargo; cualquier sueño o pesadez soñolienta" (Autoridades); "enfermedad que saca al hombre de sentido, cargándole mucho la cabeza" (Covarrubias). *Llugo peor que modorra / deue de ser vuestro mal.* (B. 194-195); Encina, 250: *Que por bien que alguno corra / Lo alcance tras el cogote, / Aunque sea hidalgote, / Que le paresca modorra.*

(*modorro*) *Modorro, modorra,* como adjetivo: "el que está con esta enfermedad soñolienta, y algunas vezes se dize del hombre muy tardo o callado y cabizbaxo" (Covarrubias); *Como modorra borrega / estoy lleno de carcoma* (A. 35-36). Esta dolencia se llama también *modorría* y *modorrío*: Hernando del Pulgar, *Glosas a las Coplas de Mingo Revulgo,* p. 196: "Esta dolencia de la *modorría* assienta en la cabeça y haze tan gran turbación y al apassionado della, que en tanto que le durare, no puede discernir ni dar juyzio cierto de lo que le cumple"; *el qual, como ñecio, quiso / morirse de modorío.* (D. 104-105). (Debería ser *modorrío,* pero hay que respetar la rima con *amorío*). Existen *modorrado* y *modorrido* 'acometido de modorra o sueño': *son cossijos / que nos traen modorrados* (C. 76-77); Copla X de *Mingo Revulgo*: *modorrado con el sueño*; *Autos,* II, p. 519, v. 144-145): *Ver mis cabras modorridas, / marchitas, agaçapadas!*; Covarrubias: "*Amodorrido,* vocablo ant. rústico"; *modorrido* (F. 95).

El estar aletargado puede también ser tardo, ignorante, y aun necio: Covarrubias: "*modorro,* el que está con esta enfermedad soñolienta, y algunas vezes se dize del hombre muy tardo, callado y cabizbaxo"; *Mingo Rev.,* copla V: *sabes, sabes el modorro* 'rey negligente'. El comentario de H. del Pulgar: "modorro se dize por el hombre ignorante en las cosas que ha de tratar'; Encina, 163: *Modorro, bruto, pastor, / Labrador, / Sim-*

ple, de poco saber; Lib. de BA, 1284 b: *ante vien cuerbo blanco que pierdan asnería, / todos ellos e ellas, andan en modorría,* 'necedad, alocamiento'; Nebrija recoge: *modorría* 'bovería'.

En conclusión, dice Corominas, 398 a-b: "*modorro* y su familia son en castellano tan antiguos como el idioma literario".

mofar. Empleado como verbo transitivo: *Y los otros le mofauan / otros que le hazían gestos* (a. 206-207).

Mogarraz, pueblo serrano entre Sequeros y La Alberca (Salamanca): *Dime d(e)ónde eres, zagal / D(e) aquí soy, de Mogarraz.* (C. 231-232).

mohatrón, adj.: *Luego allí los mohatrones / rabís y aljama y sinoga* (a. 387-388). Dicc. RAE: mohatrón, como mohatrero, el que hace mohatras o ventas engañosas.

mollerón, m.: *Es vna gorra. / Después será mollerón.* (C. 605-606) 'casco de acero' en germanía.

mongil, m.: *Bien semeja en su mongil / qu'es hombre que bien decrina* (D. 414-415) 'traje de lana propio de monjes y monjas'; Encina, *Canc.* LV, v b: *y un mongil de chammelote*; *Criticón,* III, p. 123 (ed. Romera Nav.): *y diptongo es un mongil forrado de verde.* En la nota 37 de esta página: "si así se llamaba el traje de lana que usaban por luto las mujeres, también era el nombre del hábito de las monjas". Citado también como 'hábito' en Bernis.

mordaja, f.: *¿Murcia, muérdago o mordaja?* (C. 353). Parece alguna formación sobre *morder.*

morrina, f.: *O morirán / todos de mala morrina* (C. 418-419). Parece variante de *morriña* 'tristeza, melancolía'; *morrina* en Rico Avello, *El Bable...* También se recoge en Los Argüellos, como 'pena'.

mostranquero, m.: *O acodid al mostranquero.* (B. 126) 'pregonero'. Covarrubias: "*mostrenco.* Res que se ha perdido y no le parece dueño... Quando hallan la tal res, deven publicalla y pregonalla, tomándolo por testimonio". Al que pregona el *mostrenco,* bien puede llamársele *mostranquero.*

motezico, m.: *Aquí tornan a cantar las tres Marías, por la sonada sobredicha, este motezico* (son tres versos después del v. 293 a). Debe de ser el actual *motete.* Covarrubias: "... se dixo motete, sentencia breve y compendiosa, dando a entender a los maestros de capilla que la letra ha de ser breve".

moxquilón, m.: *O, do al diabro el bordión, / moxquilón y macandón.* (D. 298-299) *mosquilón,* en Los Argüellos 'mozo fuerte y holgazán'; en Cabranes 'rapazón traviesu y folganzán'; en el Alto Aller 'mozo fuerte y presumido, pero poco trabajador'; Lamano: 'mozo amigo de holgorio'.

Moysén,[9] *Moysén bien prefiguró / essa vandera...* (a. 611) y (f. 469) 'Moisés'. La misma forma en Lib. de BA, 438 d: *lágrimas de Moisen*; *Autos,* II, p. 314: *Auto de los desposorios de Moysén.*

muedo, m.: *y con gran muedo se arrean / por sobarme la pelleja* (D. 30); *Ño te deues de ygualar / con el padre a llatinar / d'essos muedos ni llatinos* (D. 478-480) 'modo'; Lib. de BA, 1001 b: *de fazer el altibaxo / e sotar a qualquier muedo / non fallo alto nin baxo / que me vença...* También puede ser 'tono, canto': como en Berceo, *Mil.* 29 y en *De Vita Christi,* Copla 154, v. 2: *el muedo de sus cantares.*

(*a*)*muerde y sorbe*: *¿Mamarás tú a muerde y sorbe / vna oueja o vna cabra...* (D. 121). Correas, 545 b: *Comer a sorbimuerde,* 'a tragantadas'; Encina, 85: *Saca, saca; / Comamos a muerde y sorbe / Y uno a otro no se estorbe.* Esta construcción es corriente: Comp. Correas, 513: Yantaréis *a chirla come*; Íd., 525: *a deja prende.*

murcia: *¿Nifica amor morteruelo, / ... murcia, muérdago o mordaja?* (C. 351-353). Como estos supuestos equivalentes del amor son puro disparate, este *murcia* puede ser cualquier cosa, incluso la diosa Venus. Cañete da como no seguro 'murta, arrayán'. Lihani (*Lenguaje,* p. 500) da este significado como seguro, sin decir por qué. Seguramente Cañete pensaba en *murcha, murta,* 'mirto' citado en el *Glosario* de Simonet, p. 366. Todos estos vocablos insisten en la sílaba *mor de amor,* con sus semejanzas en la sílaba inicial.

músmicas: Equivalencia rústica por *músicas*: *En las músmicas que oymos / ¡dome a Dios! lo conoscimos.* (f. 332-333).

[9] *Moysén.* V. nota 32 de *Dos problemas léxicos en el "Libro de Buen Amor"* de Nicasio Salvador. (Actas del I Congreso Internacional sobre el Arcipreste de Hita).

N

na: *¿Na cholla o los estentinos?* (C. 317) 'en la'.

nel: *a Adán luego que pecó / nel parayso terrestre.* (D. 335). Las dos formas son contracciones de preposición más artículo, corrientes en el leonés.

nacencia, f.: *Digo ya, pues su nacencia / fue tan buena y los sus hados* (A. 470-471) 'nacimiento'. Se da en todo el leonés, y el Dicc. RAE lo recoge como ant. y hoy vulgar. Encina, 24: *El Señor de la riqueza, / Por dejarnos gran herencia, / En su muy pobre nacencia, / A ser pobres nos aveza.* Se aplica esta palabra al nacimiento de las plantas del lino en la región salmantina. (V. Rev. de Dialec. y Trad. Pop., VI, p. 253).

Nauarredonda: *Pues allá en Nauarredonda / tengo mi madre senora.* (A. 460-461). Puede tratarse de *Navarredonda de La Rinconada,* de la prov. de Salamanca, partido jud. de Sequeros, por donde pasa la calzada de Sequeros a Salamanca. (V. Madoz.)

nembrar: *¿No te niembras de Sansón* 'recordar'. Es variante de *membrar*; Lib. de BA, 1366 a: *niembran*; Torres Nah. *Com. Tinel.,* I, 95; V. también *ñembrar*: *También me ñembra Pelayo* (C. 171).

nifica: *¿Nifica amor morteruelo,* (C. 351). Aféresis de *significa.*

nigudencia, f.: *O, quán linda nigudencia! / Más la precio que vna res.* (A. 195-196). Formación nueva, hecha posiblemente sobre *ninguno y menudencia,* 'insignificancia'.

Ñ

ñagaça, f.: *Sé armar yo mill armandijas / ñagaças, llazos, cegeras* (D. 111-112). Dicc. RAE: *ñagaza* 'Señuelo para coger aves, añagaza'.

ñantes, adv. t.: *Ñantes dadme vn repelón* (A. 319). Palatalización inicial de (*e*)*nante,* (*e*)*nantes* forma recogida por el Dicc. RAE como ant. y hoy todavía de uso vulgar.

ñefas: *Sacudiros he en las ñefas / con aqueste cachiporro* (A. 340-341) 'nariz'. Hay formas semejantes: prov. *nefa, nefre,* y gall. *nafres*; leon. *ñefas* y *ñafas.* V. *Dicc. Etimológico* de García de Diego, pp. 396 y 412.

ñorabuena: *¡Dios ñorabuena!* (B. 437) 'enhorabuena'. Exclamación. *Canc. de Palacio,* n.º 309: *¡Dios en ora buena!* Composición, letra y música de J. del Encina (recogido por Alin, p. 318). Cast. *norabuena, noramala*; port. *embora, máora* (Teyssier, p. 496).

ñoramala: *Pues ¿qué hazíades ¡ñoramala!* (A. 311) 'en mala hora'.

ñuestrama: *Esperá vn poco, ñuestrama* (B. 387). Dicc. RAE: *nuestramo, -ma.* Contracción de pronombre y sustantivo: 'nuestro amo', 'nuestra ama'. Lleva la abundantísima palatalización inicial; *Autos,* II, p. 274, v. 294: *mirá, muesamo, y dezilde*; Encina, p. 108: *Nuestramo, que os salve Dios / Por muchos años y buenos. / Y a vos, nuestrama, no menos.* Encina, *Canc.* fol. C v a: *Nuestramo, ya soy desposado.*

O

o, pron.: *¡Juro a diobre que o te reña!* (D. 64) 'yo'. Zamora Vicente, *Dialectología,* p. 169, encuentra en la Ribera del Duero un *o* como pronombre *yo,* cuando va precedido de vocal. (V. nota al verso D. 64).

obrigar(se) (*obligar*): *En verdad cierto te digo / que me obligo / conoscer nadie le pueda* (a. 248-250) 'asegurar, dar fe de algo'; Encina, 62: *¿Y tú dudas, compañero? / Yo me obrigo / Ser verdad lo que te digo.*

Ogad, n. pr.: 'Gad' (D. 503). Hijo de Jacob.

ogaño, adv. Dicc. RAE: *hogaño,* 'en este año'; Covarrubias: *ogaño* 'quiere decir este año presente'.

omezillo, m.: *Diños, diños quién es ella / Ño podré con omezillo / de sentillo.* (C. 706-708) 'rencor, resentimiento, pena'; *omezillo* "desamor o aborresçimiento que un hombre ha a otro por alguna causa", *Vocabulario castellano del s. XV,* RFE, XXXV, p. 323; Covarrubias: 'mala voluntad y aborrecimiento de muerte'; *homezillos* (Torres Nah. *Com. Calam.,* jorn. I, v. 67; Encina, 191: *Mia fe, sentemos, que aun mis homecillos / Quieren reposo para ser contados.*

omildad, omilde: *Souerbia cura omildad* (C. 630); *siendo mayor se haze menor / muy omilde con amor.* (f. 314-

315). Lib. BA, 1588 a: *Sobrar a la grand sobervia, dezir mucha omildat.* Glosarios, p. 88: *homjlmente* (humjliter). Lib. BA, 24 a-b: *Desque el mandado oiste / omilmente l'recibiste.*

orillo, m.: *Este orillo de color / qu'es de muy rico valor* (A. 190-191) 'especie de faja'. Garrote: *ouriello* 'Especie de faja de franela de unos 10 cm. de ancho que usan las mujeres del pueblo para sostener el *rodao* a la cintura'; Covarrubias: "particularmente, el estremo del paño que se haze de lana basta y grossera".

órgano (*canto de órgano*): (Después del verso a. 285; después del a. 536, y del a. 760). Dicc. RAE: *canto de órgano o figurado* 'el que se compone de notas diferentes en forma y duración y se puede acomodar a distintos ritmos o compases'. Cotarelo (p. XX del Prólogo a la edición facsímil interpreta este *canto de órgano* como del instrumento *órgano.* Véase la definición que se da en el *Diccionario de la Música,* de H. Anglés: *Canto de órgano.* 'Denominación usada en España desde el siglo XIII o XIV hasta el XVIII para expresar la polifonía, en contraposición al *canto llano* (canto gregoriano), que era simplemente monódico'.

osmar, tr.: *Ñunca* (*he*) *osmado, sin dudar, / qu'estos males y enconijos / son cossijos...* (C. 74-75-76) 'como *asmar*'. En Acevedo: *osmar* 'imaginar, considerar, presentir'. Existe en ant. port. como variante (*asmar, esmar, osmar*). V. Teyssier, p. 40.

Ossé, profeta *Oseas*: *Ossé y Varuch, Geremías* (D. 351). Profeta menor.

oyxte: *¡Oyxte necio! / ¡Juro al cuerpo! ¡Ño de ños!* (D. 77-78) '¡afuera!' Las interrogaciones que pone Lihani (p. 123 de *Farsas*) indican que no ha entendido esta frase. Es variante de la exclamación *oxte.* Correas, p. 371: *oíste por hoxte, ¡oste!* (comúnmente *oxte*) interjección para rechazar vivamente a una persona o cosa" (*Criticón,* II, 209, nota 76); *Autoridades*: "Úsase de esta voz quando tomamos en las manos alguna cosa que está mui caliente, o la probamos..." Lib. BA, 455 b: *dize luego entre dientes "¡Oxte! Prendré mi dardo*". Correas, p. 472: *Tanto me dió por oiste como por arre.*

P

padre senor: *¡Ay mi padre senor es!* (A. 238) 'abuelo'. *Pues ¿por qué ha tanto tardado / padre senor?* (D. 356-357) 'padre' (religioso). Covarrubias: "*padre* puede ser nombre honorífico que damos a los ancianos, a los sacerdotes y a los religiosos".

palmadina, f.: *¡Abraça a braço partido! —Tú seas muy bien venido. / —Pues da palmadina y todo* (f. 98-100). Cañete interpreta 'apretón de manos'. Lo mismo Hermenegildo y Lihani. Más bien parece la palmada que se da en la espalda o en el hombro al abrazar. El ejemplo de Encina (p. 242) es también 'golpe con la palma de la mano': *Ño hayas tú miedo que llamen, / Son dan una palmadina.*

palo (*juego del palo*): *¿A qué jugo jugaremos? / —Al estornija y al palo.* (f. 167-168); Lamano explica el *juego del palo*: "Juegan dos personas puestas cara a cara y forcejean sobre un palo, procurando atraer al otro hacia sí. Pierde el atraído". Debe de haber en los ambientes rústicos muchas modalidades de juegos con palos. (En Cabranes la *paliya*, que se juega con un palo largo y otro cortito.)

pan o vino (f. 186): Manera de echar a cara y cruz con un pequeño tejo mojado por una cara.

pancho, m.: *Ño las podré rebossar / ni habrar, / que s'opilaron nel pancho.* (C. 225-227) 'estómago, panza', fam. según el Dicc. RAE; Encina, 76: *Ya comí / Tanto, que ya estoy tan ancho / Que se me rehincha el pancho.*

panfarrón, m.: *Doy al diabro el panfarrón* (c. 539); *¿Cómo estás tan panfar(r)ón?* 'presumido, arrogante'. Según Corominas es ésta la primera documentación de tal palabra. Aparece con las dos variantes *panfa-* y *fanfa* en varios testimonios y en diversos idiomas romances. Uno de sus primeros ejemplos es Escalión, el criado "panfarrón" y medio rufián de la *Com. Selvagia* de A. de Villegas (1554) (V. RFE, XIII, 284).

pañicos, m.: *llugas, pañicos, calçones / d'estopa dos camisones.* (D. 58-59) Cañete explica 'pañizuelo, mocador'. Es decir, el *pañuelo* actual. Covarrubias recoge con el mismo significado otro diminutivo de *paño*: *pañizuelo* 'el lienço de narizes, que nuestros mayores llaman mocadero'. (Todos los ejemplos de *pañicos* que cita Lihani (p. 513) son de "en pañicos", modo adverb, 'desnudo o semidesnudo').

paparrear, intr.: *Si estáys más paparreando / pegaros he en los costados* (A. 370-371) 'decir *paparruchas*' o desatinos y disparates'. Habrá que adscribir este verbo, con seguridad a la raíz expresiva PAPP- que Corominas cita para el verbo *papear* 'charlar o hablar confusamente', empleado por Berceo, *S. Domin.,* 143 b.

para, prep.: *¡Andá para engañador, / burlador!* (C. 767-768). V. Keniston, 2738. Se emplea por lo general con un adjetivo o nombre insultante: *Andad para bellaco* (Correas, 531); Torres Nah. *Com. Seraph.* Jorn. I, v. 221: *anda, vete para cesto*; *Com. Troph.* Jorn. I, v. 220: *embióme para bobo*; *Dejarle para majadero* (Correas, 557); Lib. BA, 750: *Dixo el abutarda*: "*Loca, sandía, vana / ...non quiero tu consejo, vete para villana.* La puntuación que da Hermenegildo a este verso está descaminada; parece así del verbo *parar.*

(de) *pardillo*: *Dime ¡hau! ¿es de pardillo? / Boballa, es de amarillo.* (A. 198-99). Paño pardillo, según el Dicc. RAE 'el más tosco, grueso y basto que se hace, de color pardo, sin tinte, de que se viste la gente humilde y pobre'. Covarrubias: *pardo* "color que es el propio que la oveja o el carnero tiene, y le labran y adereçan, haziendo paños dél sin teñirle... El vestido pardo es de gente humilde, y el más basto se llama *pardillo*".

¡pardiós!, exclamación muy corriente: *Ha, ¡pardiós! en mi concencia.* (A. 194) Encina, 116: *¡Pardiós! vete, compañero, / que aquí me quiero quedar.* Se oye todavía en los medios rurales.

partir peras: *Sobaros he yo el pillejo / si más partimos las peras* (A. 384-385) 'tratar con familiaridad'; Covarrubias: Proverbio: "Ni en burlas ni en veras, con tu amo no partas peras"; Sánchez de Badajoz (*Farsa Theologal,* 821-824): *¿quién nunca pensara tal, / que de burla ni de veras / comigo partieran peras / el grande ni el comunal?*

passapanes, m.: *que a los que andan hurtando / y aliuiando / cuelga de los passapanes* (C. 527-529). Dicc. RAE: fam. 'garguero, tragadero'; Encina, 83: *Sentaivos aquí, garzones / Papillones; / Aguzá los pasapanes.*

pássara: *Vna pássara pintada* (B. 398); *pássaras trigueras*

(D. 115); *mill passarillas* (D. 118). No se emplea *pássaro.* En Cabranes se usa generalmente el femenino para la designación genérica del ave.

Pedro de Ordimalas: ¿Vos sóys Pedro de Ordimalas... (D. 306). Correas, 388 a: "*Pedro de Ordimalas*; así llaman a un tretero; de Pedro de Urdimalas andan cuentos por el vulgo de que hizo muchas tretas y burlas a sus amos y a otros"; "Pedro de Urdimalas, o todo el monte o no nada".

pegar: *¡Juri a San Juan / si llegáys, que vos la pegue!* (B. 449-450) 'que os engañe', 'que os venza'. *Criticón,* I, 150, nota 27: *pegarla* 'vengarse'; Correas, 544 a: *Calmársela.* 'Por pegársela, engañarle'; Íd., p. 388 a: "*Pegósela de higo y uva.* Dícese cuando uno dice a otro una razón que le escuece y a tiempo, o le gana en contratreta, o le vence en pleito y pretensión, y le hiere".

Pelayo, n. pr. (C. 171). Personaje de la *Égloga del Amor,* Encina, p. 159.

penante, m.: *A los penantes, pesar, / como es fuego centelloso / y enconoso, / mientras más arde, más quema.* (C. 643-646) *penante* es 'el que sufre pena'. Pero hay veces que se emplea en el caso particular de pena de amor. V. *Guzmán de Alf.,* 2.ª parte, libro II, cap. IX, p. 151 (1929): *penante,* 'galanteador, enamorado'; Castillo Solórzano, *La Garduña de Sevilla: Templó mejor que lo imaginara Trapaza, pues entre los penantes halló quien se pagó de la belleza de Rufina con caudal.* (Clás. Cast., 33); *penoso, penosa,* con el mismo valor en Asturias (Rico Avello).

pendado, adj.: *Desque traés la melena / hazcas que en guis muy pendada* (B. 434-435) 'peinada, compuesta'; Lib. BA, 396 c: *los cabellos en rueda, el peinde e el espejo*; Encina, 93: *¡Ha! no praga a Dios con vusco / Porque venís muy pendado.*

pensoso, adj.: *tan triste y afrigulado / tan pensoso y congoxado* (A. Diál., 47-48) 'pensativo'; Encina, 115: *Cuidados tristes, pensosos / Huyamos de los tener.*

per. (V. *Prefijo PER-* en la p. 54.)

Casos en que aparece el prefijo en la obra de Lucas Fernández: *percançar, percontar, percudir, percundir, perchapado, perhecho, perheta, perhición, perhundo, peridir, perllotrado, perllotrar, perñotar, perpassanos, perpexible, perpotencia, perpujante y perquillotrar.*

percançar: *que lluego la percançara / por más que se defendiera.* (A. Diál. 153-154) 'alcanzar'. Existe actualmente en Cabranes (V. *Vocabulario*) como *percanciar.* Encina, 27: *Aballemos a Belén / Por que percancemos bien / Quién es el Hijo de Dios.*

percontar: *Pues aun más más de otro tanto / de percontar é dexado* (A. 548-549) *Ñ'os podré oy acabar / de percontar* (C. 178-179) 'enumerar' 'contar'. Encina, 79: *Tanta batalla de puerros / Que no lo sé percontar.*

percudir: *¡Mia fé! pues nos desposamos, / gran suerte nos percudió* (A. 621-622) 'sobrevenir, caer, golpear'; *Mateo, si no rebellas / y te percude cariño* (Encina, 23); Íd. 114: *Que ya no quiero otra cosa / Ni me percude otro antojo.* El mismo valor de 'golpear' vale para los silbos de las serpientes (*siluos malos e percudidos*). Son silbos 'golpeados, cortados, no seguidos' [mejor que 'envenenados' que apunta Lihani (*Lenguaje*, 517)]. *Alexandre*, estr. 1999.

percundir: *La hija de mi madrina / fué el anzuelo que me asió. / Con ella me percundió / dándome mill sinsabores* (B. 556-559); *No puedo entender, zagal, / ni percundo / tu enfingir de mayoral.* (D. 86-88); *que os percundió grande adario* (D. 455); *gran gozo nos percundió* (f. 475). Este verbo puede ser una variante del anterior, *percudir.* Su significado 'sobrevenir' o 'alcanzar' vale para todos estos ejemplos.

perchapado: El prefijo intensifica el valor de *chapado* (V. *chapado*): 'muy bueno', 'perfecto'. Entonces, *perchapado* sería el "no va más" de cada caso: *¿Quién me vió más perchapado / y más ñotado / que se vió en la serranía?* (C. 88-90); *Pues lleuemos gasajado / perchapado* (C. 884-885); *mill zagales curruchados / he topado, y perchapados, / mas siempre los he vencido* (D. 48-50); *y mill sones perchapados* (f. 575).

perguntar: (Como en F. por errata la palabra aparece *prrguntar,* lo mismo podría ser *perguntar* que *preguntar*): *Véselo tú a perguntar* (C. 298). Existen testimonios de *perguntar* en textos antiguos, y en portugués se confunden las dos formas ya en los textos medievales (V. Teyssier, p. 351).

perhecho: *más que vn dado soy perhecho* (D. 23) 'perfecto, acabado'. *Perfecho,* actual en Ast. (Cabrales y Cabranes); Encina, 166: *Veamos tú con tu frecha / Muy perhecha.*

perheta: *qu'essa es casta bien perheta* (D. 515). Se siente la composición con el prefijo al considerar la *f* interna como inicial aspirada; *Vita Christi,* Copla 147, v. 7: *con su cantiga perheta.*

perhición: *¿Quién obró tal perhición?* (D. 484) 'perfección'.

perhundos: *de enxelcos perhundos llena.* (C. 73) 'profundos'; Encina, 142: *¿Iba el río muy perhundo?*

peridir: *Rellátalo aquí de espacio, / dexemos el peridir.* (D. 154-155). No encuentro más testimonios de esta palabra. En la *p* inicial no hay ninguna señal de que valga por *per,* y lo que dice es *pidir,* pero la medida del verso exige *peridir* 'rodear'. (Está entre los "latinismos arrusticados" que recoge Frida Weber, p. 169).

[Otra *p* que no muestra ninguna señal de que haya de valer por algo más de *p*: *pmeto* 'prometo' (C. 722); asimismo la de *pa* que vale por *para* (Introducción de la *Égloga* o *Farsa,* Dj): *Macario entra pa darles esposición del nascimiento.*]

perllotrado: *y da tristura / al zagal más perllotrado.* (B. 260-261) 'dichoso'.

perllotrar: *Quiérome aquí rellanar / por perllotrar bien mi pena* (C. 72) 'comprender', 'penetrar'. Así en Encina: *En eso no hay que dudar, / Todos bien lo perllotramos* (p. 109). Este verbo, según Teyssier (p. 57) sufre un cruzamiento con *penetrar,* del que toma el sentido. Encina, 312: *Si quieres, vamos allá / A pellotrar el sonido,* y aun toma una forma muy parecida: *pelletrar* en Gil Vicente. Según Teyssier (p. 57) es ésta una de las palabras "de remplacement" y como tal puede tomar innumerables sentidos.

perñotar: *Era el ángel del Señor / que perñotaua el loor / que deuemos de tomar* (f. 276-278); *que eran ángeles de Dios, / que perñotaron a nos / cómo Dios nascer ya quiso* (f. 434-436); *Gedeón en el vellón / y en la vara el sancto Arón, / yo cuydo la perñotaron.* (f. 456-458); (*A*) *aqueste Dios perñotó / Abrahán en trinidá* (f. 361-362); *No ay quien lo perñote bien* (f. 476); 'anotar, determinar, significar'; Encina, 143: *Pernotar, asmo se debe / Tan grande tresquelimocho.*

perpassados (*perpassanos*): *De los quales en mamoria / tengo muchos perpassanos / que murieron mal llogra-*

gos (C. 161-163); 'pasados, muertos'; Encina, 173: *Desdichado! / Yo te doy por perpasado*; Torres Nah. *Com. Aquilana,* Intr., v. 200.

perpexible: *¿Cómo sos tan perpexible?* (A. 86) 'violento'; *Con un huego / ños quema muy perpexible* (B. 233-234); Cañete: 'propenso a enardecerse pronto, a inflamarse'; Rico Avello, p. 168: *imperpexible* con un significado muy cercano: 'impertinente, poco sufrido, que regaña por cualquier nimiedad'.

perpotencia: *¡A, ño! ¡Pese ora Sampego / con vuestra gran perpotencia!* (C. 293-294) 'prepotencia, superioridad, poderío'.

perpujante: *quiero andar más perpujante.* (f. 25); *Cada vno vayle y cante, / perpujante y rutilante* (f. 582-583); El prefijo intensifica a *pujante* 'fuerte, robusto, con mucho impulso'.

perquillotrar: *de poder cholla alcançar / a poder perquillotrar* (f. 566-567) 'comprender'.

pesguntar: *¿O por qué lo pesguntáys?* (C. 112) 'preguntar'. Parece un cruce de *preguntar* y *pescudar,* término este último, citado por Covarrubias como "término rústico, pero de buen origen", o bien una errata por *perguntar.*

pespuntar: *Quiero's y'ora pespuntar / vna ñota.* (D. 456-457). Puede ser este verbo una equivalencia rústica de *preguntar* cruzado con *pespunte.* La idea de detalle y precisión del *pespunte* añadida al verbo se ve en: Vélez de Guevara (TAE, III, 149): *pespuntar la carrera* 'hacerla el caballo primorosamente'; Íd. *Diablo cojuelo,* Clás. Cast., 38, p. 127: *había ya pespuntado la comida a brindis de vino blanco y clarete.*

pestorejo, m.: *Ño vos zimbre yo el cayado / por somo del pestorejo.* (A. 390-391). Dicc. RAE: exterior de la cerviz; Lamano, 'cogote'; en Cespedosa, 'parte alta de la espalda'; Covarrubias, 868 a: 'el pescueço carnudo y fuerte'; *Mingo Rev.* Copla XXIX: *Auras tal pestorejada / que te escuega el pestorejo.*

peygayuos: (La primera *y* puede ser errata por adelantamiento de la segunda, que es desinencia del imperativo.) *Pues peygayuos a mi hato* (B. 441).

Phileno y Zafira (C. 165-167). Son personajes de la *Égloga de tres pastores* (Fileno y Cefira) de Encina, p. 187.

pinar, hacer el pino: (f. 187-191). Términos del juego de la *chueca*. El *pino* (*pina* con este sentido en Covarrubias) puede ser el mojón que señale la puerta para el paso de la bola. Acaso el que defiende la raya para que no pase la bola. En Oseja de Sajambre Ángel Fernández (p. 163, al describir el *juego picalvo*) habla de "un trípode hecho con palos que los chicos *pinan* en la carretera o camino, haciéndole una raya".

piornado, p.p.: *tropecijos / do caemos pïornados.* (C. 79-80) 'con las piernas atadas'. Podría interpretarse esta voz como un cruce de *apernado* 'cogido y asido por las piernas' (Autoridades), y *apiolar* 'poner lazos en los pies' (Autoridades). Covarrubias: "Algunas vezes *empiolar* vale tanto como echar grillos, que por tener travado al hombre por las piernas se llaman pigüelas".

piquixuelo, m.: *Sé yo andar al piquixuelo* (D. 141) 'a la pata coja, al pie cojuelo' Sánchez de Badajoz, *Farça moral,* v. 19-20: *y an a botá las cuchares, / y al andache y piquixuelo.*

pisar llano: *Pues arévos pisar llano.* (A. 353) 'tener cordura'. Correas, p. 537: *asentar el pie llano* 'Por vivir bien, sin ofensa de nadie'.

plazentorio: m.: *Yo en los elementos siento / plazentorio* (D. 586-587). Es como

prazentorio: *en gran grolia y prazentorio* (A. 235), 'regocijo', 'jolgorio, diversión bulliciosa'; Sánchez de Badajoz. *Farsa del matrimonio,* v. 1-2: *Ríome de prazentorio / quando oteo aquestas cosas.*

polido, adj.: *y pastor, cierto, polido* (B. 75). Dicc. RAE: ant. 'pulido'; Encina, 119: *Hace tornar mozo al viejo / y al grosero muy polido.*

ponçoñado, adj. o part. del ant. *ponzoñar* 'envenenar': *Los nobles quatro elementos / ... todos serán ponçoñados* (B. 376-378).

poner (*cuero y correas*): *ponga yo cuero y correas* (C. 723), 'arriesgar, exponer' 'apostar'. Para *cuero y correas,* ver nota al verso C. 723.

(*a*) *pospelo,* m. adv.: *a pospelo y rodopelo,* (D. 135) 'según la dirección natural del pelo'. No pareec que sea cierta la interpretación del Dicc. RAE 'contra la dirección natural del pelo'. Es término de esquileo. Covarrubias: "*Ir a pelo o a pospelo el paño,* y dícese también de los negocios". (V. *rodopelo.*)

Prauos, n. pr.: (C. Intr. en prosa) Pablos. (Por equivalencia leonesa R/L y metátesis).

praz (place): *!A, Minguillo¡ / ¡Praz!* (Contestación a la llamada.) (f. 538-539). *¡Ha, pastores! —¡Praz! —¡Mas ha!* (también contestación de los dos) (D. 266); Encina, 112: *¡Ha Menga! —¡Pascuala! —¡Praz!*

pregón (*dar pregón que*), 'pregonar': *¡Buéluase mi voz de hierro, / y dé pregón / que se destierre el destierro* (D. 436--437-438). Tanto Cañete como Hermenegildo y Lihani dan: *voz de hierro y de pregón* (Para *pregonar* con subj. V. Keniston, 19.342). El comp. de *dar pregón* sería el *que se destierre...*

priado, adv.: *¡Lleuanta toste priado!* (f. 73) 'pronto', *Vita Christi,* Copla 192, v. 8. V. Teyssier, p. 58; Lib. de BA, 953 c: *el que no m'quier pagar, priado le despojo*; Gil Vicente, *Obras,* edic. Hamburgo, 1834, t. I, p. 7: *Añublada está la luna / Lloverá soncas priado.*

profetar. Dicc. RAE: ant. 'profetizar': *Sí, y también lo profetó / Daniel* (f. 394); *Vita Christi,* Copla 251, v. 2: *prophetado*; Encina, 21: *Deste son las profecías / Que dicen que profetaron...*; *Autos,* II, p. 339, v. 285: *Y en su rregistro y quaderno / también profetado está.*

prolongado: *Y a los que seguían vía / o yuan algo prolongados* (a. 656-657) 'alejados'.

punto:

tener punto: *Tenme punto en lo passado* (A. 498). Según Cañete y Hermenegildo, 'poner atención'. Lihani, 'recordar'. Me parece mejor 'sin contar con lo anterior', 'además de todo eso'. Comp. Correas, p. 649: *Tenga punto.* Atajar a uno para responderle.

neste punto: *Pues aora nos encontramos / ¡por mi salud! n'este punto.* 'aquí mismo', 'ahora mismo' (localización en espacio y tiempo). Encina, 16: *Y cuándo, cuándo nació? / Aun agora en este punto.*

por puntos: *No me tomarás por puntos* (A. 120). "Tomar por puntos" o "sacar por puntos" son expresiones del lenguaje estudiantil, equivalentes a 'examinar', 'preguntar mucho'. Bras Gil acaba de recordar a Beringuella todos sus requerimientos "Mill vezes te é requerido..." El mismo sentido en Encina, *Canc.* fol. c r a-b: El amo pregunta detalles de la desposada: *¿Es quiçá vezina / de allá de tu tierra? / ... Deslindame luego / sus deodos juntos...* Y el zagal contesta y añade *¡qué* *sacar por puntos! / nuestramo...* En el *Auto* del *Repelón,* cuando el estudiante intenta sacar a Piernicurto y a su compañero de dónde son, ellos, recelosos, contestan con evasivas, y cuando "ni por mal ni por halago" logra la contestación, Piernicurto explica: *Que on el Diabro os trajo acá / A sacar por punticones* (aumentativo de *puntos*).

Aún se ve claro el sentido de 'preguntar' o 'inquirir' en la siguiente confesión de morisco o vizcaíno que trae Correas (p. 68): *Asolver si querer, y nunca sacar por puntos.*

Q

quán llarga me la lleuantas! (A. 58). '¡Qué tremendo me lo pones!' Debía de ser frase ponderativa usual. Correas, p. 38: *Alta me la levanta.*

quatropelo, m.: *darl'é texillo y filetes / y bolsa de quatropelo* (A. 538-539). Cañete explica: 'Tela tejida de cuatro pelos, como el terciopelo o velludo lo era de tres'. Así Lihani y Hermenegildo.

quellotro: Hay toda una gran familia de palabras con esta base. V. Romera Navarro, *Quillotro y sus variantes, HR,* II, 217-226; Gillet, *Propal.* III, 239-244; Teyssier, *La langue...*, pp. 50-60; Valdés, *Diálogo,* 92, dice: "Aquel *quillotro* no servía sino de arrimadero para los que no sabían, o no se acordavan, del vocablo de la cosa que querían dezir". Covarrubias califica *quillotro* de "palabra rústica"; Lamano registra *quellotro* en Ciudad Rodrigo. Teyssier, refiriéndose a *quellotrar, quillotrar,* dice que esta palabra "n'a pas par lui-même de sens propre, et peut se mettre à la place de n'importe quel verbe précis". En el empleo que Gil Vicente hace de tal palabra descubre Teyssier dos tipos: uno en que representa la emoción, y otro en que se hace referencia al aseo o adorno. Hay algunos casos en que resulta difícil precisar con exactitud el sentido. La familia de *quellotro* en Lucas Fernández está representada por:
aquellotrarse (V.), *desllotrado, desllotrar* (V.), *llotrar* (V.), *perllotrado y perllotrar* (V.), *perquillotrar* (V), *quellotridc* (V.), *quellotro* (V), *quillotrança* (V.), *quillotrar*(*se*), *quillotro.*

quellotrido, Ño ay zagal tan quellotrido / en esta tierra. (D. 16-17). Puede ser 'feliz, ufano' o algo semejante.

quellotro, adj.: *Ñunca tal zagal se vió / Más quellotro estó que vn hygo.* (D. 9-10). Puede ser 'apetitoso, luciente'.

quellotro, m.: *Pues no(e)stemos en quellotros / ¡Sus! Cantemos voz en grito* (A. 598), 'entretenimientos'; Encina, 138: *Haremos dos mill quellotros.*

quillotro: *Ño es mi mal d'esse quillotro* (C. 254) 'modo, manera'; *de gran quillotro y prazer* (C. 692) 'contento'.

quillotrança, f.: *Y aun Mingo, si se decrala / por Pascuala, / mill quillotranças passó* (C. 185-187); 'calamidades, apuros'; Encina, 63: *Que sentirás gran tormento / En quellotranza tan dura.*

quillotrar: *Es mi dolor tan artero / que me muero / sin saberme quillotrar.* (C. 68-70); 'consolar'?, acaso 'entender', como en el ejemplo siguiente, Encina, 175: *E en aquestos males tales, / Tan mortales, / Más quellotra un palaciego / Que no físico ni crego.* Es como el *perquillotrar* (f. 567). En Encina también significa 'lamentarse': *Que forzada es la partida / Por más que nos quellotremos* (p. 62).

Teyssier, p. 59, cita entre los ejemplos que se refieren "à la toilette, à l'allure", el siguiente testimonio de Lucas Fernández: *a mi ver / bien os quillotráys de villa* (B. 140), que, en tal caso, significaría 'vestirse, arreglarse', con el mismo significado que el *engrillarse* de Encina (V. *engrillarse*).

En el bable actual existe, entre otros varios representantes de "quillotro", *enquillotrar* 'enamorar'.

R

rabaz (*rauaz*), adj.: *Y vos, don llobo rabaz, / mucho os mostráys mesurado.* (A. 282-283). *Quiçás que algún lladrobaz / o algún llobo rauaz* (f. 281-282) 'rapaz, robador'. Hay un port. ant., *roubaz,* cruce de *rabaz, roubar*; Corominas, LII, p. 11 a.

En f. 122 (*Algún rabaz, ¡malpecado! / quiçás te lo espantaría*) no ha de ser precisamente un lobo, como dice Lihani (p. 209), sino un animal rapaz cualquiera.

rábano gagisco: *y con rábano gagisco, / encienso macho y bayones* (C. 323-324) 'radicosa radix', citado por Nebrija. V. Corominas, III, 968 b. Debe de ser el *rábano vexisco* 'planta similar al rábano, o rabaniza', citado en Nola, *Libro de guisados,* nota 350.

rabé, m.: *Ya ño quiero churumbella, / los albogues ni el rabé.* (C. 61-62) 'rabel'. Covarrubias: *rabel,* 'Instrumento músico de cuerdas y arquillo; es pequeño y todo de una pieça, de tres cuerdas y de vozes muy subidas. Usan dél los pastores'; *rrabé* (sanbuca, 'especie de arpa' en Glosarios, pp. 27 y 71); Lib. de BA, 1229 a: *el rabé gritador, con la su alta nota*; (en la nota a este verso, ed. Corominas) *rabel,* 'especie de violín oriental'. *Vita Christi,* Copla 147, verso 1: *Yo tañaré mi arrabé.*

rabo del ojo: *echa acá el rabo del ojo.* (A. 82). No es simplemente 'mirar' como quiere Lihani (*Lenguaje,* p. 537) sino 'mirar de reojo', 'mirar con disimulo'.

rabí, m.: *... los mohatrones / rabís y aljama y sinoga* (a. 387-388). Covarrubias, 893 b: "*rabí* es nombre hebreo y vale maestro mío". Dic. RAE: 'maestro hebreo que interpreta las Sagradas Escrituras'.

rabiseca, adj.: *rabiseca y sobollona* (A. 275) 'con el rabo corto y delgado'. Es denuesto aplicable a la cabra, pero el abuelo de Beringuella se lo aplica a la muchacha, a la que acaba de llamar "cara de cabra". Torres Nah. *Com. Ymen.* Intr. 57: *papigorda, rabiseca.* Este adj. también se puede aplicar a la espada: Quevedo, Musa VI, rom. 89: *Sacáredes la tizona, / que ella vos asgurara / pues en vos no es rabiseca...*; Correas, p. 210: "Espada vieja, corta y mal hecha, y *rabiseca*" (quizá 'que no se moja con sangre').

ralladera (*rallo*), f.: *y assadores y caldera, / y gamella y ralladera* (A. 509-510); 'instrumento de cocina'. Suele haber confusión entre los dos términos: *y su rallo y tajadero* (A. 508); Lamano iguala *ralla* y *ralladera*; en La Cabrera: *ralladeira* 'espátula para limpiar la maseira' (p. 116); en Mérida: *rayadera* 'instrumento para heñir la masa; consiste en una lámina ancha y pulimentada de metal, con un pequeño mango'; en Oseja de Sajambre: *rallón* 'instrumento para rallar o limpiar la masera'; *rallo* 'rallador', R. de Nola, *Libro de guisados,* nota 260.

ramo, m.: *que ramo de cachondiez / entre vosotros ño está.* (A. 260-261). Se ha empleado esta palabra como 'enfermedad incipiente o poco determinada' (Dicc. RAE);

ramo de locura (Torres Nah. *Com. Aquil.,* v. 311). Así en Hermenegildo. Mejor en este caso como 'barrunto, señal de algo'. El *ramo* verde que se ponía sobre algunas puertas era señal de que allí se vendía vino. En *La Celestina,* I, 137: *¿Pues crees que podrás alcanzar algo de Melibea? ¿Hay algún buen ramo?* Creo mejor, 'señales o barruntos', que el 'negocio, arreglo' que propone Lihani (*Farsas,* nota p. 180). Correas, p. 177: *El mucho entender, ramo es de custión.*

rapiego, m.: *¡Ño lo penséys, don rapiego!* (B. 423) 'rapaz, rapiñador'. En el O. de Asturias *rapiega* es la raposa, y Rico Avello dice: "En Asturias *rapiego* equivale a 'raposo' y también 'astuto, taimado'. (Unos versos antes, el Pastor le dice al Caballero: "¿por qué os llegáys / y tomáys / la zagala con que estó?") Encina, 307: *Los de villa y palaciegos / ... Todos son unos rapiegos, / lladrobaces.*

(de) *rebato,* m. adv.: *amor, de rebato, / le sacó de su intención* (C. 193-194) 'de improviso'.

(a) *reborbollones,* m. adv.: *Sálenme a reborbollones / sospirones* (C. 128-129). Intensificación con *re-* de *a borbollones,* m. adv. 'atropelladamente' (Dicc. RAE).

rebossar: *Ño las podré rebossar* (C. 225) 'echar fuera, dejar salir'. Está usado como tr. Lo corriente es que sea intr. También puede significar 'vomitar'. Corominas, III, 1032 a.

rebudiar, intr.: *Tengo acá dentro tal llaga / que me rebudia el pellejo* (C. 283-284). Teniendo en cuenta que todos los testimonios que encuentro de este verbo se refieren al mugido del buey y voces parecidas de otros animales, el significado puede ser algo así como: 'tengo tal hinchazón dentro de mí que al tocar el pellejo resuena (recuerda la imagen pastoril de la zambomba); *rebudiar,* según Corominas (I, 476 b) es 'roncar el jabalí'. En Lena, *reburdiar* es el 'mugir de los terneros' y 'rezongar de una persona'. En el bable de Oc. (Acevedo) "*reburdiar* se dice de bueyes y vacas que, gordos y viciosos, mugen y están inquietos a todas horas"; Alfonso X, G. Estoria, 2.ª parte, I, 24 b: *Faran un roydo que dizras que non es si non toro que reburdia.* El Dicc. RAE recoge *rebudiar* 'roncar el jabalí', y *remudiar* 'mugir la vaca llamando al ternero' como salmantinismo.

recacar: *Recaca tu reuelencia / con plazer abondo y rodo* (f. 102-103). Puede ser una equivalencia rústica por *recalcar*. Se refiere a la reverencia del comienzo de las *Farsas* o *Autos teatrales*. Quiere decir 'hazla más notoria, exagérala'. La misma situación en Torres Nah. *Com. Ymen.* Intr. verso 4-: *La revellada muy luenga.*

recaldar, tr.: *¿Recaldáys vos el subsidio?* (D. 300) 'recaudais'; Encina, 229: *Que onque la burra ño cobre / Ni el hato recaldase...*

recel, m.: *y vn recel todo llistado* (A. 514); Covarrubias, 898 b: "*recel.* Quasi racel, especie de paramento delgado. Díxose quasi *racel* porque está razado y listado, porque raza se llama la lista que haze diferencia con lo demás de la tela"; Encina, *Canc.* C, CI: *frundas y receles.*

recrestellada, adj.: *tan galana y repicada. / Toda está recrestellada.* (A. 565-566) 'compuesta', 'adornada'. Debe de estar en relación con *cresta* y sus derivados. Hay un *crestel, crestell* en arag. ant. 'prenda de vestir o de adorno' (Corominas, I, 940 b); Encina, *Canc.* folio XCVIIJ v a: *no ay otra tan repicada / siempre está recrestillada.*

recuero, m.: *Más (paresce) garrote de recuero* (C. 586). Dicc. RAE: *recuero*, 'arriero o persona a cuyo cargo está la recua'; Glosario, p. 79: *recuero* (tragenarius); *recuero* 'trajinero en recuas' (Quevedo, Clás. Castalia, XXXI, 108).

redemiar: *por que redemies mi vida* (A. 92), 'remediar'.

redemio: *el redemio espero ñunca* (C. 24). *No ay redemio, no hay hemencia* (f. 565). Las dos son formas con metátesis.

refriar(se): *refríaseme la sangre* (B. 285). El Dicc. RAE lo da como ant.; Lamano lo recoge (p. 603): "En agosto refría el rostro". Existe actualmente en Cabranes.

regolax, m.: *¿Es desposorio / que tal regolax tenés?* (A. 236-237), 'jolgorio'; *vn cantar con que lleguemos / y gran regolax lleuemos.* (f. 526-527); Dicc. RAE: *regolaje* 'buen humor'; *Canc. Baena* (f. 34 r): *regulage con formage / ayan sy comieren pan*; Encina, 12: *Y aun con ese tal pracer / Parlas tú de regolaje.*

reguilar, reguillar (*rehilar*), intr.: *El alborada ya reguila* (f. 12); *Ora ¡pardiós! con prazer / ya el ojo se me reguilla.* (B. 136-137); *reguilar* según el Dicc. RAE es 'moverse como temblando'. A mi parecer caben debajo de este significado los dos ejemplos de L. F. Aunque Lihani haga un apartado para *reguilar* 'rielar', y otro para *reguillar* 'alegrarse', los ojos brillan temblando y alegrándose, y la alborada es un temblor de luz brillante. Hay testimonios en los dos sentidos: *Vita Christi*, Copla 150, v. 10: *el ojo me reylaua* (*del gasajo*); Encina, 113: *Ya se te rehila el ojo / Ya de ti no tengo enojo.*

Y por otra parte, tenemos hoy: *reguilar* 'titilar las estrellas' en Tierra de Campos, y el mismo verbo para mirar con ojos fulgurantes "en los altos valles de Santander" (Corominas, IV, 1072). Aún puede añadirse, actualmente también, los *reguillos* o brillos del hielo en el campo manchego.

rellanar: *contino me vo arrojando / y rellanando* (C. 28-29); *¿Qué hazes aý rrellanado / tendido en aquese prado?* (C. 102-103); *Llugo amor es el mamar / hasta hartar / las cabras de rellanado?* (C. 358-360). Es el actual *arrellanarse* 'tumbarse cómodamente'. Encina, 238: *Rellánate hora, holguemos.*

rellanpigo: *Digo, digo, ¡quál que estó! / Rellanpigo.* (D. 6-7) 'brillo, estoy brillante'. Sería la primera persona de un verbo *rellampiar, rellampigar*. El actual de Cabranes *rellampiar* es el correspondiente al cast. ant. *relampar* (Alexandre, 87: *Tanto echaua de lumbre e tanto relampaua*). Habría que partir de una base LAMPARE (de donde el sust. LAMPU, con tantos derivados románicos, entre ellos el leon. ant. *relampo*). Corominas cita las formas catalanas *llampegar* y *llampigar* que podrían ser las paralelas de nuestro *llampigo, rellampigo*. No es convincente la evolución que da Lihani (*Lenguaje*, 541): *relamido > rellanpigo.*

remota: *Los ahuncos y descrucios, / sobrecejos, respelluzios, / qu'es amorío remota* (C. 671-673). Si no es errata por *reñota* (*ñota* un poco antes con el mismo sentido), es equivalencia rústica por *denota.*

rencor, m.: *Ya no ay besibro que saba / decrallarme este rencor* (C. 41-42), 'pena, padecimiento'. El mismo sentido que *rencura* ant. (En el Dicc. RAE no se recoge más valor que el de 'odio'); Lib. de BA, 594 d: *Mijor es mostrar el omne su dolencia e su quexura / al menge e al buen amigo... / que non el morir sin dubda / e bevir en grand rencura.*

rendaja, adj.: *mas de ordeñar / jamás supiste migaja; si es mamilla o si es rendaja / ño la sabrás callostrar.* (D. 137-140). Las interpretaciones dadas hasta ahora de esta palabra no son sólidas. Cañete no apunta nada. Lihani da una inaudita 'rendija', y Hermenegildo trata de explicar una confusión entre *mamellas* y *bridas* que no convence.

Hay que partir de que lo que pide el sentido del contexto es un adjetivo que se emplee a la par de *mamilla.* Bonifacio, orgulloso de su saber, expone los casos de máxima dificultad para ordeñar una res. Uno de ellos es el no dar leche por una de las tetas (*mamilla*). Otro puede ser que le falte una de las tetas, en los dos casos 'una res defectuosa'.

Ahora bien, teniendo en cuenta el gran número de erratas que lleva encima la ed. F., se puede pensar en una muy sencilla, la palabra sería (reŋkáya) *rencaja,* que responde admirablemente a la serie de defectos físicos relacionados con *rancus,* especialmente *rancus colei.* Las formas con *a* son más antiguas, y *derrengar* castellano, dio la *e* para las formas *renco, rengo,* que se emplean en numerosos sitios por 'cojo'. Corominas (III, 1085 y ss.) cita: salm. *rengue* 'jorobado', *renga* 'joroba' (Lamano), cat. *ranc,* oc. *ranc,* ital. *ranco,* ast. *ranguitu,* trasm. *rancolho,* and. *rencojo.* Para Asturias tenemos: *rencoyu, rancoyu,* 'animal al que le falta un testículo' (Cabranes); y Rico-Avello (p. 135) recoge con el mismo significado: *rancoyo, roncoyo, razcoyo,* y *rezcoyo.* Correas, 434 b: "Renga, renga, y a casa venga"; Autoridades: renco 'coxo por lesión de las caderas' y "De las caderas'. El Dicc. RAE recoge *renco, rencoso, rencallo* 'de un solo testículo'.

reñer: *y amenaza a Beringuella y reñe con el Bras Gil.* (Introd., prosa fol. Aij). *Vosotros ¿por qué reñéys?* (A. 379). Garrote recoge formas con e. *Autos,* II, p. 313: *Pardiós, que tiene rrazón / comamos, y no rreñamos.*

reolgar(*se*), (*reholgar*): *El prazer y el reholgar* (f. 46). *Reolguémonos sin duelo.* (A. 630) 'divertirse mucho'; Sánchez de Badajoz, *Farsa del juego de cañas,* v. 86-87: *Juego de cañas tenemos, ¡Dios que mos reholgaremos!*

reparar (las sillas): *Nuestra humanidad tomó / para reparar las sillas* (f. 560-561) 'desagraviar'. *Vita Christi,* copla 86: *que por reparar las syllas / que trastornó Luçifer / es naçido de muger*; copla 100: *para que por esta vía / se repare en nuestras syllas / lo que en ellas fallesçía*; copla 136: *las eternas marauillas / de la bondad soberana / el reparo de las syllas, / el lauar de las manzillas / de toda la carne humana.*

repicado, adj.: *Por esso está oy tan vella, / tan galana y repicada.* (A. 564-565) 'peripuesto', 'presumido'; Encina, 153: *Que aquel garzón repicado / Por cierto nos lo contó* (un ángel); Íd. 170: *Un garzón muy repicado / arrufado / Vino por aquí a tirar* (el Amor); Teyssier, p. 60, traduce *repicado* como 'joli, coquet, mignon, galant'. Lo emplea Gil Vicente: *Auto da Fé,* 65-66: *Ésta que viene repicada, / quellotrada a la morisca.* El P. Mir en su *Rebusco,* 635, da para *repicado* 'engreído, pulido, ufano'; en Autoridades: "*repicado.* Se llama al que anda mui pulido y presume de ello". Covarrubias: "*repicado* el demasiado pulido". En el Cuarto de los Valles: *repicar* 'andar tieso y erguido'.

repicar, tr.: *Pues cantemos repicado / y entonado* (C. 887-888); *ahotas que os espantéys / si sabéys / cómo repico vn maçuelo* (B. 57-59), 'tocar repetidamente y en son de fiesta las campanas u otro instrumento'. El mismo sentido, aunque no se trate de un instrumento, sino de sonar con los pies: *Çapatetas arrojemos / repicadas por el cielo* (A. 626-627); *Vita Christi,* copla 147, verso 9: *repicar la çapateta.*

repiquete, m.: *Más te la porné que prata / bruñida con repiquetes* (A. 544-545). De *repicar* o de *repiquetear* sale el *repiquete,* 'golpe o ruido del trabajar la plata al repujarla o bruñirla'. Hermenegildo apunta para *repiquete* 'golpecito dado para pulir'. *De repiquete,* expresión usual que expresa que algo está muy adornado o es muy bueno. Encina, *Canc.* XCVIII, r b: *Si quieres vamos de huzia / y ponte de repiquete.*

repuna, f.: *cera y miel / se contiene sin repuna* (C. 369-370), 'repugnancia, contradicción, incompatibilidad'. Es un cultismo sin grafía culta. V. Lida, *J. de Mena,* 261.

resistencia, f.: *pues que ño tien resistencia* (C. 34) *tener o no tener resistencia* quiere decir 'que se puede o no se puede resistir', aplicado a males o dolores.

respelluzio, m.: *Los ahuncos y descrucios, / sobrecejos, respelluzios* (C. 671-672). Uno de los términos, muy numerosos, de la familia de *espeluzar* 'erizarse el cabello por miedo o por otra causa'. (V. variantes en Corominas, III, 721). En Autoridades, *despeluzo* 'erizamiento de los cabellos, ocasionado de algún susto o miedo grande'. Lo mismo en Covarrubias; Encina, *Otea mi despeluzio* (*Canc.* XCVIII r a).

respelluncar: Otro término de la misma familia que el anterior con el mismo significado. *Respellúncaseme el pelo* (B. 286). Según Corominas (loc. cit.) de la forma primitiva *espeluzar* sale *espeluznar* y por trasposición *espelunçar,* "que es lo que se debe leer en Lucas Fernández, y no *espeluncar*". De la misma opinión es Hermenegildo (nota en p. 145). En efecto, sería muy fácil achacar a una de las famosas erratas la caída de la cedilla de *respellúnçaseme.* Pero los testimonios dialectales son muy convincentes en contra de esta opinión. Lamano recoge *espeluncar* en la comarca de Ledesma. Había de ser demasiada casualidad que la cedilla se cayera en el otro caso de *espelluncar*: *la greña se m'espelunca* (C. 21). Por otra parte tenemos el mismo tratamiento en Encina: *Canc.* Cur. b: *Siempre estoy despeluncado / que desmayo cada rato*; Íd. *Canc.* XCVIII r a: *Dusna, dusna el çamarrón, / sal acá, pese a san Junco, / riedro vaya el despelunco / ponte en el corro en jubón,* donde la rima nos asegura el sonido velar.

resuscitar, tr.: *Los muertos resuscitaua* (a. 131), 'resucitar'. La *s* es etimológica.

retentiuos: *Quítanos los retentiuos* (B. 217), *¿Y tú sos el forcejudo / zagal de buen retentibo?* (A. Diál. 18-19) 'retentiva, facultad de acordarse'.

retrónica, f.: *¡Qué retrónica passáys / tan incrimpolada y fuerte!* (B. 370-371). Es una de las numerosas formas populares para designar el lenguaje complicado, o las razones extremadas y sofisterías del hablante. (V. variantes en Gillet, *Notes,* p. 206). El Dicc. RAE lo da como vulgarismo.

retronicar, tr.: *Bien lo as retronicado* (f. 316), 'hablar con demasiada retórica'. *Autos,* II, 322: *que, ausadas, qu'ellas vengan rretronicando de las trónicas que suelen.*

reuellado: *Ño seas tan reuellada / y tan tesa y profiada* (A. 70-71), 'rebelde'; *rebellar* es la forma leonesa, con palatalización, frente al *rebelde,* de evolución semiculta (Corominas, I, 439); *Autos,* II, 176: *y as querido rrevellar / en no querer conservar / un preçepto que te e dado*; *Mingo Rev.* Copla XXVIII: *Cata que se rompe el cielo... / rebellado, no as recelo?* Y en el Comentario de H. del Pulgar dice: "Rebelde obstinado. ¿No has miedo de estar en tu rebelión..."; Íd., Copla XXII: *rebellando al apriscar / manso al tresquiladero.* Comentario: "los reprehende que no se juntan al bien, y son obedientes al mal". Entre los ejemplos de *rebellado,* con este sentido que da Lihani (*Lenguaje,* p. 546) figura uno de Encina, 104: "Entra, no estés *rebellado*", que no conviene. (Aquí la significación es 'pasmado', 'con los ojos muy abiertos' (Corominas, III, 334); ast. *remellar,* 'abrir los ojos desmesuradamente'; port. pop. *remelgado,* 'que tem reviradas as bordas das pálpebras'; en Cabranes: *remellau, arremellau, arremellase* 'abrir los ojos mucho y quedarse pasmado con los ojos fijos, como asustado'). Es un eslabón este *rebellado-remellado* 'de ojos abiertos, pasmado', que falta en la cadena *revelencia--revellencia-revellada-revellar* estudiada por Teyssier, p. 61. Para todos estos cruces de palabras, típicamente "sayagueses", V. Teyssier, páginas 29 y 61. V. también Gillet, *Torr. Nah.* III, p. 541, n. 5.

reuelencia: *Recaca tu reuelencia* (f. 102), 'reverencia, saludo'.

reuilencia: *hablando con reuilencia* (B. 541), 'con reverencia, con perdón'.

reys (plural de *rey*): *son de reys sus ñaciones* (D. 518), 'reyes'. Es una forma muy común en el español medieval, y puede considerarse como un lusismo. V. nota de Dámaso Alonso al verso 811 de su edición de *Don Duardos.*

riedro vaya: (B. 87) Es castellanización de *vade retro. Arriedro vaya el diablo.* Correas, p. 536.

rincrera, f.: *Quiçá soys de los que andáys / como grullas en rincrera* (C. 410-411); *rinclera* en el *Bable de Occ.,* p. 478; lo mismo en Oseja de Sajambre y en Cabranes, 'fila, hilera'.

rodo: *Recaca tu reuelencia / con plazer abondo y rodo* (f. 102-103), 'alrededor'. Es forma occidental; *arrodo*: Garrote lo recoge como 'en exceso'; Lamano: *a rodo* 'con abundancia'; Corominas en el comentario al verso 931 del *Lib.* BA: *yo daré a todo cima e lo traeré a rodo* 'poner en movimiento'; Íd., 1534 b: *viene un mal azar, trae dados en rodo* 'rodando, en movimiento' (sentido etimológico).

(a)*rodopelo,* m. adv.: *a pospelo y rodopelo?* (D. 135). Dicc. RAE: *a redopelo,* 'a contrapelo'; Covarrubias: "*redropelo,* lo mesmo que *rodopelo,* quasi *retropelo;* es quando passamos la mano al paño contra el pelo"; Correas, p. 529: "*al redropelo,* al revés".

roña, f.: *Y si ay alguna roña / allí se ha de demostrar* (A. 324-325), 'daño moral'.

rotrónicas: *¡Qué rotrónicas que cantas!* (D. 236). V. *retrónica.*

Rubiales: *el herrero de Rubiales* (D. 157). Puede ser Parada de Rubiales, en la raya de Zamora, en la carretera a Alaejos y Tordesillas.

ruyn, adj.: *A! ruyn seas tú y tus parientes!* (D. 210). Dicc. RAE: *ruin* 'vil, bajo y despreciable'. Sin embargo, parece que el uso antiguo tenía el significado más suave que el de ahora. *Un Vocabulario castellano...* (RFE, XXXV, 1951, p. 335: "Vno de los denuestos o palabras ynjuriosas que se vsan en Castilla es llamar a otro *ruyn;* y parece vocablo desuariado y que no quiere deçir nada; ... que nunca se dize este denuesto a honbre maliçioso, ni cruel, ni auaro, ni a luxurioso, sino a vnos hombres para poco y mezquinos..."; Encina, 234: *Ruin sea yo si allá tornar. ¡Para ésta con que me signo / Que ñunca a la villa vaya!* El *roín* del ast. actual (Cabranes) quiere decir 'de poco tamaño' o 'de mala salud'.

S

sabencia, f.: *jamás touiste sabencia / cómo se ha de partear* (D. 129-130). Dicc. RAE: 'sabiduría' como ant.: Lib. BA, 46: *no m'contesca contigo / como al dotor de Grecia / con el ribald romano / e su poca sabencia;* Encina, 230: *Mía fe, el que a mí creyer / No studie tan ruin sabencia.*

sabido, adj.: *Sí, que a la ygreja he andado / y zagal soy bien sabido* (D. 462-463), 'sabio'. Encina, 190: *Así porque eres en todo sabido / Como por ser amigo tan cierto;* Sánchez de Badajoz, *Farsa del juego de cañas,* verso 159-160. *Ruégaselo, por tu vida / Pues que es gente tan sabida*; Encina, *Canc.* LXXII b: *muy sabida en responder.*

sago, m.: *flor de sago y doradilla / y mançanilla* (C. 325-326). *Colección de Documentos inéditos de América y Oceanía* (1567) t. V, p. 217: *llaman a la canela caquisa y al gengibre sago.*

Salamón: *Salamón no se dormió* (f. 460). Esta forma aparece en numerosos textos en vez de *Salomón.* Por ejemplo en Lib. BA, 105 a: *Como diz Salamón, e dize la verdat.*

saltabuytre: *Dime, dí. ¿Quieres jugar / al saltabuytre? —Ño.* (f. 172-173). No tengo elementos para juzgar qué clase de juego era. Hermenegildo (p. 269) supone un juego semejante al de pídola.

saltejón: *Ten medida. / Ño des tales saltejones* (C. 735-736), 'salto desmesurado'. El aumentativo en *-ejón* era corriente en textos del tiempo (V. *asnejón*); Torres Nah. *Com. Aquil.* Intr., 110: *pernejón*; Íd. *Com. Ymen.*, Intr., 140: *ventrijón*; Encina, 126: *Pareceré frailejón*; Íd., p. 139: *¡Oh del gran acertajón!*; Íd. *Trujiérante al derredor / Por aquesos guedejones.* También *saltejones* en *Vita Christi,* copla 141, v. 9; *Autos,* II, p. 379, v. 145: *Ensomo aquel cerrejón.* En todos los ejemplos hay un sentido de aumentativo con matiz desmesurado o ridículo.

saluo honor: Fórmula para pedir perdón por alguna palabra poco correcta. Aquí se emplea por causa de *correncia. Más cuydo que anda, señor, / saluo honor, / trasijado de correncia* (C. 345-347); Correas, 443 a: "Salvo honor de vuestras mercedes. Dícese haciendo salva a palabras bajas o vergonzosas, como asno, puerco, o rabo y semejantes entre gente no pulida".

santos con nombres bufos: *San Conejo* (C. 148); *San Junco* (f. 266); *San Rollán* (A. 287). V. para este asunto, Humberto López Morales, *Tradición,* p. 188; Gillet, *HR,* 1942, pp. 68-70; M.ª Rosa Lida de Malkiel, *La originalidad artística de La Celestina,* p. 696; Frida Weber, *Lo cómico en el teatro...* Teyssier, 490-491, etc.

sant perdón: *¿Va a ganar el sant perdón?* (D. 296), 'jubileo'. Emilio Cotarelo, en el prólogo a la ed. Facsímil, p. XX, ve en esta frase una alusión al jubileo secular o año santo de Roma de 1500. Encina, *Canc.* fol. LV v b:

y el planto de Jeremías / cavallero en un cabrón / a ganar el san perdón.

seguida (hombre de): *Soy un hombre de seguida / que la vida / traygo puesta en la ordenanza* (C. 404-406). Cañete interpreta: 'El que sigue a otro y está a sus órdenes sin poder obrar a su albedrío; sujeto a la Ordenanza'.

sejo, m.: *pegaros he en los costados / un par de sejos pelados* (C. 372) 'piedra', 'cantos'; *xeixu* en San Ciprián de Sanabria y en La Sisterna; *jeijo,* Garrote; *jejos,* Lamano; *jeijos,* Bardón; todas estas voces con valor de 'cantos rodados o piedras duras'.

semejado, p. p.: *aquel que se tiene en poco / es semejado por loco* (f. 20-21), 'parecer loco, ser tenido por loco'; Lib. BA, 976 a: *Seméjasme sandío que assí te combidas.*

senor: *Diga el senor, si querrá* (C. 894-895), 'señor'. (También existe la forma palatalizada *señor* (f. 415.) Encina, 92: *Dios os dé, senor, buen día.* Encina, 73: *Y cramemos / Al Senor muy reciamente.*
Lo mismo *senora* (B. 15).

señorança: *¡O Señor, tu señorança* (f. 411), 'señorío, poderío'; Encina, 107: *Que senoranza tan alta / requiere muy gran valor.*

serpentina, f.: *o serpentina encantada / te ha medrentado tanto?* (f. 264-265), 'serpiente'; Santillana, *Infierno de los enamorados,* 23: *serpentino,* 'serpiente'.

sinoga, f.: *los mohatrones / rabís y aljama y sinoga / asen de sus cabeçones* (a. 387-389), 'sinagoga, junta de judíos'; *Autos,* II, 24: *que se manden ayuntar / en su sinoga y lugar / donde se ayuntan contino.*

so, prep.: *Pues creed que so el sayal / que aún ay al* (B. 66-67), 'bajo'. Correas, 151: *so el sayal ay ál.*

sobajar, tr.: *Dime si te sobajó* (A. 271), 'manosear, sobar'. Encina, 7: *Esas obras que sobajas / Son regojos y migajas / Que se escuelan del zurrón*; Covarrubias: "*sobajar,* tratar una cosa mal haajándola"; Guzmán de Alfarache, III, 181: *me deja su honra encomendada como si yo supiera tratarla sin sobajarla.* En Cabranes se emplea *sobayar* frecuentativo de *sobar,* como *apalpayar* de *palpar,* etc. Para su etimología, V. Corominas, IV, 249, frente a Gili Gaya (RFE, XIII, 1926, pp. 373-375).

sobar (el pellejo): *Sobaros he yo el pillejo / si más partimos las peras* (A. 384-385); *y con gran muedo se arrean*

/ *por sobarme la pelleja* (D. 29-30). Desde muy antiguo (V. Corominas, IV, 249) se emplea el símil de "poner flexible el cuero" por 'amansar' o bien 'recibir castigos o azotes'; Berceo, *S. Doming.* 715 d: *sovar la correa;* en Argentina es corriente *sobar un tiento* por 'hacer flexible una correa a fuerza de manosearla'. *Vita Christi,* copla 127: *y venga lo que viniere / que la mi perra bermeja / le sobará la pelleja / a quien algo nos quisiere.*

sobejo, adj.: *Es grande mi sobrecejo / y muy sobejo* (C. 145-146), 'extremado', 'duro'; Lib. BA, 1117 v-d: *della e della parte danse golpes sobejos / de escamas e de sangre / van llenos los vallejos.*

sobollona: *Verá la cara de cabra / rabiseca y sobollona / la cachinegra y putona* (A. 274-76). Dos posibilidades para esta no clara palabra: a) ponerla en relación con *sobayona* ast. (Cabranes) 'amiga de sobar'; b) entre los insultos que el abuelo dispensa a Beringuella cabe muy bien el de *so-loba* con palatalización y sufijo de aumentativo: *sollobona.*

sobrecejo, m.: *Los ahuncos y descrucios, / sobrecejos, respelluzios* (C. 671-672). Dicc. RAE: *sobrecejo.* 'Señal de enfado arrugando la frente, ceño'. *Mingo Rev.,* Copla I, *¿Por qué traes tal sobrecejo?* En la *Glosa* de H. del Pulgar: "Los que están en descontentamiento siempre los veréis el cejo echado". Encina, *Canc.* XCIC, r b: *quel cordojo y sobrecejo...*

socorrer: *¿Dónde están tus cortesanos, / que la fuerça de sus manos / no socorren* (*a*) *ayudarte?* (a. 469-471). Aún se ve claro en este verbo la raíz latina de *currere.* Su significado 'acudir con auxilios', que también se ve en el ejemplo siguiente: Pulgar, *Crón. de los Reyes Católicos,* ed. Rivad., p. 414: *los Gomeres... socorrieron a las calles e a otros lugares por donde entraban los christianos.*

solletrar, tr.: *d'Este no le quedó nada / en el tintero oluidado / sin dexarlo solletrado* (f. 372-374), 'puesto en letras, escrito'. En Cabranes, en Lena, en el Bable de Occ. y otros puntos, *solletrar* es 'deletrear'.

sollo, m.: *Por auer ya de allegrar / tu sollo brigollenío / en señal del amorío* (A. 185-187). Parece una formación posverbal de *sollar* sufflare; Encina, 87: *¡Mira cómo yo le toco / sin sollar!,* 'respirar, soplar, resollar'; *Biblia*

Med. Romanc., Deuteronomio, cap. VIII (15): *do era la sierpe, que quemaua con el sollo, e el escorpión e la dipsa...* 'aliento'.

soma, f.: *comer, beber; de contino / tassajo, soma y buen vino* (f. 26-27), 'pan con harina de inferior calidad, o pan de salvado fino'. En La Ribera (Llorente Maldonado, p. 182): *somas* 'salvado fino del que se hacía el pan de los jornaleros'; Encina, 23: *No comáis somas de canes / Ni andéis hechos albardanes / Comiendo vianda vil*; Sánchez de Badajoz, *Dança de los pecados,* 121: *El perro come lla soma*; Correas, p. 234: "Hartarte has, comilona, con una torta y media soma"; Lib. BA, 1031 d: *abras / esse braço e toma / un canto de soma / que tengo guardada.* A pesar de todos los testimonios en favor de *soma* 'pan áspero, para los criados o los perros', Menéndez Pelayo, en el *Glosario* a los Vols. I y II de su *Antol. de poet. lír.*, dice: "en poetas de los siglos XVI y XV, *soma* se halla usado en la significación de 'cecina' y 'tocino'."

somero, adj.: *ya cuydo sale el luzero, / el Carro ya va somero* (f. 13-14), 'que está encima (de los montes)'; Covarrubias: "lo que tiene poco hondo y está casi encima". Dicc: RAE: 'muy inmediato a la superficie'. El pastor ve que es la hora de almorzar, porque sale el lucero del alba y está a punto de esconderse el carro.

somo (*en somo, por somo*), m. adv.: *Vámonos a mi majada / que está en somo esta floresta* (B. 388-389); *Ya me rebienta el gasajo / por somo del pestorejo* (B. 1-2); Covarrubias: *somo.* Palabra antigua. Vale por 'encima'; *Autos,* II, p. 379, v. 145: *ensomo aquel çerrejón.*

son, conj.: *Habrando no, son cantando* (A. 590 y C. 122). Equivale a *sinon, sino.* Torres Nah. *Dial.*, Intr., 74: *Que no parescía son sopa en la olla*; *Autos,* II, p. 218, v. 70: *no basta no darnos pan / son qu'aveis d'ir vos llorando.*

soncas, adv.: *Soncas aora paz tenemos* (f. 289), 'ciertamente'. Teyssier (p. 62) cree que viene esta forma de *son* (si non) *que,* más la terminación *-as* adverbial. (Parece forma paralela al port. *samicas.*) Gil Vicente, *Auto dos Reis Magos,* 1-3: *Asmo, asmo, soncas, ha, / que me da / la fortuna trasquilón*; Encina, 3, v. 2: *Asmo, soncas, acá estoy.*

sorbe, forma verbal *¿Mamarás tú a muerde y sorbe* (D. 121) y no sustantivo 'sorbo' como quiere Lihani (*El lenguaje,*

562); *a muerde-sorbe* es formación adverbial, como *a chirla-come,* recogida por el Dicc. RAE.

¡sus!, interj.: *¡Sus, sus, sus, vamos de aquí!* (A. 587) '¡ea!' Dicc. RAE: Voz que se emplea para infundir ánimo repentinamente...; *Autos,* II, p. 31, v. 299-300: *Pues, sus, yo lo encubriré / y venga lo que viniere.*

suso, adv.: *Pues ayna muéstrame suso* (f. 237) 'pronto'. "Desta palabra *sus* y *suso* usamos quando queremos dar a entender se aperciba la gente para caminar o hazer otra cosa; y assí dezimos: suso, levantaos de ay". Covarrubias, 948 b.

syno, m.: *y los cielos muy graciosos, / planetas, synos, gozosos* (D. 583-584), 'signos celestes, constelaciones'. Así en Berceo (*Duelo,* 113). Es la forma semiculta de *signo* (la vulgar es *seña*). Alvares de Villa Sandino (*Canc. de Baena,* 4, p. 16): *planetas e sinos le dieron altesa / las constelaçiones limaron su gesto.*

T

tabra (tabla): *que ño sabéys dó va tabra!* (D. 125). Dicc. RAE: *no saber uno por dónde van tablas,* 'ignorar aquello de que se trata'; *Alfarache,* 2.ª part., Libro II, cap. I, p. 240 (ed. Clás. cast.): *Ninguno* (de los pobres) *ví que supiese dónde iba tabla. No acomodaban cosa a su lugar ni tiempo, conforme a ordenanzas.*

tajadero, m.: *y su rallo y tajadero* (A. 508), 'trozo de madera sobre el que se coloca la carne que se ha de cortar'. Así en Dicc. RAE, como de Salamanca. Covarrubias: 'plato redondo de palo, sobre el qual se corta la carne'. Glosarios, 98: *tajadero* (cisorium); Nola, *Libro de guisados,* nota 258: 'Tabla redonda o quadrada que se usaba no sólo para cortar sobre ella, sino para exprimir entre dos iguales verduras o legumbres para que eliminaran su agua o jugo'. *Lib.* BA: *tajadero* 'plato grande'.

tañer, tr.: *y trompetas y bozinas / le tanían por detrás* (a. 226-227), 'tocaban'; *son tañé hazia el llugar* (C. 869). Como al final siempre se van los pastores cantando o tocando, quiere decir 'toca hacia el lugar, vamos hacia el lugar'. Unos versos más abajo: *Pues lleuemos gasaja-*

do. Pues cantemos repicado. También es posible esta otra interpretación, quizá un poco burlesca, pero aceptable en lenguaje rústico: el empleo de *tañer* en el sentido pastoril: Correas, p. 82: "*tañer* dicen en Castilla la Vieja por arrancar la bestia dándole con la vara o aguijón".

tarabolán: *El son de tarabolán / tan, tan, tan* (C. 414-415). Voz onomatopéyica del sonido del tambor. Villaviciosa, *La Mosquea,* canto II: *Mas cuando de improvisos atambores / oyó el taparatán que a guerra suena...*; Salazar y Torres, *Cythara de Apolo,* 1.ª parte (Madrid, Antonio González de Reyes, 1964), fol. 72: *Entre el tintirintín de los clarines / y entre el tantabalán de los tambores.*

tejo (juego del): *¿Al tejo? / ¿Ño vees qu'é jugo de viejo?* (f. 173-174). Autoridades: "juego que se executa tirando al que llaman hito con tejos, y gana el que le derriba o queda con el suyo más cerca dél u del dinero que suelen poner encima del hito"; V. Gillet, *Notes,* p. 599.

temosía, f.: *que os tiréys d'essas porfías / y aun aquessas temosías / ño las queráys más tener* (A. 367-369), 'arranques del temoso, tenaz o porfiado'. Encina, *Cancionero,* XCIX r b: *dexemos la temosía.*

tempero, m.: *¡Mia fé! con este tempero / que no se críe polilla* (f. 10-11), 'clima, tiempo bueno o malo, sazón'; *Declárame ya tu mal. / ¿Ya no vos digo que es tal / que ñunca tien buen tempero?* (C. 132-134); Encina, 307: *Dios les dé malos sosiegos / Y a nosotros buen tempero.* Lo emplea Gil Vicente. (Teyssier, 62-63.)

terito, m.: *tómanme cient mill teritos* (A. 29-30), 'tiritones'; *tómame pasmo y terito* (C. 22). En este caso puede ser, además, primera pers. del verbo *teritar* (Lamano, 641); Correas, 303: *Más vale sudar que toser y teritar.*

terrería, f.: *y aflegido / con terrerías mortales* (C. 39-40). Dicc. RAE: como ant. 'amenaza terrorífica'; Encina, *Canc.* XCIX r a: *desenarto te entre nos / aunque estás en terrería.*

Thetagramatón (*Tetragrammaton*): Todos los editores están de acuerdo en enmendar la lectura de F. En Covarrubias: "T. el nombre de quatro letras de donde se dixo el nombre de Dios, el qual no le pronuncian los hebreos como está escrito, sino leen en su lugar *Adonai,* que sinifica señor" (*Deuteronomio,* 3, 23). V. Leo Spitzer, NRFH, I, 114.

teso, adj.: *Ño seas tan reuellada / y tan tesa y profïada.* (A. 70-71) Dicc. RAE: 'como *tieso*'; Covarrubias, 959 b: "es lo mismo que *tiesso.* Antonio Nebrisense buelve *cerbicosus, contumax*".

texillo, m.: *Darl'é texillo y filetes* (A. 538), 'trencilla usada como ceñidor o como remate'. En lat. med. hay *tassellus* 'fimbria'. Cortes de 1340: "*... nin otros paños laurados... saluo que puedan traer en los mantos texiellos e cuerdas*; Glosarios, p. 96: *texillo* (baltanus) de *balteus* 'ceñidor, franja'; Alvares de Villasandino (*Canc. de Baena,* p. 112 b): *un balandrán enforrado / Que llegue fasta el tovillo / Con un muy rrico texillo.* No es admisible el *texillo* 'tejido' de Lihani (*Lenguaje,* 572).

tiesto, adj.: *No cabo en mí de prazer. / Ya más tiesto estó que un ajo* (A. 153-154). Autoridades; "Lo mismo que *tiesso.* Ya no se usa". Dicc. RAE: 'tenso'. Puede ser 'erguido, tieso' como el tallo central del ajo, planta, o bien 'tenso y apretado' como la cabeza de ajos, rellena de los dientes; Encina, *Canc.* LXXII r a: *las tetas tiestas y agudas*; Huete, *Tesorina...,* p. 85: *Y los pechos / por que estén tiestos y drechos / atiéstanselos de trapos.*

tirte: Dicc. RAE: Expresión antigua con el sentido de 'apártate'. *Tirte allá con tus barzones!* (A. 67). Encina, 91: *Tirte, tirte allá, Minguillo.* Íd., 124: *¡Tirte á huera!*

tomar: *me toma frío y callambre* (B. 288). Dicc. RAE: 'Sobrevenir a uno algún efecto o accidente'; *tomarle a uno el sueño, la risa,* etc.

tombadillas (dar t.): *Y aun daré mill tombadillas / —Ahotas que tumbas mucho* (D. 145-146). Por el verso siguiente parece que fuera un juego que consistiera en tumbar a otro. Pero *tumbo* 'voltereta' sugiere el juego de dar volteretas; Torres Nah. *Com. Jac.* Intr.: *Otros a dar combadillas*; Sánchez de Badajoz, *Introyto de los Siete pecados,* v. 22-23: *mil traspiés y çancadillas / y en el prado combadillas.* La idea del cuerpo combado para dar las volteretas afianza este sentido.

toquexo: *Sus toquexos y tocados* (A. 527), 'cierta clase de toca'. Bernis (p. 106), en el artículo *toca,* dice: "Las ordenanzas de tejedores de tocas de Toledo distinguen, entre alfardas, dexadillos, rostrillos y *oquexos*", posible errata por *toquexos.*

torbisco, m.: *Es amor vn mal amargo / más que ruda y que torbisco* (B. 582-583). Covarrubias: "*torvisco,* 'Yerva conocida latine et graece thymelaea'." Dicc. RAE: 'mata de la familia de las timeleáceas»; Laguna, *Dioscórides,* 486: Thymelea o *toruisco.*

torrezmear: *¿Andáys a torrezmear / o quiçá a gallafear?* (D. 283-284) 'andar a la busca de torreznos'. Covarrubias: "*Torreznero* el moço que no sale de sobre el fuego y es holgaçán y regalón". Lo mismo en Correas, 582, y en el Dicc. RAE. Pero a la voz *torreznear* se le busca un efecto cómico al cruzarla con *mear.* Del mismo tipo es el *gallafear* (V.) en vez de *gallofear.*

torromoto, m.: *También los quatro elementos / ... muestran graues sentimientos, / descontentos, / con áspero torromoto* (a. 86-90); *Autos,* II, p. 291: *Son que la noche pasada / vimos aquí un terromoto*; *Profecía de Evangelista, ZRPh,* 1877, I, 244: *Luego hará vn torromoto tan espantable que los muertos no osarán rresuçitar de miedo...* (No se trata de una errata como supone Hermenegildo.) En bable actual *torromotu.*

toscohosco, adj.: *Toscohosco, melenudo* (B. 451); *¡O, toscoshoscos, campestres!* (f. 317). Debe de participar de las cualidades de *tosco* 'grosero' y de *hosco* 'ceñudo y áspero'. Según Rodríguez Marín (*Un millar...*) entra en la lista de palabras vulgares o malsonantes que Pedro de Espinosa (1625) puso al fin de *El Perro y la Calentura.*

toste (*priado*): *¡Lleuanta toste priado!* (f. 73), 'pronto, enseguida' (V. *priado*). Los dos adverbios se refuerzan. Encina, 82: *Que toste, toste priado / Volveremos*; Gonçalo Martínez de Medina, *Canc. de Baena,* fol. 125 v°: *El toste foyr es su melesina*; Gil Vicente, *Auto Pastoril Castellano,* 208: *Sus, alto toste priado* (V. Teyssier, p. 63).

tranquilla, f.: *Que ño ay vesibro de villa / sin tranquilla* (C. 328-329), 'engaño'. Covarrubias (bajo tranca): "*tranquilla* vale engaño; está tomado de los luchadores, quando atraviessan el pie detrás de los dos del contrario, y le rempujan para tras"; Correas, 536: "*armar tranquillas* poner tropiezo y achaques para descomponer lo tratado"; Encina, 383: *Que les digo / Sin tranquilla é sin ruindad / La punta de la verdad.*

transfigurado: *Ya fuera transfigurado / y mortajado* (C. 854-855), 'muerto'.

traque, m.: *Por huyr le solté vn traque.* Dicc. RAE: 'ventosidad con ruido'.

trasijado, adj.: *Anda trefe y trasijado* (C. 700), (*trafijado* es errata de *f* por S alta, que no han visto Cañete ni Lihani) 'muy flaco' según el Dicc. RAE; *Mingo Rev.,* Copla XI: *muerta, flaca, trasijada*; Encina, 66: *trasijado de cordojos*; Covarrubias: "*trasijado.* El que tiene los yjares recogidos, a falta de no aver comido ni bevido".

trato, m.: *Tantos tratos / le han dado que t'elarás* (a. 269-270). Está por *trato de cuerda,* 'tormento' (Correas, 554) Lo mismo en Covarrubias.

trayción. Esta palabra siempre se silabea tra-y-ción. (V. C. 389; C. 634; a. 367). Es un cultismo.

trefe, adj.: *Anda trefe y trasijado* (C. 700). Dicc. RAE: 'ligero, delgado, flojo', y también 'tísico'; Covarrubias: "El que está flaco y enfermo, dizen estar deble y *trefe*".

trenado, adj.: *Darl'é alfardas orilladas / y capillejos trenados* (A. 530-531), *capillejos trenados* 'cofias trenzadas'. Covarrubias: "*trena* vale lo mismo que *trença* por estar texida de tres ramales"; Bernis, p. 19: "Las cofias de red recibieron también los nombres de garvín y *capillejo.* Una cofia de aspecto muy particular y muy característica de la moda española fué el *tranzado,* cofia a manera de funda que recogía la trenza sobre la espalda, y, a veces, daba la vuelta a la cabeza".

tresquilar, tr.: *y el morueco tresquilado* (A. 502). Dicc. RAE: *tresquilar* ant. como *trasquilar.* Pero Mexía, *Coloquios,* fol. 77: "*pues que acaezca lo mismo en la vista, dígalo el tresquilar; que solíamos alabar todos el buen cabello en el hombre, y porque el Emperador se tresquiló determinamos todos hazello*".

tribu (usado como masculino): *vos pregunto / si es del tribu de Rubén* (D. 501-502); *Autos,* II, p. 75: *Bive Dios que me dió estado / so el gran tribu de Isrrael.*

tribulança: *Tu muy grande tribulança / tu gesto bien te la da.* (A Diál. 81-82). Dicc. RAE: *tribulanza,* ant. Acción y efecto de tribular, o causar pena.

trónica: *trónicas de amorío* (D. 102), 'retóricas', 'hablillas'. Encina, 93: *Esas trónicas, senor, / Allá para las de villa*; Correas, 653: *trónica* 'hablilla, patraña'.

tropecijo: *son prazeres con letijos / tropecijos / do caemos pïornados* (C. 78-80). Parece un posverbal de *tropezar,* hecho con la terminación de *letijos,* o *litijos, enconijos, cossijos,* etc., 'sitio o cosa donde se tropieza'.

V

vadajada, f.: *¡O, qué gentil vadajada!* (B. 433), 'necedad, despropósito'; Covarrubias, 182 a: "*badajadas* vale tanto algunas vezes como necedades".

vado (dar v.): *Vuestro mal ño me da vado* (C. 489), 'remedio o alivio' (Dicc. RAE). Autoridades: "*vado* significa también expediente, curso, remedio u alivio en las cosas que ocurren, y assí se dice *no hallar vado*".

vago (ir en...): *Ño penséys de os yr en vago* (A. 288). Dicc. RAE: *en vago,* m. adv. 'Sin el sujeto u objeto a que se dirige la acción'. En este caso sería 'sin castigo'.

(en) *valança*: loc. fig.: *Y aunqu'el amor /le ponga en valança* (C. 916-917), 'en un punto crítico, en peligro, en duda'. Covarrubias: "y porque no tienen constancia ni firmeza hasta igualar el peso de ambas, dezimos andar uno *en balanças* quando está a peligro de descaecer de su estado, el qual no tiene firme ni seguro".

¡valas, válaste el Diabro! (valer) 'ayudar' (A. 105), 'válgate el diablo!' Se esperaría la forma *vala,* en tercera persona y no la segunda. La forma corriente: *El Criador vos vala* (Cid, 2603), en tercera, o *¡Válasli, Sancta María!* (Berceo, *Mil.,* 439). No queda más remedio que pensar en la influencia de una forma sobre otra, en un terreno tan propenso a las confusiones como es el verbo. Acaso la forma influyente es la más empleada como fórmula de pedir ayuda: *Ruego que me valas.*

valdrés, m.: *Soncas ño so de valdrés / ni so çamarra o çapato* (C. 502-503). Dicc. RAE: 'piel de oveja, curtida, suave y endeble, que sirve para guantes y otras cosas'. Glosarios, p. 16: *valdrés* o *cordouán* (aluta); Covarrubias: *baldrés* 'Cuero muy floxo de que hazen los pliegues de los fuelles'.

vanagrolloso: (D. 70) 'vanaglorioso'.

vanigrolia: (D. 39) 'vanagloria'.

Formas con metátesis y con palatalización.

varaja: *Entre nos no ay varajas* (f. 290), 'reyertas'; Covarrubias: "*baraja* en lenguaje cast. ant. vale 'contienda, pendencia, confusión'. Encina, 6: *Déjate desas barajas / Que poca ganancia cobras.* Glosarios, 113: *varaja* (rixa). *Lib.* BA, 1716.

vejedá, f.: *no com'ora en vejedá.* (A. 585) 'vejez'. Dicc.

RAE: como ant. en Sal. *vejedad*, 'calidad de viejo'. Parece una formación de *viejo* sobre *mocedad*. Aparece en numerosos textos antiguos; Lib. BA, 312 d: *Vínole gran vejedat, flaqueza e peoría.*

verga, f.: *La verga nueua del robre* (C. 271). Covarrubias: "*verga*: Es lo mesmo que vara"; *y en la vara el sancto Arón* (f. 457); *en la verga de Aarón* (*Vita Christi*, copla 33, v. 2).

vergoñar, tr.: *No me querás vergoñar.* (A. 570) 'avergonzar'.

vergüeña, f.: *Di, ¿ño as vergüeña?* (D. 63), 'vergüenza, timidez'; Espinosa, *Arcaísmos*, p. 35: *bergoña*; Comp. port. *vergonha*; Lib. BA, 454 c: *vergüeña non te embargue*; Encina, 104: *Dígote que de vergüeña / Estoy ajeno de mí.*

vero, adj.: *Est'es el Dios de Dios vero* (D. 626). Dicc. RAE: *vero*, adj. desus. 'verdadero'.

de vero: *y aquellótrate de vero.* (A. 477). Dicc. RAE: *de vero*, adv. ant. 'de veras'.

Verrocal: *sobrino de Juan Jarrete / el que viue en Verrocal* (A. 440-441). Puede ser *Berrocal de Huebra*, cerca de Tamames, en la Sierra de Francia, aunque hay algún otro topónimo de este nombre.

vesibro (C. 328). V. *besibro*.

Viconuño: *y el crego de Viconuño* (A. 448). El actual *Beconuño*, lugar en el partido de Salamanca, en San Pedro de Rozados (V. *Continos*).

vido, part.: *y aun por zagales qu'e'vido* (C. 155) 'visto'; Encina, 231: *On me spanto cómo habro / Según en lo que me he vido*; *Autos*, II, 75: *sino por muchas traiçiones / que a mis ojos claro é vido.*

Los verbos latinos en -ERE carecían de la forma *-etum* del part. p. El participio se tomó de la conjugación *-ir*, así *metido* por *missum* (V. Menéndez Pidal, *Manual*, § 121). Lo mismo pasó con ver. Se formó *veído* > *vido*, perdido después.

vignadero, m.: *¿O llobo rabaz muy fiero? / ¿o vignadero?* (B. 21-22). Dicc. RAE: *viñadero* 'guarda de una viña'; Covarrubias: "Miedo guarda viña, que no viñadero"; Lib. de BA, 1442 c: *muchos cuidan que guarda el viñadero el pago.*

Villoria (*Val de Villoria*): *En todo el Val de Villoria / ni el Almuña* (D. 36-37). En Salamanca hay un *Villoria* hacia la Sierra, pero al estar citado junto a la *Almu-*

ña, parece que debe ser otro más cercano a la capital, partido judicial de Peñaranda, al E. de Aldealengua y Babilafuente.

visión: *Toparl'as hecha visión / de noche en los cemintelrios.* (D. 204-205) 'fantasma'. Recuerda el "hecho trasgo" del *Lazarillo* (Clás. Cast. 25, 1934, p. 139).

vngüente: *hizo confación de vngüentes* (a. 413) 'ungüentos'; Autoridades, VI, p. 388 b: "*ungüente.* Lo mismo que ungüento. Es del estilo vulgar".

X

xaropar(se): *Xarópate con cordura / y púrgate con sofrir.* (A. 133-134) 'tomar jarabe'. Glosarios (p. 103), *axarope* (exerupum); *Vita Christi,* Copla 74, verso 4; Covarrubias: "llamamos xarave la bebida dulce que se trae de la botica para el enfermo, y el dar estos xaraves se llama *xaropar*"; Lib. BA, 187 b: *non lo sana mengía, emplasto nin xarope.*

xerguirina: *¡Y veréys la xerguirina* (B. 466) 'jilguerilla'. Encina, 155: *E yo, mia fe, un xerguerito*; Espinosa, en sus *Arcaísmos,* p. 226, recoge multitud de formas como *silguero, silguero, sirgueiru,* etc. Zamora Vicente, *Mérida,* p. 32, encuentra *sirgero* "con *s* prepalatal sorda" (que representa aproximadamente el mismo sonido que la *x* de Lucas Fernández).

xeta: *¡Lanudo, xeta-grosero!* (C. 104) *xeta* (jeta) como insulto tiene valor de 'hocico de cerdo'. Lihani (*Farsas,* 191) comenta: "un sustantivo en una serie de adjetivos", y Hermenegildo da 'jetudo', como un adjetivo más. Creo que sería preferible interpretar *xeta-grosero* como 'grosero de jeta'.

xetudo, adj.: *don xetudo* (C. 518) 'de jeta grande, de hocico grande'.

xufrería, f.: *¡Al diabro! ¡qué xufrería!* (C. 680) 'sufrimiento'. Tanto Cañete como Hermenegildo y Lihani interpretan esta voz como el condicional de *sufrir.* Más parece un posverbal de *sufrir,* uno más de tantos nombres abstractos en *-ía* empleados por L. F.: *temosía, loçanía, terrería, medrosía,* etc.

Y

ya, yo: *ya yo, ya yo no podré* (B. 504). Locución muy frecuente en Babia y Laciana, según Guzmán Álvarez, p. 265.

ygaja, f.: *la ygaja se me desmuele.* (B. 284) 'hígado' según el Dicc. RAE, como desus. (*higaja*).

yunto, adj.: *No estemos más aquí yuntos* (A. 113) 'juntos'. No sigue la evolución esperada. En el leonés daría *xuntos.* Puede ser un lusismo. Véase el comentario de Dámaso Alonso para *yunta* 'junta', p. 240, de su ed. de *Don Duardos.*

Z

çahareño, adj.: *Vencívos, don çahareño* (D. 216); *Ño seas tan zahareña.* (A. 90) Covarrubias: "Al hombre esquivo y recatado que huye de la gente y se anda esquivando de todos, llamamos çahareño"; *Vita Christi,* Copla 15, v. 10: *çahareña*; Sánchez de Badajoz, *Farça de Salomón,* 213: *¡O, cómo van çahareñas.*

çapatas: *çuecos, çapatos, çapatas* (A. 543). No está claro la diferencia que había entre *zapatos* y *zapatas.* Lib. de BA, 1489 c: *¡Por las çapatas mías!*; *Ordenanzas de zapateros* de Burgos, 1552: "las *çapatas* de muger de obra gruesa de dos suelas a 64 maravedís" (Bernis, p. 109); Encina, 96: *Buen zueco, buena zapata.*

çapatetas: *calquemos mill çapatetas* (f. 573). Dicc. RAE: *zapatetas,* golpes que se dan con el zapato en el suelo en ciertos bailes; Encina, *Canc.* C v a: *Y aun qué çapateta / dará allí un moçuelo, / a tremer el suelo.* Torres Nah. *Com. Troph.,* II, 200: *repica la çapateta.*

zemán, m.: *Zagal soy de buen zemán* (B. 61). Como ya apuntaba Cañete, esta voz corresponde a una palabra árabe *zamān,* 'tiempo', pero también existe otra posibilidad: *ẓamān,* palabra que sólo difiere de la anterior en la consonante inicial, y que equivale a 'garantía, confianza'. Podemos, pues, dar el siguiente significado: 'Zagal de buena edad', o 'zagal de buen crédito', o 'de buena fiuza'.

zimbrar: *¡Ño vos zimbre yo el cayado / por somo del pestorejo!* (A. 390-391). Covarrubias: *cimbrar* "vale torcer y es propio de la vara delgada que, hiriendo en el aire con ella, se tuerce y juntamente haze un sonido de cin". Garrote recoge *cimbriar,* y en Cabranes existe *cimblar,* con el mismo significado de 'vibrar una vara o algo sujeto por un extremo' en todas partes; Encina, 236: *El palo bien arrimado / Cimbrado ña quella tiesta.*

(fray) *Zorrón*: *Dime ¿es éste fray Zorrón,* (D. 291). Es aumentativo de *zorro* 'taimado', aplicado al fraile o escolar que andaba "desplumando cofradías". No creo que tenga nada que ver con *glotón,* ni con *zurrón,* como quiere Lihani (*Farsas,* nota en la p. 203).

çoiço, m.: *Entra el Soldado o çoiço, o infante* (C. después del verso 100). Dicc. RAE: 'antiguo soldado de infantería', quizá mercenario; *Autos,* II, p. 509: *Mas, ay! qué gente es ésta? —Zoyzos son, por el ánima de mi madre!*

çurujano, m.: *Que no ay mejor çurujano / qu'el herido qu'es ya sano* (A. Diál. 140-141); Glosarios, p. 98: *çurujano* (cururgiens); Dicc. RAE: ant. *zurujano* como *cirujano*; Santa Teresa, *Moradas,* I, p. 57: *anque tarde algún tiempo, verná el zurujano, que es Dios, a sanarnos.* (Clás. Cast., I, 1922.)

ÍNDICE DE LÁMINAS

SE TERMINÓ DE IMPRIMIR EN LOS TALLERES VALENCIANOS DE ARTES GRÁFICAS SOLER, S. A., EL DÍA 14 DE FEBRERO DE 1976

ÚLTIMOS TÍTULOS PUBLICADOS

63 / Lope de Vega
ARCADIA
Edición, introducción y notas de Edwin S. Morby.

64 / Marqués de Santillana
POESÍAS COMPLETAS, I. Serranillas, cantares y decires. Sonetos fechos al itálico modo
Edición, introducción y notas de Manuel Durán.

65 /
POESÍA DEL SIGLO XVIII
Selección, edición, introducción y notas de John H. R. Polt.

66 / Rodríguez del Padrón
SIERVO LIBRE DE AMOR
Edición, introducción y notas de Antonio Prieto.

67 / Francisco de Quevedo
LA HORA DE TODOS y LA FORTUNA CON SESO
Edición, introducción y notas de Luisa López Grigera.

68 / Lope de Vega
SERVIR A SEÑOR DISCRETO
Edición, introducción y notas de Frida W. de Kurlat.

69 / Leopoldo Alas, «Clarín»
TERESA, AVECILLA. EL HOMBRE DE LOS ESTRENOS
Edición, introducción y notas de Leonardo Romero.

70 / Mariano José de Larra
ARTÍCULOS VARIOS
Edición, introducción y notas de Evaristo Correa Calderón.

71 / Vicente Aleixandre
SOMBRA DEL PARAÍSO
Edición, introducción y notas de Leopoldo de Luis.

72 / Lucas Fernández
FARSAS Y ÉGLOGAS
Edición, introducción y notas de María Josefa Canellada.

73 / Dionisio Ridruejo
PRIMER LIBRO DE AMOR
Edición, introducción y notas de Dionisio Ridruejo.

74 / Gustavo Adolfo Bécquer
RIMAS
Edición, introducción y notas de José Carlos de Torres.

75 /
POEMA DE MIO CID
Edición, introducción y notas de Ian Michael.

76 / Guillén de Castro
LOS MAL CASADOS DE VALENCIA
Edición, introducción y notas de Luciano García Lorenzo.